Les THIBAULT 11

チボー家の人々

一九一四年夏Ⅳ

ロジェ・マルタン・デュ・ガール

山内義雄＝訳

白水 u ブックス

チボー家の人々11　一九一四年夏Ⅳ　目次

六十七

靄がかった、それでいて焼けつくような太陽が人々の頭の上にのしかかり、パリ中央部の空気をなんとも息苦しいものにさせていた。刻一刻不安をましている市民たちは、まるで蝿とでもいったように、こうしたあらしをはらんだ気温にいらいらさせられ、いつまでたっても家へ帰ろうとしなかった。銀行、警察署、市区役所の前には、動揺した人々の群れがたむろしていて、警官たちは、なんとかして事なく追い散らすことに心を労していた。どなりたてる新聞売りの声は、こうした群集の低いざわめきの声を圧して、人々の神経をいらだたせずにはおかなかった。

ピラミッド広場にあるジャンヌ・ダルクの像の足もとは、まるで葬龕《そうがん》とでもいったように花で飾り立てられていた。リヴォリ町のアーケードの下には、人波がたがいに相反したふたつの方向を取っておしあっていた。大部分の商店ははやくも飾窓をしめていた。往来の車は、冬のあいだのきわめて活気づいた日にもましてはげしかった。それに反して、テュイルリー公園は、そこに予備隊として集結させられていた近衛の騎兵隊をのぞけば、まるで人っ子ひとりいないさびしさだった。馬のしりの動くのが光っている木のかげには、鉄かぶとのきらめくのが見えていた。

デモのニュースは、どうやらまちがいらしかった。コンコルドの広場には、何の変わりも見られなかった。交通にしても、けっしてとめられてはいなかった。きわめて手薄な警官の列が、万一をおもんぱかって、人々がストラスブールの像へ近づくのを禁じているにすぎなかった。像の台石は、これまた三色旗のリボンをかざった花輪のかげにかくれていた。

『ユマニテ』社からの一隊は、力抜けのしたかたちで解散した。

ジャックとジェンニーとは、ロワヤル町の雑踏の中へはいっていった。

「四時半だ」と、ジャックが言った。「ミュラーを迎えに行こう。疲れない？　大通りを通って、ガール・デュ・ノールまで歩いて行こうや」

ちょうどふたりがマドレーヌ広場へ出たとき、とつぜん耳を聾《ろう》するようなざわめきがあたりを圧した。聖堂の大きな鐘の音が、おなじちょうしの、はっきりした、うなりのある、大きなおごそかな単音で鳴りわたっていた。

人々は、その場にくぎづけにされたとでもいったように、一瞬ぼうぜんとしたようすで、たがいに顔を見合わせていた。つづいて彼らは、あらゆる方向へ向かって走りはじめた。

「なんなの？　何があったの？」と、おろおろ声でジェンニーが言った。ジャックは、彼女の腕をしっかりつかんだ。

「やったな」ふたりのそばにいた誰かが、つぶやくようにそう言った。

遠くのほうでは、ほかの寺々の鐘が鳴りわたっていた。パリの空は、一瞬、この葬り鐘といったような、陰気な、執拗な、おなじちょうしの鐘の音のひびきわたっている青胴の丸天井に変わっていた。

ジェンニーには、何がなんだかわからなかった。そしてくり返した。

「何がおこったの？　みんなどこへ駆けて行くの！」

ジャックは、何も言わずに彼女を車道のほうへひっぱっていった。何百としれない人々が、車のことなど気にもかけずに、あらゆる方向へ向かって、そこを突っ切って走っていた。

かなたマドレーヌの郵便局の前には、人だかりがしたと思うまもなく、それが見るみる大きくふくれていった。ガラス戸には、いましもうしろから白い紙がはりだされたところだった。だがふたりのところからはだいぶ距離をへだてているので、読もうとしても読めなかった。「やったな……やったな……」というささやきが聞かれていた。第一列にいた人々は、一瞬ぼうぜんとしたようすで、目をビラのほうへ向け、穴のあくほどの注意をこめて、一字一字を拾い読みしているようだった。つづいて彼らは、陰鬱な目、汗ばみ、とりみだした顔つきで向きなおった。そして、ある者は、ひとこともいわず、誰のほうを見ることなしに、人をかきわけ、うつむきこんで去っていった。またある者は、反対に、目にじっとり涙をうかべ、頭をふりふり、誰か親しい人の眼差しをと求めながら、そして誰にも聞いてもらえぬぼんやりした言葉をつぶやきながら、さもうしろ髪をひかれるといったようにして去っていった。

やっとのことで、ふたりもそばまで行くことができた。小さな長方形の紙は、桃色の封じのりで四すみをガラスの上にはられ、そこには、特色のない、たんねんな、女のような筆跡で、次の二行が書かれていた。そしてそれには、定木で、きちょうめんにアンダーラインが引かれていた。

総動員令発令

八月二日日曜日をもって

動員発令第一日とす

ジェンニーは、ジャックが自分の腕の下にすべりこませた手を、自分の胴にあててしっかりおさえた。ジャックは、じっと身動きもせずにいた。彼もまた、ほかの人々とおなじように《やったな》と、思った。頭の中には、いろいろな考えが、おどろくほどの速さで、あとからあとから浮かんできた。何はともあれ、これほど平気でいられることが、自分自身にもふしぎだった。一秒ごとに頭にひびく警笛の音さえ聞こえなかったら、のんびりした気持ち、あらしをはらんだきょうの終わりに、ひと雨きたときに感じるといったような、まるでくつろぎとでもいったような気持ちだった……だが、こうした不自然なくつろぎの感じも、わずか一瞬のことにすぎなかった。傷ついたものが最初それと気づかず、やがてとつぜん傷口がひらき、どっと出血を見たときのように、いまや鋭い疼痛が彼をおそった。そしてジェンニーは、彼が食いしばっている歯と歯のあいだから、あらあらしい息づかいをもらしているのに気がついた。

「ジャック……」

ジャックは口をききたくなかった。そして、ジェンニーにひかれるままに、人ごみの外へ出た。人道のはたに、あいているベンチがひとつあった。ふたりは黙って腰をおろした。たえず波を変えているおしあう人々の頭を越えて、ふたりは、ガラス戸にはられた白いビラをながめていた。そして、そこから目をはなすことができずにいた。

何週間というもの、彼は、正義、人道、真理、愛の勝利について、なんら疑うことなく暮らしてきた。それは、奇跡を待つ神がかりの人といったようにではなく、確実な実験の結果を待つ科学者のようにしてだった。それがいま、すべてくずれ去っていこうとしている……なんたる恥辱！　彼は、冷ややかな、侮蔑に満ちた怒りによって咽喉《のど》をしめつけられたような気持ちだった。いままでかつて、これほど腹だたしいことはないのだった。憤慨し、失望するというより、むしろ唖然とし、はずかしめられた感じだった。大衆の意思の無気力さに、人間の手のつけられぬ愚昧さに、理性なるものの無力さに、はずかしめられたといった感じだった！……《ところでおれは？》と、ジャックは思った。《いま何をしたらいいのだろう？》ちらりとひらめく自意識とともに、彼は、心のなかの、きわめて深い孤独の境にまでわけ入ってみた。彼はそこに回答を求め、指令を求め、方向を求めた。だが、それはなんにもならなかった。そして彼は、自分自身の不安定のまえに、一種の恐怖を感じずにはいられなかった。

ジェンニーは、彼の沈黙をみだすまいとつとめていた。そして、恐怖をまじえた好奇心で、わが身のまわりをながめていた。彼女には、動員ということが、戦争ということが、どうもはっきりつかめなかった。彼女はすぐに母のこと、ダニエルのこと、とりわけジャックのことを思った。だが、想像しようにも想像できない彼女にとって、それら親しい人々のさらされている危険のことが、どうもはっきりつかめなかった。

ジャックの悩みにこたえるかのように、彼女は低く、「どうなさるおつもり?」と、言った。それは、おだやかな、落ちつきはらった声だった。ジャックは思わずこう思った、《こうしたときにも、なんとしっかりしていることだろう……》

だが、ジャックには、それに答えるだけの勇気がなかった。彼は、目をそむけ、ひたいの汗をふいた。彼は、立ちあがりながら、

「なにしろ駅へ行ってみよう」と、言った。

午後、アンヌはずっと電話のそば、安楽椅子に身をうずめて、むなしくアントワーヌからのたよりを待ちつづけた。彼女は、いくたびとなく、あやうく受話器をはずしかけていた。いらいらして、がまんできない気持ちだった。だが、彼女は、待っていよう、自分から呼ぶことをしまいと決心していた。新聞が一枚、ひろげられたまま、彼女の足もとに落ちていた。彼女は、それを憤慨しながら読んでみた。これらのこと、それに、オーストリアが、ロシアが、そしてドイツが、それが自分にとってなんだというのだ?……彼女は、まるで気がちがったように、自分自身の心のうえにはたらきかけ、

ふたりの部屋、ヴァグラム町のふたりの部屋でアントワーヌと会うときのことをあれやこれやと想像しながら、いつあきるともおぼえなかった。そして、あきもせず、さらにいろいろな場面、いろいろな問答、いろいろ辛辣な非難を思いついては、恨みがましい気持ちを晴らしていた。そうかと思うと、たちまちおこっていたことも忘れてしまい、彼に向かってわび、彼のからだに腕をまわし、ベッドのほうへさそおうとしている彼女だった……

とつぜんアンヌは、階下に、はげしいドアの音と、人のかける足音を耳にした。彼女は、機械的に時計のほうへ目をあげた。五時二十分まえ、さっとドアがあいて、小間使いが顔をだした。

「奥さま！　ジョゼフが動員令を見てきたんでございますよ！　郵便局に張り出されました！　戦争なんでございますよ！」

「で？」と、アンヌは、冷ややかに言った。

彼女は、心の中に、よくはわからずに《戦争……》とくり返した。最初思い浮かんだのは、《シモンが帰ってくるにちがいない》という、何かいまいましい感情だった。つづいて彼女は《あのばか、戦争に行けばいいんだ》と、思った。だがたちまち、胸を突き刺すような考えに心をうたれた。《おお、戦争になったら、トニーも行くことになる……きっと殺されるにちがいない！……》彼女は、はっと椅子から飛びあがった。

「帽子と手袋をちょうだい……早く……そして、車を言いつけて」

アンヌは、暖炉の上の鏡の中に、年をとり、小鼻のとがっている自分の顔を見いだした。《だめだ……きょうはとてもきたない顔》と、がっかりしながら彼女は思った。

小間使いがもどってきたとき、アンヌは元の椅子に腰をおろし、あわせた両手をひざのあいだにはさみ、ぐっと前こごみになっていた。彼女はからだを起こそうともせずに、やさしい声で言った。

「よすわ、ジュスティーヌ……ありがとう……ジョーに、こないでもいいと言ってちょうだい……そして、あたしにお風呂のしたくをしてくれない？　とても熱くして。それからベッドの用意をしてね。すこし寝てみたいから……」

しばらくの後、彼女は薄暗い部屋の中で横になっていた。カーテンは引かれていた。手の届くところには電話がおかれていた。かかってきたとき、ちょっと手をのばしさえすればいいように……せめて、ひんやりしたシーツにでもくるまっていたら、苦しい気持ちも少なくてすむだろう。もちろん、すぐには気分もよくなるまい。せめて小半時《こはんとき》しんぼうしよう。そうすれば、動悸もやみ、興奮もおさまり、頭もすこしは落ちついてくれるだろう。だが、こうして横になり、目をつぶり、身動きひとつせず、まばたきひとつせずに待つということ、それにはまさに人力以上の努力が必要だった。……トニー……戦争……トニー……ああ、せめて会えたら……も一度この手に取りもどすことができたら……

彼女は、さっと立ちあがり、素足のままで、よろめきながら、両手で顔をしっかりおさえ、小さなサロンまで走って行った。そして、椅子をひきよせるのももどかしく、机の前、敷物の上にじかにすわって、紙と鉛筆をひっつかむと、走り書きに書きなぐった。

トニー、つらすぎるわ、もうこれ以上のがまんするのはむり。とても、とても。あなたはたぶんお出かけになるのね？　それはいつ？　ちっともおたよりをくださらないのね。何がお気にさわったのかしら？　それはなぜ？　トニー、なんとしてでもお会いしたいわ。今夜。ふたりの家で。お待ちしててよ。いまちょうど五時。これから行きます。あそこでお待ちしています。今夜、それに夜どおしでも。何時でもいいから来てちょうだい。でも、来ることだけはきっと来て。なんとしてでもお会いしたいの。きっと来るって言ってちょうだい、わたしのトニー、きっと来て。

アンヌは呼鈴を鳴らした。

「ジョーにこれを持って行かせて。すぐに……お家《うち》まであがって行くようにって」

彼女は、ふと、シモンが朝の汽車に乗り、もうそろそろ着くころではないかと考えた……彼女は大いそぎで着物を着た。そして、逃げるようにして家を出た。

少し興奮をさましたいと思った彼女は、わざと歩いて行くことにした。そして、気がせきながらも、ヴァグラム通りまで歩いていった。

こんどこそは、なんとはなしに、アントワーヌがきっと来てくれるように思われた。

アンヌは、路地の隠れ戸から《ふたりの家》へはいっていった。そして、鍵穴に鍵をまわそうとしたとたん、すでに彼の来ているのを感じた。そうとすっかり信じこんだアンヌは、かつぎやらしい微笑を浮かべた。彼女は音を立てずにドアをしめ、ドアがすっかりあけはなされているいくつかの部屋をつまさきだって通りながら、「トニー……トニー……」と、低い声で呼んでみた。部屋には誰の影もなかった。たぶん自分の声を聞きつけて、隠れているにちがいない。彼女はいそいで浴室へいった。それからいそいで台所へもいった。彼女は疲れて部屋までもどった。そして、ベッドの上に腰をおろした。

アントワーヌはいなかった。だが、もうじき来るにちがいない……

アンヌは、ゆっくり着物をぬぎにかかった。まず靴をぬぎ、つづいて、さもくだものの皮をむくといったように、靴下をぬいだ。腕をのばし、ぐいとひっぱるとたちまち自分の素足が出た。アンヌは、何か足音がしたように思った。彼女はふり向いてみた。だが、それはやっぱり彼ではなかった……アンヌは、あてもなく部屋の中を見まわした後、目をじっとベッドの上にそそいだ。彼女は、いつも自分がさきに目をさまし、眠りつづけている恋人のすがたをながめること、そして、しわひとつない彼のひたい、おとなしやかな彼の口もと、意思を忘れた彼の口もと——緊張がゆるみ、なかば開かれ、いかにも子供らしいその唇、いつもとちがったその口もとをながめるのが好きだった。そうしたときだけ、はっきり彼が、自分の物になったという感じだった。《あたしのトニー……》もうじき来るにちがいない。アンヌは自信を持っていた。今夜はきっと来てくれよう。

アンヌの見こみにくるいはなかった。

六十八

北部駅《ガール・デュ・ノール》は、軍隊によって占められていた。駅前の広場、ホールの中は、いたるところ赤いズボン、叉銃《さじゅう》、簡潔な命令、銃尾の音によって満たされていた。それでいて、一般人の通行もゆるされていた。で、ジャックは、ジェンニーをつれて、わけなくプラットフォームへ出ることができた。

すでに、六十人ばかりの闘士が来ていて、列車の到着を待っていた。《やったな》と、彼らはたがいに近よりながら言いかわした。みんなは、怒りの表情で首をふり、こぶしを握り、たけりたった眼差しで、一瞬たがいに見かわしていた。だが、わけなく激昂をおさえられたうらには、はやくもしりごみとあきらめが見られていた。誰も彼もが、《これも免れぬ運命なのだ》と考えてでもいるようだった。

「《おやじ》がいたら、なんて言うだろう？　これはいったいどうしたことだ？」ラップは、だまってジャックの手を握りながら言った。

「もうミュラーとの談合以外、なんの希望もない」と、ジャックは、つぶやくように答えた。きわめて一徹な語調だった。彼は、まもるべき誓約とでもいったように、がんとして、それにたいする信頼をすてなかった。

前のほう、プラットフォームのはずれには、社会党代議士の代表たちが、はっきりそれとわかる小さな一団をなしていた。

ジャックは、ジェンニー、ラップといっしょに、あちらこちらのかたまりのあいだを、そのどれにもはいりこむことなしに通り抜けた。そして、目をはるかかなたへ放ちながら、夢みるようなちょうしで言った。

「こうした危機の切迫したおりもおり、おそらくは重い責任を託されてドイツからやって来る男……ベルギーを通り、まだ何も知らずにおとといベルリンを発って来た男……彼は、駅々で、つぎからつぎへと、ロシアの動員――オーストリアの動員――それにKriegsgefahrzustand（戦時態勢）をおしえられ、そして、けさはまた、ジョーレスの暗殺を知らされたにちがいない……しかも列車をおりるとたん、フランスの動員を知らされようとしている……そして最後に、今夜、総動員令が自分の国でも発せられたことを知らされるんだ……悲壮だな」

やがて機関車が、蒸気の雲を吹き立てながら、その雲の中から姿をあらわしたとき、プラットフォームには動揺が見られ、みんなは期せずして前のほうへ進んでいった。だが、そこには駅員が見張りに立っていた。しばらくおし合っていたかと思うと、そこにはとっさの通行止ができていた。そして、議員の代表者たちだけが、列車に近づくことをゆるされた。

ジャックは、その人々が、ひとつの車室を取りかこんでいるのを見た。その車室の踏み段には、ふたりの旅客が立っていた。彼は、すぐにヘルマン・ミュラーの姿をみとめた。ほかのひとりは、見たことのない若い男、がっしりしたからだつきで、意思の強そうな顔だちからは、正しい精神と力の印象が受けとられた。

「ミュラーといっしょの、あれは誰なんだ?」とジャックはラップにたずねた。

「アンリ・ドゥ・マン。水曜に、ブリュッセルで会ったはずだと思うんだが?……フランス語と少しも変わらずにドイツ語を話せる男だ。思慮の深い、実行力を持った男だ。まちがいのない、純粋な男だ。ベルギー人だ。通訳の意味でいっしょに来たんだろう」

ジェンニーは、ジャックの腕に手をふれた。

「ほら……通らせはじめたわ」

三人は、いそいで代表たちの一団のところへ行こうとした。だが、旅客の列が、すっかり出口をふさいでいた。ふたりが改札口を出られたとき、もう、ドイツ代表をまっすぐパレ・ブールボンの集会につれて行くはずの議員たちの姿は見られなかった。

駅のホールでは、一団の人が、はり出されたばかりのポスターの前に立っていた。ジャックとジェンニーは、そのほうへ歩みよった。ポスターの見出しには、肉太の頭文字で、と書かれていた。

ふたりのうしろで、冷やかすような声が聞こえた。

「なかなか手まわしよくやってやがる！　まえからちゃんと刷らせておいたにちがいねえ！」

ジェンニーはふり返った。そう言ったのは若い男、青い上着、くわえタバコの男だった。そして、肩の上には真新しい厚皮の軍靴を、振りわけにしてしょっていた。

「そういうきさまも」と、隣の男は、びょうの打ってある軍靴を指さした。「きさまもなかなか手まわしがいいぞ！」

「カイゼルのしりを、蹴上げてやろうと思ってな！」男は、そう言い放すと、行ってしまった。みんなはどっと笑いこけた。

ジャックは、じっと動かなかった。その目は、じっとポスターをみつめて離れなかった。彼は、手でしっかりジェンニーのひじをつかんでいた。そして、あいてるほうの手で、太い活字の一節を彼女に指さしてみせていた。


外国人は、その国籍のいかんを問わず、**動員第一日の終わる以前**に、パリ要塞地区を立ち退くことを得べし。ただし、出発にあたっては、駅内憲兵室にて身分を証明すべし。

ジャックの頭の中には、さまざまな考えが駆けめぐっていた。《外国人》……ジェンニーのところに残してきた包みの中には、ベルリンへの使命のための偽証明書がはいっている……フランス人としてのジャック・チボーだったら、たとい兵役免除の証明書を見せたにしても、とてもスイスへ行けそうもない。それに反して、ジュネーヴの学生エベルレが、法定猶予期間内に国に帰るということだったら、なんの文句もないだろう……《動員第一日の終了する以前に》……日曜……すなわちあした……

《あしたの晩までに出発するんだ》彼は、すぐにそう思った。《だが、ジェンニーは?》

ジャックは、彼女の肩のまわりに腕をまわし、人ごみの外までおしていった。

「ねえ」ジャックは、せきこんだ声で言った。「ぜひ兄きのところへ行かなければ」

ジェンニーは、太い活字で刷られた《外国人はうんぬん……》の一節を、心にとめて読んでいた。だが、ジャックが急に落ちつかなくなったのはなぜだろう? どうして自分を、こんなに早くつれて行こうとするのだろう? なぜアントワーヌのところへ行こうというのだろうか? それはおそらく、ジャック自身にも言えなかったにちがいなかった。鳴りわたる警鐘を耳にしながら、マドレーヌ広場で、彼はまっさきにアントワーヌのことを思った。そしていま、ポスターに心を乱され、彼は、兄きにあわなければという、たまらない気持ちに取りつかれていた。

ジェンニーには、たずねに行くだけの勇気がなかった。駅前の広場、めったに来たことのないこのあたり、それは彼女にとって、ダニエルの出発を送った晩、ジャックから逃げだしたときの思い出と結びついていた。そしていま、その思い出をかき立てられ、彼女は胸をしめあげられる思いだった。

わずか一時間で、町の表情はすっかり変わっていた。町を行く人々の数は、ふえないまでも、いつもに変わらず多かった。だが、ぶらぶらしているものといってはひとりもなかった。誰も彼もが、自分のことだけを考えながらいそいでいた。そのひとりひとりが、さも急いでかたづけておかなければならないこと、処置をつけておかなければならないこと、わたしておかなければならない預かりもののこと、会っておかなければならない親戚知友のこと、話をつけておかなければならない仲なおりのこと、はっきりきめておかなければならない別れ話のことなどを、急に思いだしでもしたようだった。みんなは、目を伏せ、口をつぐみ、心配そうな面持ちで、先を急ぐため、通る車もまれになった車道の中をかけていた。タクシーも、ほとんど数えるほどしか見あたらなかった。運転手たちは、身軽になろうとして、そのほとんど誰も彼もが、車を車庫におさめてしまっていた。バスも見られなかった。運搬用のすべての車は、早くも今夜徴発されてしまっていた。

ジェンニーには、ジャックについて行くだけでひとほねだった。だが、それを気どらせまいとつとめていた。ジャックは、ほかの人々とおなじように、顔を緊張させ、あごを突き出して歩いていた。まるで、追われる人とでもいうようだった。なんとははっきりわからないながらも、彼女は、ジャックの心に、何か大きな悩みのあることを察していた。

まさにそれにちがいなかった。ポスターを読んだ彼の心には、これまで意識下にぼんやりしていた考えが、たちまちはっきりした形を取ってあらわれていた。彼の目の前には、メネストレルの姿が立っていた。彼の目には、あのブリュッセルの部屋のこと、青いパジャマを着、目をぎろぎろさせて立っていたパイロットのこと……紙を燃やした灰でいっぱいの暖炉などが、手にとるように思い浮かんだ……木曜以来、なんの音さたもなかった。ジャックは幾度か《向こうでは何をしているんだろう？》と思ってみた。もちろん革命的行動に専心しているにちがいない……《外国人は、パリを立ちのくことを得べし……》ジュネーヴへ行けば、パイロットの周囲で、あの活動的な、まだ純粋な気持ちのままの、独立不羈《ふき》な連中にふたたび会うことができるだろう！　ジャックは、リチャードレーやミトエルクのこと、武装ヨーロッパの中央に孤立している、あの厳然とした一団のことを思い浮かべた。スイスへ逃げるか？……この誘惑はきわめて強いものだった。だが、彼はためらった。それは、ジェンニーのためだったというのだろうか？　そうだ……だが、ジェンニーのみが、そうしたためらいの真の原因だったとは言えなかった。とすると、逃げだすこと自体に、何かやましさでも感じていたというのだろうか？　否！　それどころか、彼は、自分がいつでも非難攻撃していたところのものを、自分が兵士となって守ることを拒否するのを、むしろ第一の義務とさえ思っていたのだ……要するに、彼には、自分を安きにおくということが、がまんできずにいたのだった。ほかのものを見すて、自分だけを安きにおくということ……はたしてそんなことができるだろうか！　彼は、自分が拒否することにより自分もまた、動員された兄弟たちがさらされるであろうとおなじ危険にさらされるのでないかぎり、安きを得ることができなかった……とすると？　中立国へ逃げるのをやめ、このままフランスにとどまったものか？　戒厳令下のこの国にあって、戦争に反対し、軍隊に反対するために戦ったものか？　すなわち、あらゆる平和主義の宣伝が、仮借ない強圧に出あうことが火を見るよりも明らかなこの国に？　注意人物として監視され、事に先だち刑事被告人として投獄されるにちがいないこの国に？　それは愚だ……それでは、スイスへ逃げたものか！……だが、そこへ行って、いったい何をしようというのだ？

「生きているということそれはなんの意味もないことなんだ」と、彼ははげしいちょうしで言った。そして、あっけにとられたように自分のほうをみつめているジェンニーを見ながら、「生きるということ、信じるということ、それはなんの意味もないんだ！　自分の生活、自分の意思、自分の確信を行動にあらわさないかぎり、そこにはなんの意味もないのだ！」

「行動に？」

ジェンニーは、聞きちがえたのではないかと思った。それに、彼女として、彼の言う意味をどうわかるはずがあったろう？

「ねえ」と、ジャックはとつぜん、ひとり言とでもいうように言った。「こんどの戦争は、これから先久しく、インターナショナルの理想を圧しつぶすことになるにちがいない！　長いながいあいだ……おそらくは何代という世代にわたって……そこでだ、もしその理想を、この一時的の破滅から救うため、ひとつの行為が必要だというのだったら、ぼくは喜んでそれをやりたい！　たといその行為にして、見こみのないことがわかっていても！……ところで、その行為とははたして何か？」と、彼は低く言いたした。

ジェンニーは、急にぴたりと立ちどまった。

「ジャック！　あなた、出かけようと思ってるのね！」

ジャックは、じっと彼女の顔を見た。彼女はさらにはっきり言った。

「ジュネーヴへ？」

ジャックは、なかばそうだといったように身ぶりでしめした。

喜びと悲しみと――相反したこのふたつの感情が、彼女の心をかきむしった。《この人は、スイスへ行ったら救われるのだ！……だが、この人なしで、いったい自分はどうなるのだろう？》

「出かけるとしたら」と、ジャックが言った。「もちろんそれはジュネーヴだ。まず第一に、あそこへ行けば、これからだって何かやれる……それに、偽の書類も持ってることだし、スイスへだったらわけなく帰れる。きみはポスターを読んだと思うが……」

ジェンニーは、勢いこんで口をはさんだ。

「いらっしゃい！　あした！」

ジャックは、しっかりしている彼女の声にびっくりした。

「あした？」

ジェンニーは、われ知らず、そこにちらりと希望らしいもののかげをつかんだ。それは、そう問い返した言葉のちょうしに《いや。も少ししてから。あしたはよそう》といった意味が、くみとれたように思ってだった。

ジャックはふたたび歩きはじめた。ジェンニーは、疲れた足をひきずりながら、彼にもたれて歩いていた。

「そうだ、あした」と、しばらくしてからジャックが言った。「もしも……きみがいっしょに来てくれるなら」

ジェンニーは、はっとうれしさに身をふるわせた。いままでの危惧は、まるで奇跡とでもいったように消えてしまった。この人は発とうとしている。そして、この人は救われる！ しかも、自分もつれて行こうといってる。ふたりは別れないですむことになるのだ！

ところが、ジャックのほうでは、彼女がためらっているのだと思った。

「だが、きみはかってには動けないだろうな」と、彼は言った。「ママがウィーンにいるんだから？……」

彼女はただ、まえよりしっかり彼によりそうことでその答えにかえた。心臓の鼓動が、こめかみにまで感じられていた。それは、耳を聾《ろう》するような感じだった。彼女はいま、身も心もあげて彼のものになっていた。ふたりはもはや永久に別れまい。自分は彼を守ってやろう。そして、せまる危険からふせいでやろう……

ふたりはいま、ずっとまえから計画していたことででもあるかのように、出発のことを話しあっていた。ジャックは、スイス行きの夜行が何時に出るか、はっきりした時刻を忘れていた。だが、アントワーヌのところに時刻表があるだろう。いっぽう、旅行免状なしにジェンニーが旅に出られるかどうか、それもたしかめてみなくては。婦人には、それほど手続きもやかましくはあるまい。切符の金は、ふたりの有り金を合わせたらじゅうぶんだった。ジュネーヴへ行けば、ジャックがなんとでもできるだろう……だが、すべては、ドイツ代表との談合の結果いかんにかかっている。それがはたしてどうなるか？　これからとつぜん、独仏両国で、反乱をおこすことにでもなったとしたら？

ふたりは、どこをどう通ったかもわからずに、テュイルリー宮に添った公園のところまでやってきた。ジェンニーは、急に疲れが出て、汗びっしょりになっていた。彼女は、遠くのほうから、おずおずと、花壇の中に見えるひとつのベンチを指して見せた。ふたりは、そこへ行って腰をおろした。ふたりのほかには誰もいない。正午近くからパリの上におしかぶさっていた夕立の気はいは、いま花壇のにおいを、地面すれすれにおさえているとでもいうようだった。

《スイスへ行ったら》と、ジェンニーは思った《ママあてに手紙を出すこともできるだろう……そして、中立国のスイスだったら、ママもやってこられるだろう！……》彼女は早くも、帰って来てくれた母と、身に危険のふりかかるおそれのないジャックとのあいだで、スイスで暮らすときのことを想像していた。

ジャックは、なお心にかかるかのように、ひとりくり返して考えていた。《出発する。それもいい……だが、いったい何をしようというんだ？》彼はすべての希望をメネストレルにかけ、ジュネーヴこそ、微動だもしない革命のための最後の中心であるかのように思いこもうとしていた。だが、それはなんにもならなかった。彼は《談話室》を思いだしてみた。だが、そこで自分のなすべき革命的行動の効果については、どうも不安をまぬかれなかった。ジャックは立ちあがった。とてもじっとしていられなかった。

「行こう。ユニヴェルシテ町の家へいって休むがいい」

ジェンニーは、はっとおどろいたように身をすくめた。

ジャックは微笑を浮かべていた。

「そうなんだ！　いっしょに行こう」

「わたしも？　お兄さんのところへ？　いっしょに？」

「いまとなって、そんなことはどうでもいい。兄きの耳にも入れといたほうがいいんだ」

いかにも自信ありげな、きっと心に思い定めたようなジャックを見ると、彼女は自分の意思をすっかり捨てた。そして、言われるままに、彼のうしろについて行った。

六十九

玄関には、真新しい将校用の軍用カバンがひとつおかれていた。そしてそれには、買った店の札がまださがっていた。

「旦那さまはこちらで」レオンはそう言いながら、ふたりの前に、診察室のドアをあけた。

ジェンニーは、わるびれもせずに中へはいった。

部屋の中はしんとしていた。ジャックは、机の前に立っている兄の姿を見た。ひとりきりだと思っていたジャックは、ステュドレル、つづいてロワが、たがいに離れて腰をかけていた安楽椅子から姿をだしたのを見て、がっかりした。ロワは窓に近く、ステュドレルは、書棚のすみに腰をおろしていたのだった。アントワーヌは、書類の整理をしていた。机の下の紙くずかごはいっぱいになっていた。そして、破りすてられた紙片が、敷物の上に散らばっていた。

アントワーヌは、ジェンニーのほうへ歩みよると、父親とでもいったようすでその手をとった。彼は、べつにおどろいたようすも見せなかった。きょうというきょう、人々は、どんなことにもおどろかないようになっていた。それに、彼は、埋葬式のあとで病院を見舞ってくれた礼を述べたフォンタナン夫人の手紙の中に、彼女の出発のことの語られていたのを思いだした。彼は、漠然と、パリにひとり取りのこされたジェンニーが何か相談にきたのだろう、そして、ジャックとは、階段のところで会ったのだろうぐらいに考えた。

兄弟は、たがいに目と目を見かわした。兄弟としての感激は、親しみをこめた、それでいて裏にさまざまな意味を含めた微笑のかたちで、同時にふたりの口をひきつらせた。ふたりを対立させていたあらゆる事情にもかかわらず、兄弟がこれほど身近な気持ちを感じたのはこれがはじめてのことだった。いまだかつて、たとい父の死の床を前にしたときでも、これほどまでにおなじ血の秘密によって結ばれていると感じたことはなかったのだ。ふたりは、ひとこともいわずに、たがいに手と手を握り合った。

ジェンニーを椅子にかけさせたアントワーヌが、彼女の母の旅行について何か問いかけようとしかけたとき、ドアがあいた。ジュスランにつれられて、テリヴィエが姿をあらわした。

「やったな……もうだめだ……」

アントワーヌは、すぐにはなんとも答えなかった。その眼差しは重々しく、落ちついてさえいるほどだった。彼はやがて、

「そうだ、もうだめだ」と言った。自分の考えていたとおりだったことから、微笑してみせた。その考えというのが、彼にとっては力だった。

（マニュエル・ロワが動員のことを知らせにきたとき、アントワーヌはちょうどジュスランの研究室にいた。彼は微動だにもしなかった。彼はタバコを一本手にとると、機械的な身ぶりで、それにゆっくり火をつけた。三日このかた、彼は、この世界的なできごとに引きずられ、みずからの祖国と階級とにたいする責任感から何かしら羽がいじめにあっているといった感じ、いやおうなしに受け身に立たされているとでもいった気持ちだった。まるで、ぶちまけられるじゃり車から、どっと落とされる小石のひとつとでもいったように、無力になっていたのだった。自分の将来も、自分の計画も、自分が一生をかけて長いこと考えていた設計も、すべて地に委すことになってしまった。いま、目の前

には、ただ未知があるばかり、だが、その未知とともにあるものは、行動だった。こうした考えが、能動の力をはらんで、たちまち彼を立ちあがらせた。彼は、すでにできてしまったこと、不可避ときまったことを前にするとき、いつまでも悪あがきをしないという長所を持っていた。障害、それこそはとりもなおさず、新しくあたえられたひとつの事実にほかならない。あらゆる障害、それはひとつの新しい課題の提示なのだ。いかなる障害であれ、こちらにその気があるかぎり、それはたちまち跳躍板となり、新しい飛躍の好機会ともなってくれる……)

「出発はいつだ?」と、テリヴィエがたずねた。

「あしたの朝。コンピエーニュだ……きみは?」

「あさっての月曜。ぼくはシャロンだ……」テリヴィエは、おりからふたりのほうへ歩みよってきたステュドレルにたずねた。「きみは?」

テリヴィエは、いつもきわめて上きげんにしていて、きょうというこの日も、あいかわらず陽気な声をしながら、頬骨のあたりをほんのり赤らめ、あごひげのはえた、ぼってりした顔の上に、快活な表情を見せていた。それでいてこうした陽気さと、その眼差しの不安な色との対照は、見た目にもつらいほど、その顔を、妙に調和のとれないものにさせていた。

「ぼくかい?」と、ステュドレルは、まばたきしながら言った。まるで、テリヴィエからたずねられて、夢からさめでもしたようだった。彼は、くるりとジャックのほうをふり向いた。それは、ジャックを説得しようとでもするようだった。「ぼくも出かける!」と、彼はふてぶてしい口調で言った。

「ただし、一週間してからだ。エヴルーへ行くんだ」

ジャックは、彼を見ないようにしていた。それはけっして彼を非難してのことではなかった。ジャックは、彼の一生が、絶えざる献身と犠牲の連続だったことを知っていた。そしていま、いつもの信念をふりすてて、《売られた》戦争のために立つ気になっているというのも、誠実な彼として、自分の義務と考えたところに殉じようとしてであることがわかっていた。

ジャックは、目をあげてジェンニーを求めた。ジェンニーは、暖炉の近く、みんなからちょっと離れたところに立っていた。べつに悪びれてはいなかった、放心しているとでもいうようだった。ジャックの目には、彼女がかるく身を起こし、目で椅子をさがした後、幾足か歩いて椅子へ行って腰をおろすのが見えた。《なんてしなやかな身のこなし》ジャックはまるで、彼女を、まだ自分の腕にだいているような気持ちだった。そして、彼女が、激しく、それでいて慎みぶかく、彼から最初のキスをうけて身をふるわせたときのことを思いだした。彼は、快いときめきを感じながら、それに心をまかせていた。ふたりの目と目が行きあった。ジャックは、にっこり笑ってみせた。そして、思わず顔を赤らめた。

アントワーヌは、ジェンニーのそばへ歩みよって、ダニエルのことをたずねていた。そこへテリヴィエが、割ってはいった。

「ところで病院のほうの仕事はどうするつもりだね？　どういう処置をしておいたんだね？」

「古い連中に帰ってきてもらうことにしている。ぼくたちのところではアドリヤン、ドーマ、それにドレリーおやじも承知してくれた……ところで」と、アントワーヌは、急にテリヴィエのほうへ人さし指を突きつけた。「このあいだ、ジュスランがきみに貸した文献、あれがまだ返ってきていないんだが！　《疣腫《ゆうしゅ》とグロソプトシスム》……」

テリヴィエは、微笑しながら、さもジェンニーを証人に立てるといったように、

「ごらんのとおり、手のつけられない男でしてね！……よしよし、きみの文献はステュドレルに返しておく……軍医殿！　心配しないで出かけるさ」

町のほうからは、あけひろげた窓のひとつをとおして、しばらくまえから、軍歌や馬の足音などのざわめきが聞こえていた。みんなは、のぞいてみようとして窓のほうへ歩いていった。ジャックは、それを機会に、部屋の中央にひとりのこった兄のほうへ近づいていった。だが、ちょうどそのとき、アントワーヌもまた、ほかの連中のあとについて行った。ジャックもつづいて、窓のところへいってみた。

アンヴァリードのほうからやってくる砲兵隊の隊列は、いましも四人のラッパ手と一旒《いちりゅう》の旗を先頭に立てて、おりからサンペール町をあがってくるイタリア人のデモ行進と行きあっていた。イタリア人たちは、足をとめてラ・マルセイエーズを高唱し、砲兵隊に歓呼の声をあびせていた。太鼓の音がひびきわたった。耳を聾《ろう》するばかりのひびきだった。

アントワーヌは窓をしめ、ひたいをガラスにおしあてて一瞬物思いに沈んでいた。ジャックは、そのすぐそばに立っていた。ほかの連中は、すでに部屋の中にもどっていた。

「けさ、イギリスから手紙をもらった」と、アントワーヌは、べつに改まったようすもなく、ジャックに言った。

「イギリスから?」

「ジゼールからだ」

「ほう?」と、ジャックが言った。そしてそっとジェンニーのほうをうかがった。

「水曜に出した手紙だ。戦争になったらどうしたらいいか、きいてよこしたんだ。おれとしては、やっぱりあそこの修道院にいるように返事を出そうと思っている。それがいちばんいいと思う。どう思う?」

ジャックは、あいまいに頭をさげて賛意を表した。彼は、ふたりが、ほかの連中からはなれていることをたしかめた。そして、ジェンニーのことを話そうと思った。だが、どういうふうに切りだしたものか?

ちょうどそのとき、とつぜんアントワーヌが向きなおった。その顔には、不安な表情が浮かんでいた。アントワーヌは声を低めて問いかけた。

「きみの決……決心は……いまでも……」

「うん」

しっかりした語調。だが、そこにはなんら尊大ぶったようすがなかった。

アントワーヌは、弟の視線をさけながら、うつむきつづけていた。そして、指の先で、機械的に、はるかにきこえる太鼓のリズムを窓ガラスの上にたたいていた。彼は、自分の言葉のどもっていたことに気がついた。それは、彼としてきわめてめずらしいことだった。それは、深い心の動揺をしめすときにきまっていた。

玄関のほうから、レオンの案内する声が聞こえた。

「フィリップ博士がお見えになりました」

アントワーヌは、はっと身を起こした。打って変わった感動が、彼の面上を輝かした。

フィリップ博士のぶかっこうな姿が、ドアのかまちにあらわれた。博士は、目をしょぼしょぼさせながら、ひとわたり部屋のようすを見まわした。そして、その目は、アントワーヌのところまできてじっととまった。博士は、なさけなさそうに、しきりに頭を振っていた。そして、モーニングのしりのたれからハンケチをとり出し、それでひたいの汗をふいた。

アントワーヌは、前へ進んだ。

「先生、いよいよやりました……」

博士は、だまって彼の手を握った。そして、そのまま、まるで糸をはなされた操り人形といったように、自分の前、白い布のカヴァーをかけた長椅子のはしに、くずれるように腰をおろした。

「出発はいつだね?」と、博士は、息の短い、笛を吹くような声でたずねた。

「あしたの朝でございます」

博士は、せき止めボンボンをしゃぶってでもいるかのように、唇で、じっとりした音を立てていた。

「ただいま病院へ行ってまいりました」アントワーヌは、なんとか言わずにはいられなかった。「すべてちゃんとしておきました。わたしの仕事は、ブリュッセルに引きついでもらっておきました」

ふたりはそのまま口をつぐんだ。

博士は、目をじっとゆかにそそいだまま、頭を奇妙にゆすっていた。やがて博士は、

「なあきみ」と、言った。「……長びくぜ……とてもとても長びくぜ」

「専門家たちの多くは、反対のことを申しております」と、アントワーヌは、たいした確信もなしにそう言った。

「へへえ！」と、博士はそれをさえぎった。もうずっとまえから、そうした専門家たちなり、その打診なりを、どう考えるべきかを知りつくしてでもいるようだった。「誰も彼もが、補給なり、信用なりを、平常どおりの基礎のうえに立って考えている。ところが、問題の各国政府が、譲歩するかわりに、むしろ一か八かをやってみようと思い、全面的破滅の危険をおかそうという大ばか者だったとしたらどうなるか！……しかもこの一週間の経過を見ると、まさにそうしたことがあり得るのだ……そうだ、ぼくは、戦争はとても長びくものと思っている。そして、この戦争で、各国は、途中で踏みとどまることを考えず、ないし踏みとどまることもできないままに、みんな同時に没落するだろうと思っているのだ」

ちょっと間をおいたあとで、博士はつづけた。

「ぼくは、たえずこのことを考えずにはいられない……戦争……誰がいったい、そんなことがあり

得ると思っていた？……それは、新聞が、あくまで真相をあいまいにしておいたため、侵略者という観念がわずか数日のあいだに誰にもだんだんはっきりしないものになり、各国民のおのおのは、自分たちの《名誉》が危機にさらされたと考えるようになったのだ……一週間にわたる気ちがいじみた恐怖感、誇張、からいばり。その結果、全ヨーロッパの国民は、まるで悪魔につかれたようにたちまち憎悪の叫びをあげ、たがいにおどりかかろうとしている……ぼくは考えずにはいられない……これは、エディプス（ギリシャ伝説のテーベ王エディプス。父を殺し、母に婚すべしという神託の結果、その通りの運命をたどり、発狂して両眼をえぐって放浪しアテネで死んだ）の悲劇をそのままなのだ……エディプスにでも予告があった。だが、彼は、その運命の日に、かつて自分に告げられた恐ろしいことを忘れていた……われらにとっても同様なのだ……先見の明あるものは、はやくもすべてを予言していた。危険をちゃんとにらんでいた。そして、きょうそれがやってきた方角、すなわちバルカンから、オーストリアから、ツァーリズムから、汎ゲルマン主義のほうからくることをにらんでいたのだ……われらはちゃんと知らされていた……そして警戒をつづけていた……多くの賢明な人たちは、不祥事の到来をふせごうと思って、あらゆる努力をかたむけてきた……ところが、事実はまさにごらんのとおりだ。ついに戦争は避けられなかった！　なぜか？　ぼくは、この問題をいろいろな点から考えている……なぜか？　おそらくそれは、そうして恐れられ、待たれていた事件の中に、何か思いがけないこと、なんでもないこと、それでいて事件の姿をちょっと変えさせるもの、それをしてたちまち見わけのつかないものにさせるもの……そして、人々の細心の注意をよそに、運命のわなを跳梁させるところの何ものかがまぎれこんでいたためではなかったろうか！……こうしてわれらは、みごと、そのわなに引っかかってしまったというわけなのだ……」

マニュエル・ロワを中心として、ジュスラン、テリヴィエ、ジャック、ジェンニーたちの集まっていた部屋の向こうのはしから、若々しい笑い声がわきおこった。

「なんですって？」と、テリヴィエに向かってロワが言っていた。「なんでこのぼくが嘆いたりするもんですか！　おかげで少し息がつけるようになるんですから！　実験室から外へ出られることになるんですから！　これからいよいよ、感激的な体験に生きることができるんですから！」

「生きる？」と、ジュスランがつぶやいた。

ジェンニーは、ロワの顔をながめていたが、たちまち目をそらしてしまった。興奮しているロワの顔を、見ていることがたまらなかった。

フィリップ博士は、はるかにそれを聞いていた。彼は、くるりとアントワーヌのほうをふり向いた。

「若い連中には、どんなものか想像さえもつかないんだ……それもまったくむりがない……このぼくは、七〇年戦争(普仏戦争)を見てきた男だ……ところが、若い連中は何も知らない！」

彼はふたたびハンケチを取りだすと、顔、唇、あごひげをふき、それからしばらく、両ほうの手のひらをふいた。

「諸君はみんな出かけて行く」博士は、悲しそうに、低い声で言葉をつづけた。「そして諸君は、老人どもは行かずにすんでいいと思っているにちがいない、だが、それは嘘だ。われわれの運命は、諸君の運命よりもさらに悲惨なものなのだ。というわけは、われわれの命は、すでに終わってしまっているのだ」

「終わっている？」

「そうなんだ。きれいさっぱり終わってしまった……一九一四年七月。かつてわれらがそれに属していた何ものかが終わり、われら老人がそれに属さないであろう何ものかがはじまることになるのだから」

アントワーヌは、なんと答えていいかわからず、親しみをこめた眼差しを博士のほうへ向けていた。博士は口をつぐんだ。だがやがて、何かおかしなことでも思いついたように、鼻にかかった冷笑をひびかせた。

「ぼくは、一生に、三つの暗い時期を持ったことになるだろう」と、博士は、いつもおおぜいを前にして話すときのちょうし、講義のときのたんねんなちょうし（それは、学生たちから《フィフィ先生、自分で自分を聞いてるな》と言われていたところのものだった）で話しはじめた。「第一の時期、それは、ぼくの青年期に革命をもたらした。第二の時期、それは、ぼくの壮年期をひっくりかえした。第三の時期、それは、ぼくの老年期をだいなしにしてしまうにちがいない……」

アントワーヌは、その先を促すといったように、じっと博士の顔をみつめていた。

「第一の時期、それは地方の、敬虔な少年であったぼくが、ある晩、四福音書を次から次へと読みながら、それが矛盾だらけのつぎはぎにすぎないことを発見したとき……第二の時期、それは、あのエステラージー（ドレフュス事件のとき、ドレフュスを無実の罪に陥れるための文書を作成した歩兵少佐）と称するけしからん男が、《秘密文書》とよばれるインチキ文書をたしかにでっちあげておきながら、しかも人々は、彼をやっつけるかわりに、その身代わりとして、無実な男、だがユダヤ人だった男（ドレフュス）を、しゃにむにいじめつけたときだった……」

「そして第三の時期」と、アントワーヌは、さびしそうな微笑を浮かべながら言葉をはさんだ。「それがつまりはきょうなのですな……」

「いや……第三の時期、それは、一週間まえ、新聞がいっせいに最後通牒の本文を掲げたとき、そして、玉突き（戦争）の全貌がはっきり浮かびあがったときなのだ……そして、各国の民衆が、キャノン（玉突きで、自分の玉を他の二つの玉に一突きで当てるやり方）の犠牲者になろうとしていることがわかったとき……」

「キャノンとおっしゃいますか？」

もじゃもじゃしたまゆげのかげに、博士の目は、ほとんど残忍とさえ思われるほどのいじわるさに輝いていた。

「そうだ。きわめていまわしいキャノンなのだ！　赤玉はセルビア――それにぶつかるものがオーストリアの白玉――さらに、これをおすものが、もうひとつドイツという白玉……ところで、キューを握っているものは誰なのか？　ロシアか？　それともイギリスか？……」彼は、まるで馬のいななくように、怒りをこめて高く笑った。

「それがわかるまでは死にたくない」

ジャックは、アントワーヌとフィリップ博士が腰をおろしている片すみのところへ歩みよった。

「先生」と、アントワーヌが言った。「たしか弟はご紹介ずみだったと思いますが？」

博士は、ジャックのほうを鋭くにらんだ。ジャックは、博士に頭をさげた。それから、アントワーヌのほうを向いて、

「列車時刻表があるかしら？」

「ある……」ふたりの目と目がひとつに合った。アントワーヌは、あやうく《なぜ？》とたずねかけた。だが、思い返してこう答えた。「あそこだ……電話帳の下」

「あなたはいつお立ちですな？」と、博士がたずねた。

ジャックは、からだをこわばらせ、ちょっとためらってから、アントワーヌのほうを見た。アントワーヌは、せきこみながら早口に言った。

「弟は、じつは……別のほうでして……」

短い沈黙。

フィリップ博士には、それがわかったというのだろうか？　かつてのジャックとの会話を思いだしてでもいたのだろうか？　博士は、きわめて注意ぶかくジャックのほうをながめていた。そして、ジャックが向こうへ行ったとき、その目はあとを追っていた。

ふたりだけになるが早いか、アントワーヌは博士のほうへ身をよせた。

「弟は、主義として、兵役につくことを拒んでおります……」

博士は、ちょっとのあいだ、だまっていた。

「あらゆる神秘思想は正しい」と、博士は、力のない声でそれを認めた。

「それはちがうと思います」と、アントワーヌが言った。「現在のような情勢下にあって、われわれの義務はきわめて簡単であり、明瞭だと思います。なんぴとにも、それをのがれることをゆるされません」

博士には、それが聞こえなかったようだった。

「……それは正しい……そして、おそらく必要でさえあるだろう」と、博士は鼻声で言葉をつづけた。「人類は、はたして神秘思想なしに進歩するか？　チボー君、歴史を読みかえしてみるのだな……あらゆる大きな社会変革の根底には、いつも不合理なものへの宗教的なあこがれが必要だった。理知は、けっきょく無為にしか導かない。人間に、行動のために必要な衝動や、堪え忍ぶために必要ながんばりをあたえてくれるもの、それは信仰にほかならないのだ」

アントワーヌは黙っていた。先生の前に出ると、自然に教え子にかえってしまう彼なのだった。

彼は、一瞬、暖炉の前、ジャックのそばに立ったジェンニーが、おなじく時刻表の上をのぞきこんでいるのを見ておどろいた。母がオーストリアから帰ってくる汽車を調べてでもいるのだろうか？

博士は、自分の考えを話しつづけた。

「なあ、チボー君、ことによると、きみの弟さんのような考え方をしている人たちこそ、先駆者なのではあるまいか？　ことによると、こんどの宿命的な戦争こそ、われらが旧大陸の均衡を底の底からくつがえし、われらが夢想だにしていなかったような新しい疑似真理の開花を準備するものではないだろうか？……そう考えたほうがいいようにさえ思われるのだ……どうしていけない？　ヨーロッパのあらゆる国家は、いまやこの烈火の中に、精神的物質的のあらゆる力を投入しようとしている。これこそは、まったく前例のないことなのだ。その結果には、ぜんぜん予測できないものがある……文明のあらゆる要素は、この烈火の中で、鋳直されようとしているのだろう！……人間は、真の英知の日に達するまで、まだまだたくさんなつらい経験をなめなければならないのだ！……そうした日にこそ、人間ははじめて、この地球上に生きてゆくため、科学の教えてくれたものを、ただつつましく利用するようになるだろう……」

レオンが、ドアのすきまから愚直らしい横顔を突きだした。

「あちらからお使いでございます」

アントワーヌは、まゆにしわをよせたが、それでもすぐに腰をあげた。

「先生、ちょっと失礼させていただきます」

レオンは、玄関のところで待っていた。そして、なんの表情もなしに手紙受けの盆を差しだした。

盆の上には、青い封筒がくっきり浮かびあがっていた。

アントワーヌは、それを取ると、あけて見ようともせずにポケットにおさめた。

「あちらから、ご返事がないだろうかということでございますが」レオンは、目を伏せながら、つぶやくような声で言った。

「誰だ、あちらとは？」

「運転手でございます」

「ない！」と、アントワーヌは言った。そして、すぐにくるりと身をひるがえした。うしろで、ドアのあく音がしたからだった。

ジャックをうしろにしたがえて、ジェンニーの姿が玄関にあらわれた。

「帰るのか？」

「うん！」ジャックは、ちょうどアントワーヌがレオンに向かって《ない！》と言ったのとおなじちょうし、断固とした、そっけないちょうしでそう言った。彼は、きっと兄の顔をみつめた。そして、非難のこめられたなぞのような眼差しの中には、こうした意味が語られていた。《ぼくたちは、こうして、おりもおり、きょうという日に、あなたとだけ会いにきた。ところがあなたは、ぼくたちに、一分の時間もあたえてくれなかった！》

アントワーヌは、口ごもりながら言った。

「もう行くのか？……ジェンニーさんも？」

《もしジェンニーに、何か相談なりたのみごとがあるのだったら》と、彼はちらりと心に思った。《なんでそれを言わずに帰ろうとするのだろう？　しかも、ジャックといっしょに？》

彼は、思いつくままにたずねてみた。

「ぼくの出発まえに、何かご用がおありではないのでしょうか？」

ジェンニーは、あいまいな微笑を浮かべながら、ちょっと頭をさげ、感謝の気持ちをあらわした。

アントワーヌには、どう考えていいかわからなかった。

「で、きみは？」彼は、つかつかともう階段のほうへ歩きかけていたジャックにたずねた。「きみとはこれきり会えないのかしら？」

そのちょうしには、なんとも言えない親しみがしめされていたので、ジェンニーははっとしたように目をあげた。そして、ジャックもふり返ったほどだった。アントワーヌの顔には大きな感動が浮かんでいた。そして、それを見ると、うらめしく思っていたジャックの気持ちも消えてしまった。

「あした発つ？」と、ジャックはきいた。

「うん」

「時間は？」

「とても早い。七時ごろ家を出る」

ジャックは、ジェンニーのほうを見た。そして、ちょっとしわがれたような声で言った。

「迎えにこようか？」

アントワーヌは、さっと顔を輝かした。

「そうしてくれ！　来てもらおう……駅までいっしょに送ってくれるか？」

「ああ」

「ありがとう」アントワーヌは、なつかしそうに弟をながめた。そして、ふたたび「ありがとう」をくり返した。

三人は、いっしょに入口のドアまで行った。

ジャックは、ドアをあけ、まずジェンニーを通してやった。それから自分も、兄と眼差しをかわすことなしにしきいをまたいだ。踊り場に立った彼は、つぶやくように、

「では、あした」と、言った。そして、そう言いながら、ドアを引いた。

だが、瞬間、彼は、はっと思いかえした。

「先におりていてくれたまえ」とジェンニーに言った。「下でいっしょになるから」そして、あわただしく、こぶしでドアをたたいた。

アントワーヌは、まだ玄関にいた。そして、ドアをあけにもどってきた。ジャックは、自分ひとり中へはいってから、ドアをしめた。

「ちょっと聞いてもらいたいことがあるんだ」と、彼は、伏し目になりながら兄に言った。

アントワーヌは、それが何かしら重大な問題であることを直感した。

「こないか」

ジャックは、兄のうしろから、だまって小さな書斎までついていった。書斎にはいると、彼は、しめたばかりのドアを背にして立ちどまった。そして、アントワーヌの顔をじっとみつめた。

「兄さん、聞いてもらいたいことがあるんだ……ぼくたちふたり……ジェンニーとぼくは……兄さんに話そうと思ってやってきたんだ……」

「ジェンニーさんと、きみと？」と、アントワーヌは、驚いたようすでくり返した。

「そうなんだ」ジャックはきっぱり答えた。そして、妙な微笑を浮かべてみせた。

「ジェンニーさんときみと？」と、アントワーヌは、びっくりしたように言いつづけた。「それは？」

「ずっとまえからのことなんだ」と、ジャックは、われにもあらず顔を赤らめながら、簡潔な、ぽきぽきした声で説明した。「それがいま、こうなっちまった。すっかりきまってしまったんだ。一週間で」

「きまってしまった？　何がいったいきまったんだ？……」

アントワーヌは、ディヴァンのところまですさっていって腰をおろした。

「え」と、彼はどもるように言った。「じょうだんじゃない……ジェンニーさんが？……きみとジェンニーさんが？」

「そうなんだ！」

「たいして深く知りあった仲でもないじゃないか……それに、おりもおり。結婚の約束をしたというのか、こうした際に？……で？　では、フランスを離れないことにしたのか？」

「いや。あしたの晩、発つ。スイスへ行く」そして、短い間をおいてつけ加えた。「彼女もいっしょだ」

「いっしょだって？　おいおい、ジャック、いったい気でもちがったのか？　徹頭徹尾気ちがいざただ」

ジャックは、微笑をつづけていた。

「とんでもない……事はきわめて単純だ。ぼくたちふたり、たがいに好きになってるんだ」

「おいおい、ばかもいいかげんにしないか！」アントワーヌは、乱暴に言い放った。

ジャックは、いじわるそうな笑いを浮かべた。彼は、兄の態度にすっかり気持ちをわるくしていた。

「兄さんは、おそらくそうしたふたりの感情にびっくりして……それをけしからんと言ってるんだろう……しかたがない……おきのどくだが、しかたがないんだ……ぼくは、兄さんの耳に入れておこうと思っていた。それもこれですんだわけだ。では、失敬」

「待て！」と、アントワーヌがさけんだ。「ばかな！　そんなばかなことを考えておるおまえを、このまま行かせるわけにはいかん！」

「ぼくは失敬する」

「いかん！　話がある！」

「むだだ。とても理解しあえないことがわかってきたんだ……」

ジャックは、出て行きそうなそぶりを見せた。だが、出て行こうともしなかった。ふたりのあいだには沈黙が流れた。

アントワーヌは、つとめて気持ちをとりなおした。

「なあ、ジャック……考えてみようじゃないか……」ジャックは、皮肉な微笑を見せた。「問題はふたつある……ひとつはきみの性格だ。もひとつは、そのためにきみが選んだ目下の時期だ……ところで、まず第一がきみの性格、人間としてのきみ自身だ……ほんとうのことを言わせてもらおう。きみは、ほかの人間を幸福にするには根本的に不適任だ……根本的に！　だから、たといこうした場合でなくても、きみはけっしてジェンニーさんを幸福にさせてはやれなかったにちがいない。従って、どんな場合であれ、きみはぜったい……」

ジャックは、肩をすくめてみせた。

「まあ聞けよ。どんな場合でも！　しかも、今日の場合、とくにそうだ！……戦争……しかも、きみはそうした思想の所有者だ！　きみ自身危険をおかすこと、それはきみの心のままだ。だが、おりもおり、こうしたときに、ほかの人間までもきみの運命に結びつけようなんて？　おそろしいことだ！　ぜんぜん気ちがいざたというべきだ！　論議にも値しない子供じみた考えかただ！」

ジャックは、からからと笑いだした。自信のある、無作法な、ほとんど憎悪のこもった笑い。気がちがいでもしたような笑いだった。だが、彼はとつぜん笑いやめると、あらあらしく髪をかきあげ、憤然として腕を組んだ。

「そうか！　ぼくは兄さんをたずねてきた。それは、兄さんに、ぼくたちふたりの幸福を聞いてもらおうと思ってだった。ところで兄さんの言うことはそれだけなのか？」彼は、も一度肩をすくめて見せたあとで、ドアのハンドルをつかんだ。そして、ふり返りざま、肩越しに叫んだ。「ぼくには、あなたという人がわかっていると思っていた。ところが、五分間まえから、はじめてあなたという人がわかった！　あなたの値打ちがわかったんだ！　あなたは一個の冷血漢だ！　あなたは、一度も愛したことがない！　これからだって、ぜったい愛したりはしないだろう！　冷血漢、救うべからざる冷血漢だ！」ジャックは、見おろすように——一指もふれさせぬ愛の高みから相手を見おろすといったように、じっと足をみつめていた。彼はたちまち、顔をしかめて微笑した。そして、唇のさきでこう言った。「あなたは、自分がどんな人間だか知っておいでかしら？　いかにたくさん免状を持っていたって、いかに傲然としていたって、あなたはあわれむべき人間なんだ！　それだけだ。あわれむべき、きわめてあわれむべき人間なんだ！」

　彼は、ちょっと、苦しそうな冷笑を浮かべた。そして、ドアをばたんとしめて出て行った。

　アントワーヌは、ちょっとのあいだ、首をたれ、目をじっと敷物にそそいだまま身動きもしなかった。

　《冷血漢！》と、彼は、低い声で言った。

　彼の息づかいははげしかった。彼は、興奮のあまり、海抜の高さのためといったような気分の悪さ、肉体的な不快を感ぜずにはいられなかった。彼は腕を前へ出し、手を水平に差しだしてみた。手には震えが見え、それをおさえようとしたがだめだった。《脈《プルス》百二十くらいかな……》と、彼は思った。

　彼は、ゆっくりからだを起こした。そして、立ちあがると、窓のところまで行き、ブラインドをあけた。

　中庭は静まりかえっていた。その向こうには、二側になった土塀にはさまれて、一本のマロニエの勢いのわるい葉ぶりが、黄いろいしみのように見えていた。だが、アントワーヌの目には、何ひとつ、そうだ、あのジャックのおうへいな顔、思いあがった微笑、酔ってでもいるような不敵な眼差しのほか何ひとつ見えなかった。《あなたは一度も愛したことがない！》と、彼は、鉄の手すりの上にこぶしを握りしめながらつぶやいた。《ばかめ、そんなものが恋愛だというなら、そうだ、おれは一度も愛したりしたようなことはなかった！　そして、おれは、それをもって誇りとする！》

ひとりの少女が、隣の家に顔を出して、彼のほうへ目をあげた。高い声を出しすぎたかな？　彼は窓をはなれて、部屋の中央にもどった。

《恋愛！　田舎だったら、みんな平気でずばりと言う。さかりがついたと言ってのける……ところが、われわれには、それではあんまり単純すぎ、顔にかかわる。もっと荘重なものにしなくては！　そこで、白目をぎょろつかせて〈ふたりは愛しあっているんです！　ぼくは彼女を愛しています！……れ——ん——あ——い！〉と、くる。熱情——わかってるとも——それはきみたち、ほれあってる連中の専売なんだ！　そして、おれは一個の〈冷血漢〉！　それもよかろう！……そして、当然、〈あなたにはわからないんだ！〉とくる。いつもかわらぬきまり文句だ！　人にわからないというのを得意がりたい気持ちなんだ！　自分では、それでひとかどえらくなったつもりでいる！　気ちがいだ！　まったくもって気ちがいざただ。気ちがいは、例外なしに、人にわからないのを自慢にしたがる！》

アントワーヌは、鏡の中に、怒りに目を血ばしらせ、しきりに身ぶりをしている自分の姿を見た。

彼は両手をポケットの中につっこんだ。そして、自分の怒りに、さらにもっともらしい口実を求めた。
《おれには、その愚劣さが腹にすえかねるんだ！　そうだ、おれの良識が腹を立て、それがこのおれを憤然とさせる……もっとも、気がついたのはこんどがはじめてのことではない。良識は、それがきずつけられるとき、ひょうそうや激しい歯痛と同じように、やっぱり痛むことがあり得るのだ！》
書斎でフィリップ博士の待っていることに気のついた彼は、ようやくわれを取りもどせた。彼は、
《よいしょ……》
と言いながら肩をゆすりあげた。
彼は、ポケットの底で、機械的に紙片を指でまるめていた。アンヌからの手紙……彼は、それを取り出してふたつに破ると、そのまま紙くずかごの中にほうりこんだ。彼の目は、テーブルの上に出ていた軍隊手帳の上に落ちた。すると、とつぜん、がっくりきた。あしたになれば戦争、さまざまな危険――あるいは手足を失い、ことによったら死ぬかもしれない？　《あなたは一度も愛したことがない》その、あした、青年期は、思いもかけず終わろうとしている。そして、愛することのできる時期も、おそらくは永久に去ろうとしている……
彼は、急に紙くずかごのほうへ身をかがめ、封筒の半分を拾いあげ、中から手紙の切れはしをとり出して、あけてみた。それは、愛撫さながらといったような、やさしく、はげしい叫びだった。

……今夜。ふたりの家でお待ちするわ……なんとしてでもお会いしたいの。きっと来るって約束してちょうだい。わたしのトニー。きっと来て。

アントワーヌは、ぐったり安楽椅子に腰をおろした。最後の一夜を彼女によりそってすごしてみるか……も一度愛撫をうけてみるか……これを最後に、も一度彼女にだかれて眠り、すべてを忘れることができるんだが……彼は、とつぜんわきおこる一種の郷愁、海底からゆりあげる大波とでもいったような、はげしい、絶体絶命の波にのまれてしまった。彼は、テーブルの上にひじをついた。そして、しばらく、両手の中に頭をかかえて、子供のようにすすり泣いた。

七十

パリは、落ちついてはいたが、そこには悲痛な気がみなぎっていた。雲は正午ごろから立ちこめていたが、それは暗い天蓋をなして、全市をまるで日暮れどきといったような薄暗さのなかに沈めていた。いつもより早く電気をつけたカフェーや商店は、暗い往来へ向かってわびしい光のしまを投げていた。そして、そうした往来を、足をとられた人の群れが、せわしそうに、不安なようすで、かけるようにして歩いていた。ほうぼうの地下鉄の入口は、歩道の上まで、乗ろうとする人々の波をあふれさせていた。みんなは、じりじりしながらも、地下鉄へおりて行くまで、小半時《こはんとき》も足ぶみさせられていたのだった。

ジャックとジェンニーは、待つのをあきらめて、左岸まで歩いていった。いたるところ、新聞売りの姿が見られた。人々は、奪い合うようにして号外を買っていた。そして、ちょっと立ちどまっては、むさぼるような目つきで急いでそれに目をとおしていた。みんなは、われ知らず、そこに何かすばらしいニュースを発見したいものとやっきになっていた。すなわち、万事うまくおさまったとか、ヨーロッパの指導者たちが急に思いなおすことになったとか、指導者たちの意見が一致した結果、和協的解決のみちが得られたとか、これでいよいよ愚劣な悪夢が一掃されることになったとか、自分たちは、ただちょっとひやりとさせられただけだったとか……

動員令が出て以来、『ユマニテ』社も、ご多分にもれずがらんとしていた。誰も彼もが、みんな自分の個人としての生活にひきもどされでもしたようだった。入口にも、階段にも、人影といっては見られなかった。ジャックは、廊下の中を行ったり来たりしているただひとりの給仕から、ステファニーが自分の室にいないことを教えられた。事務はギャロの手に引きつがれていた。だが、そのギャロは、いまあしたの新聞の編集にかかっていて、面会謝絶ということだった。そして、ジャックは、影のようにへとへとに疲れたジェンニーをしたがえて、あえてそうした禁をやぶってまでもとは考えなかった。

「プログレ亭まで行ってみようや」と、彼は言った。


プログレ亭の、階下のホールには誰もいなかった。マネージャー自身も留守だった。そして、かみさんだけが、ひとり帳場のところにすわっていた。どうやら泣いていたらしかった。そして、立ってこようともしなかった。

ふたりは、中二階へあがっていった。

テーブルは、ひとつだけふさがっていた。それは、幾人かの闘士たち。みんな若い連中で、ジャックの知らない顔ぶれだった。ふたりの姿を見ると、みんなは一瞬口をつぐんだ。だが、そのまますぐに議論をつづけた。

ジャックは、咽喉《のど》がかわいていた。彼は、ジェンニーを入口近くの椅子に腰かけさせると、下へビールを取りにいった。

「じゃあ、おまえほかにどうしようてんだ？　憲兵のくるのを待とうっていうのか？　そして、ばかみたいに、銃殺されるつもりなのか？」

そう言っているのは、赤ら顔の、ハンチングをあみだにかぶった二十五歳になる青年だった。荒々しい声の男だった。彼は、その黒い、きびしい目で、仲間たちの顔をつぎつぎにじっと見すえていた。

「それに、おれははっきり言っとくぜ！」と、彼は、いきりたったようすで言葉をつづけた。「おれたち、つまりおれたちみたいに、事の経過を身近に見てきた連中には、ただひとつたしかなこと、ほかのあらゆることなぞ問題にならないようなことがあるんだ。すなわち、おれたちの国は、戦争を望んではいなかったんだ。したがって、やましいことは何ひとつないんだ！」

「だが、ほかの国のやつらも、みんなおんなじことを言ってるんだぜ」と、連中のなかでもいちばん年かさな男、地下鉄職員の制服をつけた四十かっこうの男が言葉をはさんだ。

「だが、ドイツのやつらはそうは言えめえ！　なにしろ平和のかぎを握ってたんだから！　二週間このかた、十ぺんも、戦争をせきとめる機会があったんだから！」

「おれたちにしたっておんなじことさ！　おれたちは、ロシアに向かって、きっぱり《糞をくらえ》と言ってやれたはずなんだ！」

「いまさらそんなことを言ってみたって、なんのたしになるもんか！　いまから思えば、ドイツのやつらは、こっそり戦争をたくらんでいたんだ！　自業自得というわけなんだ！　いまさら平和の肩が持てるものかい、そんなでくの棒たあ話がちがわあ！　フランスにとっては売られたけんかだ！　こうなったうえは、守らなければ！　フランスとは、おまえであり、おれであり、つまりおれたちみんなのことなんだ！」

地下鉄だけを別として、ほかの者たちはみんな賛成しているようだった。

ジャックは、がっかりしたような眼差しをジェンニーのほうへ向けた。彼は、ステュドレルが、泣くようにして《ぼくは、ドイツに罪ありと信じる必要にせまられている！》といっていたことを思いだした。

せっかくついだビールを飲もうともせず、ジャックは、彼女のほうへ合図をして立ちあがった。だが、その場を去るにさきだって、彼は連中のほうへ歩みよった。

「やれ受け身の戦争……やれ正当な戦争、正しい戦争！……諸君には、それがいつも変わらぬごまかしだということがわからないのか？　そんなことにだまされようとしているのか？　動員令が出て、まだ三時間にもなりはしない。きみたちまでが、それなのに、きみたちはもうそんな気持ちになっているのか？　一週間このかた、新聞が必死になってあおりつづけているけしからん興奮に、ただ手をこまねいていようというわけなのか？　そうした興奮をこそ、軍部の首脳者たちが十二分に利用しようとねらっているんだ！……ああした気ちがいざた、もし社会主義者たる諸君にしてがんばらないで、ほかの誰にがんばろうというんだ？」

ジャックは、連中のうちのとくに誰を目ざしていたのでもなかった。彼は、つぎつぎと、ひとりびとりを注視した。そして、唇をわななかせていた。

連中のなかのいちばん若い男、顔や髪がまだ白い粉だらけの左官職人が、彼のほうへ、その道化めいた顔をふりあげた。

「おれの考えもシャテーニエとおんなじさ」と、若者は、落ちついた、さわやかな声で言った。「このおれは、第一日、つまりあした動員されることになってるんだ！……おれは戦争がきらいだ。だが、おれはフランス人だ。そしていま、フランスが攻撃されてる。国家はおれを必要としている。おれは行く！　おれは行く、たまらない気持ちで。だが、やっぱり行かずにはいられないんだ！」

「おれもみんなとおんなじだな」と、隣にいた男が言い放った。「おれは、三日めの火曜に出かけるんだ……おれの生まれはバール・ル・デュック、国の家には年寄りたちがいる……自分の国がドイツのものになるなんて、こいつはなんともがまんできねえ！」

《フランス人の十中の九までがこれなんだ！》と、ジャックは思った。《自分たちの防御本能の反応を正当化するため、あくまでもフランスを罪なきものにしようと思い、相手方がけしからん策謀をしたという結論に持っていこうとしている……しかも》と、彼は思った。《こうした青年たちは、自分たちがとつぜん侵犯された国の一分子になったこと、集団的怨恨感情のはげしい空気を呼吸することになったことに、何かしら漠然とした満足感を味わっているのではないだろうか？……》つまり、かつてカルディナル・ドゥ・レッス（十七世紀フランスの政治家。はじめ神学をおさめたが、その生涯の大半をはげしい政治的闘争に費やした。『メモワール』の著によって聞こえている）が《諸国民にとりて、たといみずからが攻撃する場合にあっても、なおかつ一意防御の立場にあるもののごとく思わしむることほどその効果大なるはなし》と言いきった時代から、なにひとつ変わってきてはいないのだ。

「よく考えてみるがいい！」と、ジャックは、沈んだ声で言った。「もしきみたちががんばらなかったら――あしたになったら手おくれだぞ！……考えてみるがいい。国境の向こうでも、おなじような怒り、あやまった誹謗、がんこな反発の爆発が見られている！　どこの国の国民も、けんか好きのわんぱく小僧そのままに、小さな野鼠のような目を光らせ、たがいに飛びかかっていこうとしている。

《向こうがさきに手出しをしたんだ！……》愚劣きわまる話じゃないか？」

「じゃあ？」と、左官職人が叫んだ。「おれたち動員されたものたちは、いったいどうしたらいいんだ？」

「もし諸君が、暴力が正義になり得ないこと、人生が神聖であること、平時には人を殺すものを罰しておきながら、戦時にはそれを命ずるといったようなふたつのちがった道徳のあり得ないことを考えたら——よろしく動員を拒絶するんだ！　戦争を拒絶するんだ！　きみたち自身に忠実なれ！　インターナショナルに忠実なれ！」

部屋の入口のところにいたジェンニーは、急にジャックのほうへ歩みよると、彼にぴったり身をよせた。

左官職人は立ちあがった。彼は憤然としたようすで腕組みをした。

「銃殺されるためにか？　まっぴらだ！　ありがたくもねえ！　なにしろあっちへ行ったうえは、誰も彼もが運次第だ。ちょっと運さえよかったら助かるみちもあるってわけだ！」

「だが」と、ジャックは叫んだ。「そういう諸君には、自分の意思なり、自分の個人的な責任なりを、強者とわかっているものの手に引きわたすことがいかに卑怯なことであるかわかっているんだ！　諸君は《おれは反対だ。だがいまさらなんともしかたがない……》と思っている。それは、諸君にとって、たしかにつらいにちがいない。ところが諸君は、そうした服従がむずかしいこと、あっぱれなことのように思って、手もなく良心をねむらせているんだ……諸君は、自分たちが恥ずべき所業にまるめこまれていることを知らないのか？　どんな政府も、国民を奴隷化し、国民を虐殺するためにあるのではなくって、――国民に奉仕し、これを保護し、これを幸福ならしめるために政権をゆだねられているということを忘れたのか？」

　これまで何ひとこと言わなかった三十がらみの髪の黒い男が、こぶしでどんとテーブルをたたいた。

「ちがうぞ！　それはまちがってるぞ。きょうのあんたはまちがってるぞ！……おれはこれまで、ぜったい政府と妥協しなかった。このおれは、あんたに負けないほどの社会主義者だ！　五年越しの党員だ！　そうしたおれが、社会主義者のこのおれが、政府のため、みんなと同様、いつでもぶっぱなすつもりになってる！」ジャックは、言葉をはさもうとした。だが、相手は声を張りあげた。「それは、信念なんかの問題じゃないんだ！　国家主義者、資本家、金持ちども、そうしたやつらとはいずれあとから話をつけよう！　ちゃんとかたをつけてみせるぞ。その点おれにまかせてもらおう。だが目下の場合、議論をしているときではない！　まずプロシャのやろうと話をつけなければ！　戦争したがったのはやつらのほうだ！　お望みどおり戦争がはじまる！　そして、おれははっきり言っておく。いざやるという段になったら、目に物みせてくれるから！」

　ジャックは、ゆっくり肩をすくめてみせた。万事休すだった。彼は、ジェンニーの腕をとると、廊下のほうへつれて出た。

「だが、社会党万歳に変わりはねえぞ！」と、ふたりのうしろから誰かが叫んだ。

外へ出たふたりは、しばらくのあいだ黙って歩いていた。陰にこもった雷鳴が、夕立の近いことを思わせていた。空は、墨を流したようだった。

「わかるだろう」と、ジャックが言った。「ぼくは、戦争というものが、感情問題ではなく、単に経済的競争の運命的な衝突にすぎないと信じていた。そして、そのことを幾度となくくりかえし言ってきた。ところがだ、こうした国家主義的狂乱が、今日、社会のあらゆる階級の中から、いかにも自然に、なんのけじめもなくわきあがってきているのを見ると、ぼくにはどうやら……戦争というものが、何かはっきりしない、おさえようにもおさえきれない人間の感情の、衝突の結果であり、それにたいしては、利害関係騒ぎのごとき、単にひとつの機会であり、口実であるにすぎないように考えられてくるんだ……」彼は、そう言ってから、ふたたび口をつぐんだ。それから、考えつくままに思考の糸をたどりながら「それに、何より人をばかにしているのは、彼ら自身、何か弁解するどころか、戦争を受諾することを、さも理にかなった、さらには自由意思に出たもののように吹聴しようとしていることだ！……そうだ、さも自由意思から出たものでもあるかのように！　ああしたなさけない連中の誰も彼も、ついきのうまでは戦争にたいして必死の闘争をつづけていたのに、そして、いまやいやいやその中にまきこまれているのに、きょうになると、あくまでも自発的に行動しているかのように見せかけたがっている！……それに、みじめだな」と、ジャックは、ちょっと間をおいてから言葉をつづけた。「あれほどたくさんの、目はしのきいた、疑りぶかい連中でいながら、いったん愛国的感情をゆすられると、たちまちころりと参ってしまうなんて……みじめだ——不可解とさえ言えるかもしれない……たぶん、こうしたためかもしれないな。つまり、ふつうの人間は、わけなく、祖国とか、国民とか、国家とかとひとつになってしまえるんだ……やれ《われらフランス人は……》やれ《われらドイツ人は……》いつも言いならわしているあの手なんだ。そして、ひとりひとりの個人は、たしかに平和を好んでいるから、その国が、つまり自分の国が、戦争したがっていようなんて、とても考えてみられないんだ。で、つまりはこう言えるだろう。人間は、平和を望んでいればいるだけ、自分の国や同胞にはなんの罪もないように思いたがるということから、それだけわけなく、戦争の脅威はもっぱら外国から来るものであり、自分の国の政府には責任がなく、自分はつまり被害者たる国家に属していることからそうした国家を守ることによって、自分をも守るべきだと思いこますことができるんだ、と……」

大粒の雨が降りだしたので、ジャックはちょっと口をつぐんだ。ちょうどふたりは、取引所前の広場を横ぎっていた。

「駆けよう」と、ジャックが言った。「ぐしょぬれになっちまうぜ……」

ふたりは、やっとのことで雨を避け、コロンヌ町のアーケードまでたどりつくことができた。この日一日、町のうえに重くのしかかっていた夕立は、いまやとつぜん、劇的なはげしさをもって爆発をはじめていた。神経をはたくような稲妻が間断なしに引きつづき、これまたひっきりなしの雷鳴が、まるで山の夕立を思わせるはためきで、あたりの建物のあいだにこだましていた。キャトル・セプタンブル町のあたりを、近衛騎兵の一連隊が駆け足で通って行った。しぶきを立てて駆け去る馬上の騎兵は、吹き降りの下に身をかがめ、からだから湯げを立てた馬の首の上に身を伏せていた。そして、みごとな戦争画でも見るように、騎兵たちのヘルメットが、鉛色した空の下にきらきら光っていた。

「あそこにはいろう」ジャックは、アーケードの奥の、あまり明るくない、それに、すでにだいぶ人のはいっている小さなレストランをしめしながら言った。「雨宿りをしながら、何かたべようや」

おおぜい客の立てこんでいる大理石のテーブルに、ふたり並んですわれる場所を見つけるのはたいへんだった。

腰をおろすやいなや、ジェンニーは疲労でたたき倒されたような気持ちだった。両ひざががくがくしていた。肩や首筋のあたりが痛んでいた。頭は、なんともがまんできないほど重かった。からだぐあいがわるくなりかけてでもいるようだった。せめてちょっとのあいだでも、目をつぶりからだをのばし、眠ることができたら……ジャックのそばで眠れたら……するとたちまち、ゆうべの思い出が、彼女の心をむずとつかんだ。そして彼女は、さもひと鞭あてられたといったように元気になった。そばにいたジャックは、そんなことには気がつかなかった。ジェンニーは、彼の横顔を、汗にぬれたこめかみを、栗いろのつやをみせた黒い髪をながめていた……彼女は、あわやジャックの腕をつかんでこう言いかけた。《家へ帰りましょうよ。ほかのことなんかどうでもいいわ！……わたしをだいて……しっかりだいて！》

まわりでは、いたるところで話がかわされていた。人々の目はかがやいていた。みんなは、親しみをこめた目つきで、塩の容器やからしのびんを渡しあっていた。きわめてばかげた、つじつまのあわない情報が、大きな確信をもってとりかわされていた。そして、人々はそれをたちまち信じこんでしまっていた。「こんなあらしで、攻勢がおくれたりしなければいいが」と、吹出物のできた顔に、夢のような、だが相当挑戦的な英雄熱をうかべた中年の婦人がうめくように言った。——「七十年戦争のときには」と、ジェンニーの前の、襟に勲章の略綬をつけたふとった紳士が説明した。「戦闘行為は、宣戦の布告があった後ずっとたって、少なくとも二週間ほどたってはじまりましたな」——「きっと砂糖がなくなるぜ」と、誰かが言った。——「お塩だって」と、さっきの勇ましい婦人が言った。彼女は、打ちあけ話をするかのように、ジェンニーのほうへ身をかしげて「あたし、ぐずぐずしないで、ちゃんと手を打っておきましたのよ」

略綬の紳士は、誰を相手というでもなしに、さも感に堪えないように声をふるわせ、説得力を持ったちょうしで、東部衛戍《えいじゅ》部隊のひとりの大佐のことを話して聞かせた。その大佐は、部下の将兵を国境線から十キロの距離まで退去させろという命令を受けると、これは、フランスがすでに敵に譲歩したものだと思いこみ、ピストルを取りだし、恥をしのんで生き長らえるよりはと、連隊の面前で、一発頭に打ちこんで自殺したということだった。

テーブルのはしのほうで、ひとりの労働者が、だまって何かたべていた。その男のうさんくさい眼差しと、ジャックの目とが行きあった。男は、たちまち口をはさんだ。

「みんな、じょうだんはよしにしようぜ」男は憤然としたちょうしで言った。「きょうの夕方も、工場で今週の給料にありつけなかったんだからな!」

「それはまたどうしたわけで！」と、紳士は愛想のいいちょうしで言った。

「つまり金は銀行にあずけてある、ところがその銀行がしまっちゃった、こうおやじが言うんでさあ……なんともえらい騒ぎでしたよ！　といったところで、どうともしようがない。《月曜にやってこい》っていうわけでしてね……」

「そうですよ。月曜になったらたしかに払ってもらえますとも」と、例の勇ましい婦人が言った。

「月曜だって？　ところが、あしたにも動員されるやつがうんといるんでさあ。そこでわかっていただけますかい？　自分は出かける。そして、あとには女房と子供を一文なしで残していくっていうわけなんでさ？」

「そのご心配はご無用ですな」と、略綬の紳士が、断固たるちょうしで言葉をはさんだ。「それは、ほかのことと同様、政府がちゃんと考えてますよ。区役所で、補助金の分配があるでしょう。心配しないでお出かけなさいよ！　ご家族は、ちゃんと国家が保護してくれる。なにひとつ、不自由なんかありますまいよ！」

「でしょうか？」と、男は、ちょっとぐらついてきたようにつぶやいた。「でも、それならそれで、なぜそれをはっきり言ってくれないのかな？」

ジャックの隣にいた男は、うまく夕刊新聞の号外を手にいれていて、そこにポワンカレの《フランス国民に告ぐ》という宣言の出ていることをにおわせた。

人々の手がいっせいに出された。

「ちょっと拝見！」

だが、男は、新聞を手放そうとしなかった。

「読みあげなさい！」と、略綬の紳士が指図をした。

ずるそうな顔つきをしたその男は、やおら鼻眼鏡を掛けなおした。

「これには各大臣の副署がありますぞ！」と、彼は大げさなちょうしで言った。それから、裏声で読みはじめた。

「《政府は、みずからの責任を考え、事をこのまま放任することはみずからの神聖なる義務に反すべきことを痛感し、ここに事態の必要に応じて布告を発することとなった》」老人はちょっと息をいれた。「《けだし、動員は戦争にあらず……》」

「聞いた？」と、希望に声をふるわせながらジェンニーがささやいた。

ジャックは肩をすくめてみせた。

「つまり、ねずみ取りの中にはいらせようっていうわけなんだ……だが、いったんつかまえた以上、しっかりつかんで放すものか！」

「《現在の事態において》」と、鼻眼鏡の男がつづけた。「《動員は、むしろ名誉をもって平和を確保する最善の方法として考えられる……》」

近くのテーブルにいた人たちまでが、しんと静まりかえった。

「もっと大きな声でたのみますぜ！」と、部屋の奥にいた誰かがどなった。男は、立ちあがって読みつづけた。声はときどきうわずっていた。彼は、いましも、自分自身国民に向かって話してでもいるような気持ちになっているにちがいなかった。そして、重々しいちょうしでくり返した。

「《……各誉をもって平和を確保する最善の方法として考えられる……政府は、その高貴なる国民の冷静に期待し、国民が無謀なる感情にかられることなきよう望む》」

「ひや、ひや!」と、吹出物の顔をした婦人が言った。

「《無謀なる》か!」と、ジャックはつぶやいた。

「《……政府は、あらゆるフランス国民の愛国心に期待し、そのひとりとしてみずからの義務を尽くすに躊躇せざることを知っている。現下、いかなる党派も存在しない。いまや永遠なるフランス、平和を愛し、断固たる決意を有するフランスあるのみ、平静、慎重、威厳をもって、完全なる団結をしめすところの、正理と正義のフランスあるのみ》」

朗読が終わると、あとには長い沈黙がつづいた。やがて、こうした熱狂的な題目について、きわめて活発な会話がはじめられた。例の婦人の英雄熱も、けっして彼女だけのものとは言えなかった。略綬の紳士の顔には、略綬さながらの紅潮がしめされていた。テーブルのはしでは、給料をもらえなかった職工が、目に涙をためていた。誰も彼もが、何かうれしいことででもあるように、この集団的な陶酔感を味わっていた。誰も彼もが、手もなくあおり立てられ、われを忘れて興奮し、崇高感に酔いながら、すぐにも喜んで身を投げだしそうな気持ちになっていた。

ジャックは、じっと黙りつづけていた。彼は、向こうでも、ちょうどおなじ時刻に発表されている、あちら側の責任者カイゼルなりツァーなりが署名したであろうこれと同じような布告のことを考えていた。いずれの国でも、おなじような力をもってなされているこうしたふしぎな文章のことを、そしてまた、いずれの国でも、おなじようなばかげた興奮をまきおこしているにちがいないこうした文章のことを……

彼には、ジェンニーが、ちょっと手をつけたばかりのポタージュの皿をそのまま前へおしやるのが見えた。彼は、ジェンニーに合図をしながら、席を立った。

外へ出ると、雨はもうやんでいた。家々のバルコニーからは、雨のしずくが落ちていた。みぞのはばはひろくなり、それは、いっぱい泥をたたえ、ごぼごぼ音を立てながら下水道へ流れこんでいた。雨にぬれて光っている歩道の上には、人々が、算をみだして、ふたたびいそがしそうに歩きはじめていた。

「議院へ」と、ジャックは、熱に浮かされたような足どりで、ジェンニーをひっぱって行きながら言った。「あそこで、ミュラーとのあいだにどんな話し合いができてるかしら?……」

それはたしかにばかげたことかもしれなかった。だが、彼として、まだ希望がないとは言いきれなかった。

七十一

パレ・ブールボン（フランス下院）は、こっそり警官の手によって守られていた。それにもかかわらず、前庭の鉄柵のうしろには、幾組かの人かげが見られていた。ジャックは、あいかわらずジェンニーをしたがえて、そのほうへ向かって近づいていった。

そうした群れのひとつの中に、電灯の光に照らされて、背の高いラップの姿が見えた。

「話し合いはまだ終わっていないんだ」と、ラップが教えてくれた。「みんないま出ていったところだ。晩飯を食いにいったんだ。もうじき討議がつづけられるだろう。だが、ここではなくって、『ユマニテ』の編集室でだ」

「で？　第一印象はどうだった？」

「かんばしくなかった……もっとも、情報はなかなかつかめなかった。みんな、まっかになっていた、咽喉《のど》がかわいて死にそうになって。――それに、おしのように黙りこくっていた……おれは、シブロからだけちょっと聞きだせたんだ……ところで、シブロは、おれたちに向かって、がっかりしたって打ちあけてた。なあ、そうだったな？」と、彼は、おりから歩みよってきたジュムランのほうを向いてつけ加えた。

ジェンニーは、何も言わずに、ふたりの男をながめていた。彼女は、どうも、ジュムランに心からの好意が持てなかった。汗ばんだ、色つやの悪い面長な顔、のっぺりして、いやに突き出たあご、口をじゅうぶんあかずに、ひとつひとつの言葉をきっぱり切ってはなす話し方、角ばった肩、小さすぎ、黒すぎるひとみに見られる冷たいひらめき、それらはジェンニーに、何かいやな感じをおこさせるのだった。それに反してラップのほうは、こぶこぶのひたい、そして、ジャックのうえに、いつもやさしいおやじとでもいったような眼差しをそそぎかけているその明るくさみしそうな目つきが、安心と親しみの感じをおこさせるのだった。

「ミュラーっていう男、どうやらはっきりした委任状なんか持ってきてはいないらしい」と、ジュムランが言った。「何ひとつ、しっかりした提案なんか持ってきてはいないらしいんだ」

「すると、いったいなんでわざわざやって来たんだ?」

「つまり情報をつかみたいと思ってなのさ」

「情報って?」と、ジャックは叫んだ。「手を打つゆとりさえなくなっているいまになってか!」

ジュムランは肩をゆすった。

「手を打つ……じょうだんじゃない!……こうやって情勢が刻々変わっているのに、なんの決定なんかあり得るんだ? ドイツでも、総動員令を出したことを知ってるかい? ちょうど五時、つまりフランスよりちょっとおくれて出したんだ……そして、うわさによると、今夜正式に対露宣戦をするらしい」

「だが」と、ジャックは、じりじりしながら言葉をつづけた。「いったい話はどうなんだ？　ミュラーは、仏独両国プロレタリアを団結させるためにやってきたのか？　そして、両国間に、ストを準備しようという腹なのか？」

「スト？　とんでもない」と、ジュムランが答えた。「つまりこの月曜日、政府が両院に請求する軍事予算を、フランス社会党が支持するだろうかどうか、それが知りたくって来たまでなんだ。けっきょく、話はそれだけなんだ」

「だが、それだけだって相当なもんだぜ」と、ラップが言った。「そういうはっきりした一点について、仏独社会主義者が歩調をあわせた態度に出たら」

「そいつはなんとも言われないなあ」と、なぞめいたちょうしでジュムランが言った。

ジャックはその場でじだんだ踏んだ。

「なにしろおれたちに言えることは」と、ジュムランは、思いこんだようなちょうしで言った。「そして、党の指導者たちが、手をかえ品をかえてミュラーに説得したことは、つまりフランスが、戦争を避けるため、あらゆる手段をつくしたっていうことになるんだ……最後の最後まで！　国境援助の部隊を引きさがらせさえして！……こうして、われらフランスの社会主義者は、少なくもなんら良心にやましいものを持っていない！　そして、われらには、ドイツを侵略国家と認める権利があるんだ！」

ジャックは、あっけにとられたようすで彼をながめた。

「言葉をかえて言うと」と、ジャックはきっぱり言いきった。「つまりフランスの社会党代議士は、軍事予算に賛成しようというわけなのか？」

「といって、まさか反対もできまいし」

「できない？」

「少なくも票決には加わることをしないだろうな」と、ラップが言った。

「ああ」と、ジャックが叫んだ。「ジョーレスが生きてたら！」

「ふん……こうした現状に直面したら、《おやじ》にしても反対投票はできまいさ」

「だが」と、ジャックはわれを忘れて口に出した。「そうした侵略国家と被侵略国家との区別について、ジョーレスは、いやというほど、それがいかに愚劣なものであるかを叫んでいた！　そんな区別は、わけのわからぬ屁理屈のための口実なんだ！　きみたちは、われらを目下窮地に追いこんでいる真の原因、すなわち、資本主義とか、各国政府の帝国主義的考え方とかを忘れているらしい！　たとい最初の敵対行為がどんな外見のものであろうと、国際社会主義者は、まさに戦争に反対して――あらゆる戦争に反対して、決起しなければならないんだ！　それでなければ……！」

ラップは、逃げ腰といったようすで賛意を表した。

「原則としては、まさにそれにちがいない……ミュラーも、やっぱりそうしたことを言ってたらしいや……」

「で？」

ラップは、大げさに、もうたくさんだといった身ぶりをした。

「で、話はそれでおしまいさ。そして、みんなは仲よく晩飯を食いに出かけた」

「いや」と、ジュムランが言った。「忘れたことがひとつある。ミュラーは、党の指導者たちと相談するため、ベルリンへ電話をかけたいと言ってたぜ」

「ほほう」と、ジャックが言った、なんとしてでも希望を失いたくない気持ちだった。

彼は、憤然としたようすで、くるりとからだをひるがえし、あてもなしに五、六歩前へ歩み出ると、ふたたびふたりのところへもどってきて、その面前に立ちはだかった。

「きみたちに、ぼくの考えていることがわかるかな、このぼくの？　あのミュラーという男は、そうだ、なんのことはない、フランス社会党のインターナショナリズムと平和主義とが、どの程度のものであるかを打診するためにやってきたんだ。もし彼にして、政府の国家主義を挫折させるためにはどんなことでもやってのけ、ゼネストも辞さない決意に燃えている真の反抗的精神の所有者を見いだしたのだったら、まだまだ平和の救われるみちはあった！　そうだ！　いまでも、たとい動員令の出てしまったいまでも！　平和のためには、フランスのプロレタリアとドイツのプロレタリアがきわめて強力に結合したら、まだまだ救われるみちがあった！　ところが、事実はまったく逆だった。彼は何を見いだしたか？　駄弁家だ、詭弁家だ、穏健派だ！　口舌の上では、すぐにも戦争や国家主義をやっつけそうに見えていながら、じつは軍事予算に賛成し、参謀本部の言いなり次第になろうとしているやつらだった！　最後の瞬間まで、相も変わらぬ言語道断な、なさけない矛盾対立がつづくだろう。すなわち、ただ理論的にだけ結びついているインターナショナルの理想と、社会党の指導者たちのあるものさえその中にこめて、実際には誰ひとりそれを犠牲にしたがらずにいるあらゆる国家的利益、こうしたふたつのものの相も変わらぬ不明朗な衝突だ！」

ジャックが話しつづけているあいだ、疲れきっていたジェンニーは、彼から目を放さずにいた。彼女は、まるで自分のよく知っている、そして、自分をあやしてくれる音楽とでもいったように、ジャックの声につつまれていた。彼女は、耳をかたむけているらしく見せていながら、あまり疲れきっていたことから、何も聞いてはいなかった。彼女は、ジャックの顔をうかがっていた。そして、彼の顔の中でも、とりわけ口もとをうかがっていた。そして、線がゆるやかにのびると思うと、おりおり潑剌として生きもののような緊張を見せるそのしなやかな唇に目をそそぎながら、さもその人に触れてでもいるかのような肉体的な感じをおぼえていた。彼女は、ゆうべその人の腕にだかれてすごしたことを思いだしながら、いても立ってもいられないほどのいらだたしさをおぼえていた。《行こう》と、彼女は思った。《あの人、何を待ってるのかしら？　来てしまえばいいのに……早く家へ帰ればいいのに……ほかのことなんかどうでもいいのに！……》

ひとつの群れからほかの群れへと駆けまわって情報をふりまいていたカディウが、ふたりのほうへ近づいてきた。

「内務省に交渉して、ミュラーがベルリンへ電話をかけられるように努力してみたが、だめだった。

すっかり連絡が絶えている。手おくれだ！　あっちもこっちも戒厳令だ……」

「おそらく最後のチャンスだったんだ」と、ジャックは、ジェンニーのほうへ身をかしげながらつぶやいた。

カディウはそれを聞きつけた。そして、冷笑するようなちょうしで言った。

「なんのチャンスだ？」

「プロレタリア行動の！　インターナショナル行動の！」

カディウは、口に奇怪な微笑をうかべた。

「インターナショナルの？」と、彼は言った。「おいおい、すこし現実的な見方をしてもらいたいな。もうきょうからは、インターナショナル（《国際間の》、《万国の》）は、平和の戦いのことではなくなったんだ。それは、戦争のことになっちゃったんだ！」

がっかりしてのふてくされとでもいうのだろうか？　彼は、肩をそびやかして見せたと思うと、やみの中に姿を消した。

「そのとおり」と、ジュムランがつぶやいた。「きわめて不吉な意味においてそのとおりだ。もう戦争ははじまっている。今夜、たといわれらがそれを望むと望まないとにかかわらず、われら社会主義者も、あらゆるフランス人とおなじように、戦争の中にはいったんだ……われらのインターナショナル活動、もちろんそれを忘れてはいない。そうだ、いずれはそれをやる日もこよう。だが、それはけっしていまではない。今夜という今夜、平和主義の時期は過ぎ去ったんだ」

「ジュムラン、それをきみの口から聞かされるのか？」と、ジャックが言った。

「そうさ！　新しい事実が生まれたんだ。すなわち、ここに厳然として戦争が存在する。おれにとって、この事実によってすべてが変わってしまったんだ。そして、社会主義者としてのわれらの任務は、きわめて明らかになったと思う。われらはいま、政府の行動を牽制してはならないんだ！」

ジャックは、あっけにとられたように彼をながめていた。

「では、きみは動員されるつもりなのか？」

「当然だ。そうだ、いまからちゃんとことわっとく、来週の火曜、市民ジュムランは、ルアンの二三九予備連隊に、単に一個の歩兵二等兵として入隊するんだ！」

ジャックは目を伏せた。そして、何も言わなかった。

ラップは彼の肩に手をおいた。

「心にもなくいこじになるなよ……なるほど今夜は、あいつと意見もちがうだろう。だが、あしたになれば、あいつのように考えることになるだろう……事はきわめて明瞭だ。すなわち、フランスにとっての問題は、とりもなおさずデモクラシーにとっての問題なんだ。われら社会主義者は、隣国からの帝国主義の圧迫にたいして、率先デモクラシーを防衛しなければならないはずだ！」

「では、きみまでが？」

「おれまでが、って？　こんな年寄りでなかったら、進んで入隊するんだが……が、なにしろやってみるつもりではいる。こんな老骨でも、何かのお役には立つだろうから……なんでおれをみつめてるんだ？　おれの思想は変わっていない。おれはりっぱに長生きして、いつかは、ミリタリズム反対の闘争をつづけようと思っている。ミリタリズム、それが大きらいなことにも変わりはない！……だが、目下の場合、軽挙盲動はつつしむべきだ。今日のミリタリズムは、きのうのそれとはちがっている。今日のミリタリズム、それはフランスの救いなんだ。いや、それだけではない。危機に瀕したデモクラシーを救うところのものでもある。だから、おれはしばらくつめをかくす。そして、仲間の連中とおなじ行動をとろうと思うんだ。銃を取って、国を守ろう。それから先は、いずれあとでの話なんだ！」

彼は、決然としたようすでジャックの視線に堪えていた。恥じるような、それでいて悪びれない微笑が、彼の口のあたりにたゆたっていた。それが、その目にうかがわれる悲しみの色を、さらに沈痛なものにさせていた。

「ラップまでが！」ジャックは、目をそらしながらつぶやいた。

彼は、息がつまりそうになってきた。

そして、ジェンニーの腕をつかむと、彼女をつれて、あいさつもせずに出ていった。

鉄門の前では、興奮した一団の人々が出口に立ちはだかっていた。

中央には、ギャロの秘書のパジェスが、大げさな身ぶりをしながら何か論じたてていた。ジャックは、彼をとりまいている若い闘士たちの中に、いくつか知った顔を見いだした。ブーヴィエ、エラール、フージュロン、サンディカリストのラトゥール、『ユマニテ』社員のオデールとシャルダン。

パジェスは、ジャックの姿を見かけてちょっと合図をした。

「ニュースを知ってるかい？ ペテルスブルグから電報がはいった。ドイツは今夜、ロシアにたいして宣戦した」

年のころ四十がらみの、暗い顔いろ、ひわひわしたからだつき、集会のとき、いつもきまって演説をするブーヴィエが、ジャックのほうをふりかえった。

「わざわい転じて福となるんだ？ 戦場へ行ったら、おれたちだってりっぱに何かできるだろう！ 銃と弾薬とを持たせてみたらな……！」

ジャックは、何も答えなかった。彼はブーヴィエを警戒していた。彼の、目つきのそらしかたがきらいだった。（ある晩、ムールランは、ブーヴィエがきわめて激越な演説をした集会からの帰りがけ、ジャックに向かってこう言った。《おれはあいつに目をつけてるんだ。おれに言わせると、あいつの熱情はどうもすこし度がすぎてる……警察の手入れのときには、いつもまっ先につかまるんだ。ところが、さも偶然といったように、いつも無罪放免になりやがる……》）

「ところでとんだお笑いぐさだが」と、ブーヴィエは、笑いをこらえるといったように言った。「やつらは、おれたちを、国家主義的戦争にかり立てるつもりでいるんだ！ ひと月しないうちに、内乱がおこることなぞ、てんで気がつきさえもしていないんだ！」

「そして、ふた月しないうちには革命だ」と、ラトゥールが叫んだ。

ジャックは、冷ややかなちょうしでこうたずねた。

「諸君もやっぱり、動員されるつもりでいるのか?」

「そうさ! こんな機会はまたとないんだ!」

「きみは?」と、ジャックはパジェスにたずねた。

「もちろんだ!」

その顔には、平素のような表情は見られなかった。彼は、つとめて声を張りあげていた。まるで酔っぱらってでもいるようだった。

「こんどの戦争は」と、パジェスは言葉をつづけた。「たといそれがせきとめられなくっても、何もおれたちが悪いんじゃない! せきとめようにも、せきとめられなかったんだ。これが事実だ……せめてこの戦争で、自分の自殺しかけていることに気のつかないでいる瀕死の社会に、とどめをさしてやりたいもんだ! 資本主義がみずから招いたこの破滅に、最後のとどめをさしてやるのは、けだしわれらをおいてほかにないんだ! こんどの戦争、せめてそれを社会的進化に役だたせるんだ。これをもって、人類の利益に役だたせ、これをもって最後のものとさせ、これをもって解放戦争たらしめるんだ!」

「戦争になったら、戦争らしくやっつけるさ!」と、誰かがどなった。

「いよいよ戦争に出かけるんだな」と、オデールがさけんだ。「だが、あくまで革命の戦士として、決定的な軍備撤廃と、民衆解放のために戦うんだ！」

ブリアンにとてもよく似ているというので（熱烈な、重々しいちょうしをふるわせるその声までが、まったくブリアンそっくりだった）いつも人々の注意をひいていた郵便局員のエラールが、このときゆっくりこう言った。

「そうだ！……何千何万という無辜《むこ》の人たちが、これから殺されにいこうとしている！　おそろしいことだ！　だが、こうした残虐を承認させるたったひとつの口実は、こうしてわれらが未来のために尽くしていると思うことだ！　こうした血の洗礼から帰ってくるものは、みんなたしかに生まれ変わっているはずだ……彼らの目の前には、ただ廃墟以外に何もあるまい。だがそして彼らは、そうした廃墟の上に、やがて新しい社会を築くことになるんだ！」

ジャックのうしろにいたジェンニーは、彼の肩の震えているのを見てとった。きっと何か口をはさむにちがいないと彼女は思った。だがジャックは、何も言わずに彼女のほうをふり向いた。ジェンニーは、彼の顔つきの変わっているのを見てはっとした。ジャックは、ふたたび彼女の腕をつかむと、しっかりだくようにして群れをはなれた。彼には、彼女のいてくれることがうれしかった。ひとりぼっちでいることのつらさを、それほど感じないですむだろうと思って。《そうだ！》と、彼は思った。《そうだ！　自分が心の底から否定していることを受け入れるよりは、むしろ自分は死をえらぼう！　節を屈するよりは、むしろすすんで死をえらぼう！》

「聞いていた？」と、ジャックは、ちょっと間をおいてから彼女にたずねた。「ぼくは、もうあんなやつらを認めないんだ」

ちょうどそのとき、鉄柵のそばでの話のあいだ、何ひとこと言わずにいたフージュロンが、ふたりのあとから追いついてきた。

「きみの言うとおりだ」と、彼は、自分の話を聞いてもらおうとふたりをむりに立ちどまらせ、なんのまえおきもなしにそう言った。「おれは、自分の信念をあざむかないため、脱走しようとさえ考えた。だが、わかるだろう?……もしおれにしてそれをやってのけたとしても、おれには、それを恐怖からでなく、信念でやったという確信がどうも持てそうに思われないんだ。というのは、おれは、とてもこわくってたまらないんだ……で、愚劣なことはわかっている。だが、おれもやつらのようにやるつもりだ。おれは戦争へ出かけるつもりだ……」

彼は、ジャックの返答を待たなかった。そして、しっかりした足どりで去っていった。

「おそらく、ああした連中がたくさんいるにちがいないんだ……」ジャックは、夢みるようにつぶやいた。

ふたりはブールゴーニュ町を通り、セーヌ川に出ようとして、パレ・ブールボンにそって歩いて行った。

「ぼくが、何にはっと胸をうたれたかわかるかね?」と、ジャックは、またしばらく黙りこんでいたあとで言った。「それは、やつらの目つき、やつらの声、やつらの動作にうかがわれる一種の無意識的なうれしさなんだ……それは、思わずこう考えさせずにはいないんだ。《もし今夜にも、すべてが解決し、動員解除になったと聞いたら、やつらはまず、がっかりしたりはしないだろうか？……》と。しかも、何より腹だたしいのは」と、ジャックはすぐに言葉をつづけた。「それは、やつらが、あれほど戦争にいっしょうけんめいになってることだ！　ああした勇気、死ぬことをなんとも思わぬああした気持ち！　むだなことにつかわれるそうした勇気——せめてその百分の一でも、時機を逸せず、みんな心をひとつにして平和のためにつかったら、りっぱに戦争がふせげたろうに！……」

ふたりは、コンコルドの橋の上でステファニーと行きあった。ステファニーは、骨ばった鼻の上に大きな眼鏡をかけ、うつむいて、たったひとりで歩いていた。彼もまた、会談の結果がどうなったかを知ろうとして、ジャックのほうへはせよってきた。

ジャックは、会談が中絶されたこと、そしてまもなく、それが『ユマニテ』社で続行されるはずだと教えてやった。

「そういうわけなら社へ帰ろう」ステファニーは、そう言って、もと来た道をとってかえした。

ジャックは沈みこんでいた。彼は、何も言わずに、幾足かいっしょに歩きつづけた。それから、ムールランの言っていた言葉を思いだすと、いきなりステファニーのひじをつかんだ。

「もうおしまいだ。もう社会主義者なんていないのだ。いるものは、社会主義的愛国主義の手合いばかりだ」

「なんでまたそんなことを？」

「みんなだまって出かけて行くのがわかってるんだ……革命の理想を、祖国が危機に瀕しているという新しい神話とすりかえて、それで良心に忠なるものだと信じているんだ！　戦争反対をいちばん猛烈に叫んでいたやつらが、いまやもっとも熱心にそれをやるために出かけて行く！……ジュムラン……パジェス……誰も彼も！……ラップでさえ、もしもお召しということだったら、すすんで従軍のつもりでいやがる！」

「ラップが？」と、ステファニーは、ふに落ちないというようにくり返した。だが、彼はつづけてこう言った。

「そう聞かされてもおどろかないな……カディウのやつも出かけるんだ。それにベルテも、ジュルダンも。やつら、もうきのうから、軍隊手帳をポケットに入れてる……ギャロのやつさえ、近眼のくせに、兵站部員《へいたん》から第一線にまわれるように陸軍省へ交渉してくれって、ゲードにたのんでいたんだから！……」

「党には頭がなくなったんだ」と、ジャックは沈痛なちょうしで結論をくだした。

「党にだって？　それはおそらくそうではあるまい。頭をなくしたもの、それは、戦争の力にたいしての抵抗力だ」

ジャックは、同志愛といった気持ちにかられて彼のほうへ身をよせた。

「きみもそう思うだろう！　もしジョーレスさえいてくれたら……」

「彼は、当然、われらと志を共にしたろう！　というより、党をあげて彼と志を共にしたろう！……そうだ、デュノワのやつが、とても的確なことを言ってた。《社会主義の良心は、おそらく分裂を見ずにすんだろう》って」

三人は、黙ってコンコルド広場を横切って行った。車の影も見えず、いつもよりひろびろとしていて、灯火も明るい感じだった。気むずかしそうなステファニーの顔は、たえず、けいれんに震えていた。

とつぜん彼は立ちどまった。街灯の光が、その面長な顔のうえに異様な起伏を描いていた。そして、深い陰をたたえた眼窠《がんか》のうえに、時々きらりと眼鏡のかげがきらめいていた。

「ジョーレス？」と、ステファニーが言った。（その名を口にしながら、まるで歌をうたうとでもいったような南仏生まれの彼の声には、なんとも言えずなつかしそうな、また絶望的なちょうしが見られて、ジャックは、息づまるほどの感動をおぼえた。）「このあいだの木曜日、ブリュッセルを発とうというとき、彼が、このおれの前でなんと言っていたと思う？　ちょうど、ユイスマンスも、アムステルダムへ発とうとしていて、ジョーレスに別れのあいさつをしていたんだ。《おやじ》は、ぶっきらぼうにじっと彼の目を見すえて、こう言った。《ユイスマンス君、ぼくの言うことをよく聞いてもらいたい。もし戦争が勃発したら、あくまでインターナショナルを守ってほしい！　僚友たちから、ぜひ紛争に加われとたのまれても、ぜったいそれをやってはいけない、インターナショナルを守るのだ！　そして、たといこのぼくが、このジョーレスが、きみに交戦国のいずれかに左袒《さたん》するようにたのんでも、ユイスマンス君、けっして言うことを聞いてはいけない！　ぜがひでも、インターナショナルを守るのだ！」

ジャックは、すっかり興奮して叫んだ。

「そうだ！　たといぼくたちが十人だけになろうとも！　たといぼくたちが、ふたりだけになろうとも！　ぜがひでも、インターナショナルを守るんだ！」そう言う彼の声は震えていた。ジェンニーは、感動に身をふるわせて、彼のそばによりそった。だが、ジャックは、それに気がつかなかったかのようだった。彼は、もう一度、誓いを立てるといったように、「インターナショナルを守るんだ！」とくり返した。

《だが、どうしてそれを？》と、彼は思った。そして、自分ひとりが、何か闇の中にでも沈んでいくような気持ちだった。

ジャックとジェンニーが『ユマニテ』社の編集室を出たとき、すでに夜中の十二時をまわっていた。その晩、そこにはたくさんの闘士たちが、情報を知ろうとして詰めかけていた。ジャックは、べつに希望を持ってはいなかったが、ドイツ代表との会談の結果を知らないままで帰る気持ちにもなれずにいた。彼は、やつれきった彼女の顔を見ることのつらさから、幾度となく、家へ帰って休むように、自分もあとから行くと、たのみこむように言ってきかせた。だが、そのたびごとに、彼女は、おなじ拒絶をもって答えていた。やがて、ふたりが、ほかの二十人ばかりの社会主義者たちといっしょにいたステファニーの事務室の中にギャロがはいってきて、会談の終わりかけていることを知らせた。ミュラーも、フォン・マーンも、ともに時間を急いでいた。ベルギー行きの最後の一般列車に乗ろうと思えば、これからすぐに北停車場に駆けつけなければまにあわなかった。ジャックとジェンニーは、彼らふたりが、あわただしく廊下を通って行く姿を見た。議員章をつけているカシャンが、ふたりの出発をまもってやるため、駅まで送って行くことになっていた。それにしても、ミュラーがうまくベルギー国境を通過できるかどうか、それは誰にも受けあえなかった。

ギャロは、質問攻めにあわされて、髪の乱れた頭をはげしくふり立てていた。みんなは、やっとのことで彼の口からくわしい話を聞くことができた。けっきょくのところ、仏独社会党による最後の折衝は、なんら結論に達しなかった。六時間にわたるざっくばらんな論議の結果、仏独両国の社会党議員は、たとい戦費の承認に反対しないまでも、せめて賛成投票だけはさし控えようという希望を恐るおそる表明したにとどまった。そして、事態の不安定から考えて、これ以上明確なとりきめはゆるされまいと、いかにも人を愚にしたような結論に達して袂をわかった。

これですっかりご破算にきまった。超国家的連帯のお題目も、けっきょく一場のまやかしものに終わってしまった。

ジャックは、絶望にたいする最後の救いを求めるかのように、目をジェンニーのほうへふり向けた。彼女は、手をひざの上に投げだし、背を棚にもたせたまま、少しはなれた腰掛けに腰をおろしていた。

天井の電気の光は、彼女の横顔を斜めに照らし、頬骨の下のあたり、まぶたの下のあたりに陰をつくっていた。つとめて目をあけようとしているので、ひとみは大きく開いていた。そうした彼女をだいてやり、そうした弱々しさをゆすってやり、そっと眠らせてやることができたら……今夜という今夜、世界をあわれむジャックの気持ちは、いま、自分にとって唯一のものに思われる、このもろい、ぐったりした彼女にたいする同情の気持ちを、たちまち十倍のものにさせたのだった。

ジャックは、彼女のそばへ歩みより、彼女をたすけて立ちあがらせ、何も言わずに室の外へつれ出した。

やっとのことで！　彼女は、ジャックの先に立って、階段を駆けおりた。疲れていることさえ忘れていた。そしてふたりが人道の上に立ったとき、そして彼女が自分の胴に、燃えるようなジャックの手のまわされるのを感じたとき、彼女はたちまち、うれしいと思う気持ちの中に、そして、自分をジャックに結びつけている抵抗しがたい気持ちを越えて、何か不安な、おそろしい、ぜったい新しい何ものかを感じた。そして、そのはげしさに、血がこめかみにのぼったかと思うと、われ知らず足がぐらぐらしてきて、思わずひたいに手をあてた。

「とても疲れているんだね」ジャックは、びっくりしたようにつぶやいた。「どうしたらいいだろう？　今夜は、車といっても見つかるまいし……」

ふたりは、疲れた、熱っぽいからだをたがいによせあいながら、暗い中へ歩きだした。

往来には、まだおおぜいの人影が見えていた。いたるところの四つ辻には、警戒の警官や近衛兵たちの小さくたむろしている姿が見えた。

ノートル・ダム・デ・ヴィクトワールの広場まで来たとき、ふたりは、寺の戸口がひろびろと開かれているのを見てびっくりした。内陣は、ふしぎな洞窟といったように深くえぐられ、暗いとはいえ、そこには無数のしょくだいがこうこうと照りわたり、半円形になった後陣のあたりは、まるで燃える棘《いばら》（モーゼがその中に神の姿を見たという燃えるいばら）をそのままだった。こんな時刻にもかかわらず、柱と柱のあいだには、祈りをささげるひっそりした人影がいっぱいだった。ジャックは、物めずらしさの気持ちからと、ひとつには、こんな時刻に、こうした大衆の信仰心による雑踏にわれ知らず心を動かされ、ちょっとのあいだ中へはいってみようと思っていた。だが、ジェンニーは、それに反対して彼をひきとめた。彼女の心の、三世紀にわたるプロテスタントの血が、カトリシスムの金ピカに――その偶像礼拝に反抗したからのことだった……

ふたりは、印象を語りあうこともせずに道をつづけた。

ジェンニーは、ますます疲労の度を加えて、ジャックの腕にぶらさがって歩いていた。彼女は、ふと、ジャックの手をつかむと、それに自分の頬をおしあてた。ジャックは、びっくりして立ちどまった。そして、あたりをちょっと見まわしてから、ジェンニーを、一軒の家の戸口のすみにおしつけて、だきしめた。《やっとのことで！》と、ジェンニーは思った。唇がゆるんだ。そして、もはや唇を拒まなかった。何時間もまえから、このキスをこそ待っていたのだ。ジェンニーは目をつぶった。そして、身をふるわせながら、されるがままになっていた。

ふたりは、市場を抜けて、サン・ミシェルの大通りをあがっていった。ちょうど裁判所の大時計が一時半を打っていた。もはや歩いている人たちも、さっきほどには多くなかった。だが、パリの四方の門へ向かう幹線道路には、徴発された荷馬車、手綱を取って引いて行かれる馬匹の列、兵士の手によって操縦された自動車、どこか秘密の目的地をさして音を立てずに移動して行く連隊などの行列が、あとからあとから車道の上をつづいていた。今夜という今夜、ヨーロッパには、休息というものが見られなかった。

ふたりは、ゆっくり歩みつづけて行った。ジェンニーはびっこを引いていた。そして、片方の足に靴ずれのできていることをうち明けずにはいられなかった。ジャックは、もっと自分によりかかるように言ってやった。彼はジェンニーをささえてやり、ほとんどかかえるようにしていた。彼女には、それがつらくてたまらなかった。家へ近づくにつれ、一刻も早くと思う気持ちの中には、何かしら無気味な不安がまじりはじめた。ふたりは、たがいに、自分たちの肉体的、精神的な抵抗が、その限界にまで達しかけていることを感じていた。だが、それでいながら、こうした疲れ、こうした不安をとおして、そこには執拗な喜びの炎が燃えていた。

取っつきの部屋の電気をつけたとき、ジェンニーは、いつも帰ったときにするように、家番がウィーンからの電報をドアの下からすべりこませておきはしなかったかと一瞥を投げた。だが、そこには何も見あたらなかった。彼女の心はきりりとしまった。もはやふたりの出発までに、母からのたよりを受ける機会はないだろう。

「せめてスイス・オーストリア間の通信だけでも、いつものとおりだといいんだけれど」と、彼女はつぶやいた。彼女にとって、それが頼みの綱だった。

「ジュネーヴに着いたら、すぐ領事館へ行ってみることにしよう」と、ジャックが約束した。

ふたりは、たがいにゆうべの思い出に悩まされてでもいるように、玄関のところで立ちつくした。おなじ思い出にかきみだされている疲れた顔や落ちつかない眼差しを見せながら、こうしてあからさまな光の中にさし向かいになっているということ、それがとつぜん気はずかしく思われたのだ。

「さあ」と、ジャックが言った。

だが、そう言ったまま動かなかった。彼は、機械的に身をかがめたと思うと、落ちていた新聞をひろい、それをゆっくりたたんでから小テーブルの上に載せた。

「咽喉《のど》がかわいたな」彼は、ちょっとわざとらしい快活さをよそおいながら言った。「きみは?」

「あたしも」

台所には、ふたりの昼食の残りが、そのままテーブルの上にのっていた。

「軽い食事にちょうどいい」と、ジャックが言った。

彼は、水がつめたくなるまで水道を出しておいた。そして、手近な椅子に腰をおろしているジェンニーのほうへコップをだした。彼女は、幾口か飲んだあとで、目をそむけながら彼に返した。彼女には、ジャックが、自分の口をつけたところに口をつけるであろうことがわかっていた……ジャックは、やつぎばやに水を二杯飲むと、さも満ちたりたといったように咽喉《のど》を鳴らした。そして、彼女のほうへ歩みよった。彼はジェンニーの顔を両手にはさんで、その顔の上に身をかがめた……だが彼は、それをすぐそばから、しみじみながめていただけだった。そして、たまらないほどのやさしい声で、

「かわいいジェンニー……もう夜もふけている……きみはとても疲れている……そして、あしたの晩は長い旅行だ……行ってじゅうぶん寝なければ……」そして「きみのベッドで」と、つけ加えた。

ジェンニーは、なんとも答えずに肩を落とした。ジャックは、むりやり彼女を起こしてやると、よろめく彼女をささえてやりながら、その部屋の戸口までつれていった。

部屋の中は暗く、あけ放った窓からは、夏の夜の明るさだけがはいってきていた。

「さあ、寝るんだ、ぐっすり寝るんだ」と、ジャックは、彼女の耳もとでくり返した。

彼女は、からだをこわばらせていた。そして、ぴったり彼に身をよせて、しきいのところから動かなかった。彼女はかすかにつぶやいた。

「あそこへ……」

《あそこ》それはダニエルの部屋のディヴァンをさしたものだった……ジャックは、深く息を吸った。そして、なんとも返事をしなかった。かつてジェンニーの口から、いっしょにスイスへ行こうと言われたとき、ジャックは《そうだ、ジュネーヴへ行ってから、彼女を自分の妻にしよう》と、思った。だが、この波乱重畳な悲壮なきょう一日の後……いまや、世界の均衡は破れてしまいでもしたよ

うだった。思いがけないことの続発。そしていま、異常なことが、まるで当然のことのようになっていた。いまや、約束などは問題でなかった……

ジャックは、なおしばらくのあいだ、はっきり意識しながら、自分自身の気持ちとたたかっていた。彼は、ジェンニーのそばをはなれて行きながら、じっと彼女をみつめていた。

ジェンニーの澄みわたったひとみは、彼のほうへあげられていた。ふたりはいま、おなじような動揺、深い、そして純粋なおなじような喜びに、しっかりしめあげられていたのだった。そして、ジャックははじめて、

「うん」

と言った。

七十二

時刻表だと十七時ごろパリに着くはずのシンプロン特急は、二十三時をまわってから、やっとラローシュ駅に着いた。そして軍需品列車の通過のために本線をつかうので、待避線に入れられた。ほとんど全部古い三等車から編成されていた列車は、はち切れるほど乗客を詰めこんで、十人詰めの

仕切り《コンパルチマン》に十三人から十五人までが詰めこまれていた。午前一時に、さんざんあちらこちらと移動させられたあとで、列車はかろうじてパリへ向かって走りはじめた。そして、三時には、猟騎兵のようなすばやさでメラン駅に逃げこんだが、ほとんどすぐあとでは、セーヌ川にかかった橋の上に立往生しなければならなかった。乳色がかった夜のなごりが、川の曲線を白くぼかし出していた。朝もやのなかにまたたく幾すじかの灯火の列で、パリはそこと察しられた。次第次第に、立ちならぶ丘のうしろから暁があらわれはじめた。そして、低いところにある道路の上、流れにそっては、長い軍需車両の列をしたがえた一個連隊の進んでいるのが見うけられた。

　列車はやっと四時半になって、いやというほどとめられたあげく、そして、動きだすかと思うとすぐとまり、幾度となくトンネルの中で待機したあげく、汽笛を鳴らしながら、信号のあるごとにとまりながら、いかにものろのろとパリ郊外を横切り、リヨン駅（パリにあるP・L・M線の終駅）から三百メートルも手前の、プラットフォームのない線路のところでとまった。

　フォンタナン夫人は、鉄道係員の命令でじゃりの上におろされ、線路を越して降車口のほうへ追い立てられるほかの旅客たちのあとについていった。重いスーツケースはふくらはぎに打ちあたり、一足ごとに足もとがよろけた。

　夫人は、イタリア向けの最後の外国人列車に乗って、戦争の混乱のまっただ中にウィーンをたってきたのだった。三日にわたる旅だった。車室をかえさせられること七回、そして三晩というもの、一睡もとっていなかった。だが、彼女は、夫にたいする告訴を取りさげさせ、フォンタナンの名を調査報告の中に出させないことに成功していた。

赤ズボンの兵士たちでいっぱいの駅のホールは、まるで野営地さながらの光景だった。夫人は、駅の外に出るまでに、組みあわせた銃のあいだをすりぬけたり、番兵の守っている柵に行きあたったり、いくたびもあともどりしなければならなかった。いつも念頭を離れないダニエルのことが、こうした兵士たちのあいだにあって、いつにもましてひしひしと胸にせまった。そのダニエルからは、なんの音さたもなかった。家へ帰ったらおそらくたよりがきていよう。ダニエル！　どんな運命をたどっているやら？　夫人は、りっぱな軍服を身につけ、きらきらした鉄かぶとをかぶり、敵の威迫にさらされた祖国を守るといったように、国境標柱のそばで馬に乗っている息子の姿を思い描いた……主が守ってくださるにちがいない！　息子の身を案じたりすること、それは、主を信じ奉ることが浅いからかもしれないのだ。

外へ出てみると、タクシーもなければ、乗合自動車もなかった。歩いて家まで帰ることも考えられないことではなかった。目的の場所に着けるという喜び、それは彼女にあらゆる疲労を忘れさせた。それにしても、荷物をいったいどうしたものか？　荷物預り所の前にはすでに百人あまりの人が行列をつくっていた。彼女は、やっとスーツケースを引きずりながら、駅の広場を横切っていった。そして、店をあけている一軒のカフェーを見つけた。テーブルの乱雑さ、眠たげなボーイの顔つき、すでに朝になりかけているのにいくつかの電灯がつけっぱなしになっているところ、おそらくその筋のお達しにもかかわらず、ゆうべは徹夜営業をしていたらしい。カウンターにいた若い女は、夫人の見せた愛想のいい微笑に同情してか、喜んで荷物を預かってくれた。そして、ほっとした夫人は、すぐさま天文通りへ向かって歩きはじめた。これでいよいよ、いままでの苦労も終わろうとしている。あと三十分したら、わが家の中、お茶のテーブルを前にして、ジェンニーのそばにいられるのだ。夫人は、ほとんど疲れていることさえも忘れていた。

八月二日の朝のパリは、すでにはげしくわき立っていた。したがって、わが家にたどりついた夫人は、住まいの大きなドアがまだしめられているのを見ておどろいた。時計はとまっていた。だが、カーテンの引かれたままの家番室の前を通りながら、まだ五時半にはなっていないはずだと思った。《ジェンニーはまだ寝ているのだろう。そして、閂《かんぬき》も鎖でしめたのにちがいない》と、階段をあがりながら夫人は思った。《せめて玄関のベルが聞こえるだろうか？》

夫人は、ベルを鳴らす前に、ことによったらと思って鍵であけてはいろうとした。ドアがあいた。錠まえも、ただひとつまわしてあるだけだった。

玄関にそそいだ夫人の一瞥は、男物の帽子、黒いフェルト帽に突きあたった……ダニエルかしら？ちがう……夫人は、はっと恐怖をおぼえた。ドアというドアがあけたままになっていた。夫人は、廊下のとっつきまで、二足ばかり歩いていった。その奥のところ、台所には明かりがついたままだった……夢かしら？　どうも頭がはっきりしない。夫人は、ちょっとのあいだ、壁によりかかっていた。なんの物音も聞こえなかった。住まいの中は、がらんとした感じ。しかも、この帽子といい、つけっ放しにしてある電灯といい……夫人は、ふっと、強盗がはいったのではないかと思った……夫人は、廊下を機械的に台所のほうへ歩いていった。ところがとつぜん、ドアのあけ放しになっているダニエルの部屋の前まできて、はっと目をおさえて立ちどまった。ディヴァンの上、みだれたクッションのあいだに、だきあっているふたりの姿……

一瞬、盗人という考えに、人殺しという考えがとってかわった。それも一瞬のことだった。すぐに、あお向けになっているふたりの顔を見たからだった。眠っているジャックにだかれて、いっしょにジェンニーが寝ていたのだ。

夫人は、さっと廊下のかげに身をすさった。そして、さも心臓の鼓動で、自分のここにいることを気づかれでもするといったように、胸の上に手をあてた。ただひとつ思い浮かんだのは、逃げだすという考えだった。逃げだすのだ。そして、すべてを見なかったことにしておくのだ！　おそろしい汚辱、彼らふたりにとっての、またこの自分にとってのこの汚辱を、見て見ないことにしておくため、このままここを逃げだすのだ……

夫人は、すぐに、足音を忍ばせて玄関まで行った。そこまで行くと、夫人は、いまにも気が遠くなりそうな気持ちがして、立ちどまらずにはいられなかった。夫人は、自分が夢を見ているのだろうとさえ考えかけた。だが、ちょうどそのとき、夫人はふたたび、テーブルの中央、わが物顔におかれているジャックの帽子を見たのだった。それを見るなり、夫人はからだをこわばらせた。そして、そっと注意しながら住まいのドアをあけ、音を立てないようにそれをしめると、からだを手すりにもたせながら、一段一段、重いからだを引きずりながら一階一階おりていった。

さて、どうしたものだろう？　家番室の戸をたたいて大門をひらかせ自分であることを知らせ、自分の帰ってきたこと、さらにはふたたび急に出かけることをきかせたものか？……いいあんばいに、彼女の帰ってきた物音に目をさましたものと見えて、家番の女は、すでに起きだしていて、着物をきかえているらしかった。カーテンのかげには明かりがついていて、往来へ向かったドアはあけられていた。夫人は、さとられることなしに外へ出られた。

どこへ行ったものだろう？　どこへ行ってからだをやすめたものだろう？

往来を向こうへ渡って、辻公園にはいっていった。人っ子ひとり見えなかった。夫人は、手近にあったベンチへ行って、くずれるように腰をおろした。

まわりには、ただ静けさとさわやかさだけが見られていた。はるかかなたには、にぶい連続した響きが聞こえていた。それは、サン・ミシェルの大通りをたえまなく通っている輜重車両《しちょう》やトラックの立てる音だった。

フォンタナン夫人は、べつにわかりたいとも思わなかった。留守のあいだにどんなことがおこったか、どうしてそんなことに立ちいたったか、それを考えてみようとも思わなかった。彼女には、考えてみることもできなかった。彼女は、ただ見つづけていた。その目にのこっている光景には、現実による、きわめて明白なもりあげがなされていた。乱れたディヴァン、窓からの光の下に突きだされていたジェンニーのあらわな足、娘のからだをだいていたジャックの腕、ふたりのしどけない姿、そして眠りながらも合わされていたふたりの唇、ぐったりした、そして苦しそうな陶酔の表情……《なんと美しかったことだろう》夫人は、恥ずかしさ、おそろしさにもかかわらず、そう思わずにはいられなかった。夫人の憤激、その本能的な反発には、いまやすでに別な感情、彼女の心の中に深く根をおろした感情、他人を尊敬し、運命を、また他人の責任を尊敬するところの感情がまじりはじめていた。

眠っていたジャックには、家の中で何か動くもののあるのが直感されたとでもいうのだろうか？　彼はまぶたをしばだたきながら目をあけた。彼には、一瞬すべてのことが思いだされた。彼は、その眼差しを、眠っているジェンニーの顔にそそぐまえに、それを彼女のあらわな足、ふっくらした胸、片方の肩のえがく曲線の上にすべらせた。口のあたりのひだに見られるなんという悲しみの色！　じっと動かぬ顔のうえに見られるなんという苦痛の表情！　苦痛であるとともに安息の表情……苦しかった臨終を通りすぎたあとでの乙女の死に顔……

ジャックは、息をつめた。そして、ひきつったような彼女の顔から、目を放すことができなかった憐愍《れんびん》、悔恨、恐怖の感情、それはかわいいと思う気持ちをうわまわっていた。ふたりのうえには、いまひとつの宿命が重くのしかかっていた。宿命？　いや、それとはちがう。こうなったのも、それは彼自身が望んだからにほかならないのだ。彼ひとりが、それを望んだからなのだった。彼はいつでも、まるで獲物とでもいったようにジェンニーの上におどりかかった。彼は、メーゾン・ラフィットでも、おしつけがましく彼女にせまり、彼女の愛を得たのだった。しかも、そうしたあとで、たちまち身をくらまし、彼女を絶望に突き落としてしまった。そして、この夏もまた、すっかり心を立てなおしかけていた彼女に、すべてをすっかり忘れかけていた彼女におどりかかった……そして、とり返しのつかないことまでしてのけたのだ。一週間まえまでの彼女は、ジャックなしでも生きていられた。だがきょうとなってはもうだめなのだ。彼女はジャックの物になり、こうしてジャックは、彼女を、自分の航跡の中に引きずっている。しかも、なんというおそろしい未知を目ざして？……彼女はいま、ジャックなくして、生活になんの味をも見いだし得なくなっている。しかも、ジャックといっしょの彼女は、はたして幸福になれるだろうか？　いな。それはジャックにわかっていた。アントワーヌの言った言葉どおりだ！　この自分は、他人を幸福にしてやれるような男ではないのだ。

アントワーヌ……ジャックの目は、本能的に時計をさがした。そうだ、彼はけさ、兄を停車場へ送ろうと約束していた。六時二十分まえ、あと五分したら起きなければ。

あけ放した窓からは、継続的な重い響きが聞こえていた。ジャックは首をあげていた。連隊が、輜《し》重《ちょう》車両が、砲兵縦列が、町を通っていくのだった。戦争は、すぐ目の前に、ふたりの目ざめを待っている。《八月二日をもって動員第一日とす……》けさ、戦争は、あらゆる人々にとってはじまっているのだ！

彼は、ひじを立て、耳をすまし、じっと目をすえ、そのひたいにじっとり汗をかいていた。ときどき、響きは消えていくかのようだった。鉄の触れあう響きのあとには、心にしみるような静けさがつづいた。そして、そうした静けさをつらぬいて、時をおいて小鳥のさえずり、それでなければ、まるでためいきとでもいったように、大通りの並木のこずえを吹きわたるかすかな風のそよぎが聞こえた。そうしたあとに、ふたたびはるかに、あの無気味な響きが生まれる。大通りを進んで行く、別の軍隊の足音なのだ。歩調をとった足音は、だんだん近づいてきたかと思うと、やがて静けさを圧し、すずめのさえずりを打ち消し、すべてを響きの下に砕きながら、だんだん大きくなっていった。

ジャックは、ジェンニーが目をさますかもしれないと思いながらも、そっと彼女をだき起こして両腕でかかえた。眠っていた彼女は、こうしたからだの触れあいから、急にはげしく身をちぢめた。そして《いや……いや……》とつぶやいた。やがて彼女は、まぶたをひらいたと思うと、ジャックに向かって微笑をしてみせた。やさしい、おびえたようなその微笑、しかも、はっきり何を見るともつかないひとみの奥からは、ゆっくりと、おびえの色が消えていった。ふたりは一瞬、身じろぎもせず、たがいにかたくだきあった。こうしてじっと、燃えるようにだきあいながら、ふたりのからだは、ゆうべの思い出にわななきつづけていた。だが、ふたりにとって、その思い出にはちがいがあった……そして、ジェンニーは、さらにはげしくだきしめられながら、うれしい中にも、またも苦しまなければならない恐怖におびえて、本能的に避けようとした。だが、その持ちまえの弱気から、ジャックいとしさの気持ちから、身をささげることの感激から、さらにはみずからの欲情から、彼女はついに身をまかせた——思いけっしてのこの服従、そこにははげしい欲情が見られ、喜びさえもうかがわれ、ジャックはそれをまんまと思いちがえて、そうした承諾のかげにひそむ、恐怖、犠牲、意思のことを忘れてしまっていたのだった。

背をベンチにもたせ、スカートの上に両手を組み合わせたフォンタナン夫人は、いま何を考えてみる気力もなく、じっと前方をみつめていた。

時はすぎていった。朝日にかがやく公園は、小鳥の歌、緑の茂み、花々、影を長くしばふの上に引いた白いいくつかの彫刻とともに、夫人の身のまわりをしんと包んでいた。足どりいそがしく、並木道を斜めに横ぎって行く男女の人たちは、ベンチの上にぐったりした喪服すがたの彼女などには見向きもせず、ずっと向こうのほうを通って行っていた。彼女の目には、樹木にさえぎられて、わが家の窓も見えなかった。だが、植込みの上を越して、家の戸口だけが見えていた。

彼女は、とつぜん頭をさげ、ヴェールをおろした。いましも、ジャックと、それにつづいてはジェンニーが、家の戸口にあらわれたのだ……こちらへ向かって歩いてくるのでないかぎり、これだけの距離さえあれば、ふたりに見つけられ、気づかれるというおそれもなかった。思いきってふたたび顔をあげると、ふたりは、足早にリュクサンブール公園のほうをさして遠ざかって行っていた。

夫人はほっと息をついた。身うちには、血の高鳴りが聞こえていた。彼女は、ぼうぜんと、ふたりの姿が見えなくなるまで追っていた。そして、さらにしばらく、ぐったりして、腰をあげようともしなかった。それから彼女は立ちあがった。そして、雄々しいとさえ言える足どりで——長くながく待たされたおかげで、疲れも少しはとれていた——わが家をさして歩きはじめた。

七十三

「休んでいるといい」と、ジャックはジェンニーに言った。「ぼくは、兄きを汽車まで送ってくるから。それからムールランのところへお別れに行き、C・G・Tと『ユマニテ』社によるつもりだ。そして、昼ちかく、きみをつれに帰ってこよう」

だが、ジェンニーは、そういうふうには聞きとらなかった。彼女は、けさ、ひとりで家に残っていない決心をしていた。

「だって、荷物の準備をどうするんだ？　それに、きのう話していたかたづけものは？　まごまごすると、今夜出発できなくなるぜ」と、からかうようにジャックが言った。

彼女は、いままでかつて見かけなかったような微笑、その眼差しをうるますような、はにかんだ、色っぽい微笑をして見せた。

「あたし、ちょっと考えがあるの……あのあたしたちのラ・ファイエット町の小公園を見に行こうと思っているの。あなた……もしできたら、北停車場を出て、そこへ迎えに来てくださらない？　でなければ、あとからでもいいいんだけれど」

相談は、まずジャックといっしょに、リュクサンブール公園を抜けてユニヴェルシテ町まで歩いて行き、ジェンニーはそこからサン・ヴァンサン・ドゥ・ポール寺院の前まで行き、ジャックの来るのを気ながに待つということにきまった。そうきまると、彼女はいそいで着物を着かえにいった。

アントワーヌは、午前三時にアンヌと別れた。

彼はゆうべ、も一度彼女に会いたいという、昔なつかしさにがまんできなかった。彼は、自分にとっての最後のにがい喜びを、なんら夢をまじえることなく、ちょうど死刑囚が受ける最後の恩恵とでもいったようにして受けたのだった。だが、いざ別れることになったとき、アンヌが見せた悲痛な絶望、それと、自分がもろくも誘惑に負けたという悔恨の気持ちは、彼をわななかせ、打ちひしいでしまっていたのだった。家に帰ってから、彼は、その夜の残りを、立ちつづけで、引き出しの整理、書類の焼却、それにシャール氏、女中たち、ヴェーズ嬢、さらにはヴェルヌイユ町のふたりの孤児、すなわち、目はしのきく書記のロベール・ボナールとその弟など、さまざまな人々へ贈ろうと思ったいささかの金を封筒におさめることについやした。

(彼は、いままで、間をおいて、そうした人々のめんどうを見つづけてきた。そしていま、こうした大きな混乱の最初の幾週間、そうした人々に収入のみちをとだえさせてはいけないと思った。)つづいて彼は、ジゼールあてにかなり長文の手紙を書き、そのままずっとイギリスにいるようにすすめてやった。そして、もう一本の手紙を、ジュネーヴあてでジャックのためにしたためた。——というのは、きのうのようなことのあとでは、ジャックはきっと、自分に別れを言いにこないだろうと思っていたからだった。彼は、親しみをこめたかんたんな言葉で、きのうジャックの気持ちを悪くさせたことをわび、これからもたよりをくれるようにとたのんでやった。

それがすむと、彼は予備役の軍服をつけるために化粧室へいった。いったん軍服をつけてしまうと、彼はとても落ちついた気持ちになれた。決然、一歩を踏みだしたとでもいった感じだった。

彼はゲートルをつけながら、心の中に、出発までにしておきたかったことのすべてを思いだしてみた。何ひとつ忘れたことはない。この確信が、心をすっかり落ちつけてくれた。彼はたちまち、軍医としての仕事を完全に遂行するため、さまざまなものの不足するだろうことを思いだした。彼は少しも躊躇せず、これまでたんねんにととのえておいた薬剤行李をひっくりかえした。そして下着類、身のまわり品、それに、心よわくも持っていこうと思っていた書物などの大部分のかわりに、戸棚の中にあるかぎりの、包帯、湿布、ピンセット、注射器、麻酔薬、消毒剤などを持っていくことにした。

ふたりの女中は、もうずっとまえから起きていて、廊下を歩きまわっていた。（レオンは、すでにパリにいなかった。入隊まえに、《年寄り》の顔をみたいと言って、国へ帰っていったのだった。）

アドリエンヌが、食堂に朝食のしたくのできたことを知らせにきた。目は、泣きはらしてまっかだった。そして、アントワーヌに、ちゃんと包んできた雛の焼肉を、荷物の中に入れて持って行ってくれるようにたのんだ。

アントワーヌが食卓を立ったとき、ベルが鳴った。

彼は、心もち顔色をかえた。その顔は、やさしい微笑に輝いていた。ジャックかな？　それはまさにジャックだった。彼は入口のところに立ちどまった。アントワーヌは、ぎごちないようすで前へ進んだ。感動のあまり、ふたりは、声が出なかった。ふたりは黙ってたがいに手と手を握りあった。さもきのう、何ごともなかったとでもいうように。

「おくれたんじゃないかと心配していた」と、ジャックが言った。「したくはできた？　出かけるところだった？」

「うん……七時にね……そろそろ時間だ」

アントワーヌは、つとめて声に力を入れようとつとめていた。彼は、快活な身ぶりで、軍帽をとって頭にのせた。このまえ入隊したときにくらべて、頭が大きくなったのかな？　それとも、まえより髪が長くなったのかな？　軍帽は、妙なかっこうで頭の上にのっていた。彼は、玄関の鏡に姿をうつしながら、まゆをしかめた。そして、無器用な手つきでバンドのびじょうをかけながら、うろうろあたりを見まわした。まるで、自分の家に、自分の市民生活に、自分自身に、別れをつげるとでもいうようだった。だが、その目はたえず、鏡にうつった、おもしろくない自分の姿に向けられていた。

ちょうどそのとき、腕をだらりとおろし、たがいに並んで立っていたふたりの女中が、わっとしゃくって泣きだした。彼はいらいらさせられた。だが、それでもふたりのほうへ微笑を送った。そして、そばへ歩みよって手を握った。

「さあ、さあ……」

いつもの男らしい彼の声には狂いがみえていた。彼もそのことに気がついて、急いで出かけようと、ジャックのほうをふり返った。

「これをおろすのをてつだってもらおうか？」

ふたりは、軍用行李の取っ手を別々につかんで、踊り場までいった。戸口を通るとき、行李のかどがドアにあたって、塗ってまもないニスの上に、ひとつの長いきずをつけた。それを見るなり、アントワーヌは機械的に顔をしかめた。だが、すぐ、気にかけないようなふりをした。だが、おそらくこの瞬間、痛切に、自分の過去と未来とが切断されたことを感じとったものらしかった。

ふたりは、言葉もかわさずに三階から下までおりていった。アントワーヌは、鋲の打ってある軍靴でどっしり歩いていた。ボタンをかけた上着と、こわばったカラーのおかげで、まるで息がつまりそうだった。そして、下までおりると、息を切らしながらつぶやいた。

「ばかだったな。エレヴェーターのあるのを忘れていた」

彼は、タクシーが見つからないであろうことを見越していた。そして彼は、——運転手のヴィクトールは、ピュトーでのトラック徴発のため、けさから動員されてしまっていたが——自分で自動車を運転し、車を運転して帰るためには、隣のガレージにいる年寄りの運転手をつれて行くことにきめていた。

車を引き出す門の下、その迫持《せりも》ち屋根のかげには、白い部屋着を着た家番のかみさんが、彼の出発を見送っていた。そして、涙を流しながらこう言った。

「アントワーヌさま！」

彼は、それにたいして快活に叫んだ。

「やあ、また近いうちにね！」

彼は、運転手を車の奥に乗せ、ジャックを自分の隣にかけさせ、それから自分でハンドルを握った。

すでに往来にはたくさんな人が出さかりはじめていた。いまは塵芥《ごみ》そうじの仕事もめちゃくちゃになっていたので、家々の戸口には、まだあけられていないごみ箱が、所せましと出されていた。

河岸《かし》まで出た車は、兵士の操縦する、造りかえられたトラックや乗合自動車の列を通してやるために長いこととめられた。ロワヤル橋の上でもとめられた。車道のまんなかでは、徒歩の人たちが、空を仰いで、うれしそうに帽子を振っていた。ジャックは、身をかがめてのぞいてみた。軽やかな空の中に、ちょうど六台の飛行機が、低空飛行で、三角形をつくって、北東さして飛んでいた。下の翼には、はっきり三色のしるし(フランスをあらわす青白赤の三色)がついていた。

リヴォリ町では、両側にならんだやじ馬たちのあいだを、軍装に身をかためた植民地歩兵の一連隊が、音楽も鳴らさず、胸をうつような静けさの中を、歩調をとって行進していた。馬上の大隊長が通るたびに、群集はみんな帽子をぬいでいた。

アヴニュ・ドゥ・ロペラでは、バルコニーは旗で飾られていた。車は、赤十字の自動車隊の並んでいる横を通り、つづいて、鋤《すき》と鶴嘴《つるはし》をもった雑役服すがたの兵士たちの一隊のそばを通り抜けた。

オペラ座広場まで行くと、またまたとまらなければならなかった。十台ばかりの装甲自動車をしたがえた砲兵縦列が、バスティーユのほうをさしてのぼっていた。オペラ座の屋上では、夜間パリ襲撃にくる《タウベ（ドイツ語。《鳩》、ドイツ飛行機を指していう）》にそなえるため、職工たちが探照灯をすえつけていた。

大通りでは、警官の整理にもかかわらず、ゆうべのうちに略奪をうけたドイツ系やオーストリア系の商店の前に山のようなやじ馬だった。《ボヘミア・ガラス商》の店のまわりには、ガラスの破片や、粉々になった鏡の破片が散乱していた。《ウィーン・ビヤホール》も襲撃されたものらしく、穴をあけられたウィンドーをとおして、鏡のこわれたのや、破壊されたテーブル、腰掛けなどが見えていた。

ジャックは、黙って、こうした気ちがいじみた愛国熱の最初の発露をしらべていた。彼は、興奮したようすで、町や、人々の顔をながめていた。黙ってはいられない気持ちだった。といって、何も兄に向かって言うべきこともなかった。それに、車の奥に運転手のいることも、たしかにひとつの口実だった。……彼は、狂おしいほどのあわただしさで、さまざまなことに思いをはせた。ジェンニーのこと、ゆうべのこと、ふたりしてこれからジュネーヴへ出かけること……そして、それからは……彼の考えはそこで行きづまった……メネストレル、《談話室》……そうだ、どんな口実があろうと、二度とふたたびああした待機主義の生活、雲をつかむような陰謀、空疎な議論の生活をくり返そうとは思わない……ではどうする？　戦うこと、行動すること、危険を物ともしないこと——だが、それがはたしてあちらへ行ってできるだろうか？

とつぜん、ジャックは、はっと身をふるわせた。それまでゆるゆる車を動かしていたアントワーヌ――彼は、たえずクラクションを鳴らしつづけなければならなかった。人道だけではなく、車道の上まで、じつにおびただしい群集だった――が、ちょっと車のとまったのを機会に、片方の手をハンドルから放し、何も言わずに、顔をふり向けもせず、手を、そっとジャックのひざにおいたからだった。だが、ジャックが、そうした親しみのこもった態度に答えようとするまもなく、その手はふたたびハンドルを握った。そして、車は動きはじめた。

モーブージュ町は、女房や親戚たちに見送られる応召の人たちでまっ黒だった。そうした人々の群れは、ひしめきあった列をなして、停車場へ向かっていた。

「どうだろう、あのいそぎ方は！」と、ジャックはあっけにとられてつぶやいた。

「しかも」と、アントワーヌは、むりに笑って見せながら、あざけるように言った。「あの連中が、汽車に乗りこむまでには、半日、いやそれ以上もプラットフォームで待たされるんだぜ！」

《おくれないように駆けつけたいと思ってるんだな》と、ジャックは思った。《戦争のはじめから、大いにきちょうめんでありたいと思ってるんだ！　彼らは、自分たちがたしかに、数の点からいって恐ろしいものであること、ちょっとその気になりさえしたら、自分たちが支配者になれることに、気がつきさえもしていないんだ！……》

ゆうべのうちに急造された木柵は、駅のまわりに乗り越えられない垣をめぐらしていて、それが軍隊の手によって守られていた。物すごいほどの雑踏で、自動車で乗りこむどころの騒ぎではなかった。アントワーヌは車をとめた。ジャックは、軍用行李を持つのをてつだって、やっと通りを向こうへ渡った。せまい入口は、剣付き鉄砲の歩兵の一隊に守られていた。動員された者でなければ、中へ入れてはもらえなかった。

ひとりの特務曹長が、軍隊手帳を調べていた。彼は、目をあげてアントワーヌの袖章《そでしょう》を見た。そして、彼に向かって敬礼し、すぐにひとりの兵に命じて、《軍医殿》の荷物を持っていかせることにした。

アントワーヌは、弟のほうをふり返った。ふたりはたがいの目の中で、おなじような問いかけの意味を読みとった。《ふたりは二度と会えるだろうか？》ふたりのまぶたには、言いあわせたように涙が浮かんでいた。ふたりにとってのあらゆる過去、ふたりだけのものであり、ふたりにとって共通のものであり、べつに取りたてて言うほどのものでもなく、それでいてふたりの家を中心としたさまざまなできごと、それらがとつぜん、ふたりの心にまざまざと浮かんだ。ふたりは、言い合わせたように腕をひろげ、ぎごちなさそうにだきあった。ジャックのソフトが、アントワーヌの軍帽のひさしにあたった。ふたりがこうしてだきあったことなど、ここ何年というものなかったのだ。あの幼かった少年の日このかた。そして、その少年の日を、ふたりはいま、ちらりと思いだしていたのだった。

だが、雑役兵は、軍用行李に手をかけると、早くもそれを肩にして歩きはじめていた。アントワーヌは、あわただしく身をふりほどいた。彼はいま、ただひとつのことしか考えなかった。男のあとについて行くこと、そして、自分の新しい生活の中で、ただひとつ自分のものとしてのこされた荷物を見失わないこと。彼はもう、弟のほうを見てはいなかった。うわの空で手を出して、ジャックの手をつかんだ彼は、それをしっかり握りしめた。そして、ちょっとよろめきながら、人波の中にのまれてしまった。

涙に目がくもり、あとからあとからやってくる人たちにこづきまわされながら、ジャックは幾足かわきへより、柵のところへ行って背をもたせた。

次から次と、応召者はたえまなしに囲いの中にはいってきた。それらの人たちは、たがいに似かよっていた。誰も彼もが若かった。誰も彼もが、もう捨てても惜しくないようなくすんだ着物を身につけ、大きな靴をはき、ハンチングをかぶっていた。肩からは、はちきれそうなおなじような袋、おなじように真新しい雑嚢《ざつのう》をはすかいにかけていた。その中からは、パンとかぶどう酒のびんとかがのぞいていた。そして、大部分の者は、打ちのめされでもしたように、顔の上に、思いつめたような、しかたがないといったような表情、おもてに見せない絶望と恐怖らしさを浮かべていた。ジャックは、それらの人たちが、見送り人たちとも別れ、軍隊手帳を手にしながら、往来を斜めに渡ってくる姿をながめていた。そのある者は、半分ばかり渡ったところで、もと来た人道のほうをふり返った。そして、自分の上にとり乱した眼差しをそそいでいる男女の人たちへちょっと手を振って見せ、時には強気らしくちょっと微笑してみせた。それから、あごを引きしめ、言いあわせたように《ねずみ取り》の中へはいって行った。

「立っちゃいかん！　歩け歩け！」

銃を肩にかけ、柵のところで歩哨に立っている現役兵は、軍装りりしく、しゃんとした青年だった。ずんぐりしたその手は、しっかり銃尾をつかんでいた。彼は、少しばかりひげをはやし、おずおずしたあどけない目つき。そしてその表情は、任務の重さを思ってこわばっていた。

ジャックは、言われるままに車道のほうへ歩いていった。

彼の前を、堂々とした自動車が一台通っていった。風防ガラスには、《応召者はご自由にお乗りください》と書いたキャラコの布がはられていた。それには、制服を着た運転手（富裕階級の人々の提供した自動車の運転手）が乗っていた。車の中には、雑囊《ざつのう》をもった五、六人の若者が詰まっていて、新兵といったように、声をかぎりにわめき立てていた。《アルザスとロレーヌだ――そのアルザスをとりもどすんだ！》

ジャックが近づいていった人道のところでは、いましも一組の男女が、別れをつげているところだった。ふたりは、これを最後にじっと顔を見かわしていた。母親のまわりでは、四歳ばかりの男の子がふざけていた。スカートにとりついて、何か歌いながら、片足ずつでとびはねていた。男は、身をかがめて子供をつかむと、高くだきあげてキスしてやった。あまりきつくキスしたので、子供は、気ちがいのように身をもがいた。男は、子供を下におろした。女は、じっとしたまま、何ひとこと言わなかった。そして前掛けのまま、髪をふり乱し、涙に頬をよごしながら、気の狂ったような目をすえて、男をみつめて立っていた。男は、女が自分にとびかかり、二度と身を引き放すことができなくなるのをおそれてでもいるように、女をだこうとするかわりに、じっと女から目を放さず、一足うしろに身を引いた。と思うと、彼はとつぜん身をひるがえし、停車場さして駆けだした。女は、男をよびとめようともせず、目でその跡を追おうともせず、とつぜんくるりと向きなおると駆けだした。子供は、母親にひきずられて、ちょっとつまずいてころびかけた。女はやおら腕をのばしてだきあげると、走りながら肩に背負った。早く駆けたい一心から、そして一刻も早く誰もいない家へ帰り、そこでひとりぼっちで、戸をとざし、心ゆくばかり泣きたいと思ったにちがいなかった。

ジャックは、なんともたまらない気持ちで目をそらした。そして、あるいは広場に近づき、あるいはそこから遠ざかりながら、どことあてなく右に左にうろつきはじめた。だが、彼はいつも、われ知らず、この悲痛な場所へ立ちもどってきた。そこにはけさ、数かぎりない受難の人たちが、まるで宿命的な集まりにはせ参じるとでもいったように、人生のきずなを断つためにあつまってきていた。ジャックは、悲しみと勇気とのしめされたそれらの人々の目の中に、わが目と共感するような目がないだろうかと求めていた。ひとつの眼差し、たったひとつの眼差しでもいい、彼は、そこにしめされている苦しみのかげに、いま彼をしてポケットの中でこぶしを握らせ、無力な怒りに震え立たせているのとおなじように、隠れた憤りのかげが見られはしまいかと求めていた！　だが、それはまったく徒労だった！　いたるところ、これらさまざまな緊張を見せた人々の顔には、おなじような落胆、おなじようなむなしい苦悩だけが見られていた！　おりには、ちらりと向こう見ずなヒロイズムのかげといったようなものが見えないでもなかった。だが要するに、いたるところ、犠牲へのおなじような服従、無意識な、あるいは臆病なおなじような裏切り、おなじような自己放棄だけしか見られなかった！　そして、ジャックには、いまやあらゆる自由が、自分以外の誰にも見いだされなくなったように思われた。

そう思うと、彼の心は、とつぜん力と誇りとにふくれあがった。彼の信念は、微動すらもしていなかった。彼は、それを有象無象の頭の上高くかかげていた。たとい彼自身、まったく無名な、誰からも顧みられない人間であろうとも、虚偽に汚れ、甘んじて屈従を事としているこうした民衆とくらべるとき、こうして敢然反抗を叫んでいる自分自身、彼らより強いのだと感じないではいられなかった！　この自分こそは正しく、そして、自分こそは真実なのだ。彼は、自分こそ正理を踏まえ、目に見えぬ未来の力を把握しているのだと信じた。平和理想の単に一時的な敗北のごとき、それはその偉大さを傷つけ、その勝利をあやうくするところのものではない、たといいかなる力をもってしようと、今日犯されつつあるあやまちは、——たといそれが何百万の犠牲者から、りっぱに、従容として受け入れられているにしても——ひとつのあやまち、言語に絶するあやまちたることを否定し得ないのだ！

《いかなる力をもってしても、正しき思想を正しからずとすることはできない！》と、ジャックは、絶望と確信に酔いながらくり返した。《たとい猿ぐつわをかまされても、たとい一時の後退はあろうとも、いずれ真実の輝きだすときがくるのだ！》

だが、こうした擾乱の中にあって、どういうふうにその真実のために尽くしたらいいのだろう？

ジャックは、自由でありたいと思っていた。彼は逃亡しようと思っていた。だが、そうした自由を、自分ははたして何に使おうというのだろうか？

彼にはいま、革命にたいするこの数日来の微温的な態度が、何かしらひとつの消耗だったように思われてきた。彼は、その責任を、恋愛問題におしつけたい気持ちにかられていた。彼はとつぜん、ジェンニーのことを思った。そして、この一時間、なんの苦もなく、すっかり、彼女のことを忘れていられたことにおどろいた。彼にはいま、彼女が存在し、自分を待ち、自分を楽しい孤独からひき離そうとしていることが、ほとんど腹だたしくさえ思われてきた。《急に死んでくれでもしたら……》と、ジャックは思った。そして一瞬、とほうもない空想の動くままに、悲しみと同時に、ふたたびわが身に見いだし得るであろう自由、このふたつのものが苦しく溶けあっている気持ちを感じつづけていた……

だが、彼はいま、サン・ヴァンサン・ドゥ・ポールの小公園のほうへいそいでいた。そして早くも、恋するもののいらだたしさで微笑していた。ついいましがたのとほうもない否定のことなどすっかり忘れて、それを悔いようという気持ちさえなしに。

アントワーヌの自動車が、ユニヴェルシテ町の家を出てからものの十分もたたないころ、まるで、博物館ものの駅馬車とでもいったような、ほこりだらけの屋根の上に荷物をのせるようにできている、くすんだ、古風な一台のつじ馬車が、車馬用の門の前に来てとまった。

それからおりたひとりの少女は、おずおずした眼差しを、板囲いの上や塗り直した建物の正面に投げた。それから、年寄りの御者に賃金を払い、座席におかれたふたつのスーツケースを手にすると、急ぎ足で家の中へはいって行った。

部屋着を着た家番の女が、家番室の戸口に姿をあらわした。

「あらまあ、ジゼールさん！」

その、あっけにとられたような大きな目を見たジゼールは、何か悪いことの待っているのを直感した。

「お嬢さま、もうどなたもいらっしゃいませんのよ！　アントワーヌさまは、いましがたお出かけになりました！」

「お出かけ？」

「入隊なさいました！」

ジゼールはなんとも答えなかった。愛くるしい彼女の眼差し、従順な動物のような眼差しがさっとくもった。彼女は持っていたスーツケースを下に落とした。顔の色つやもわるくなっているこの合いの子娘(ジゼールの母親はマダガスカル生まれの女。ドゥ・ヴェーズ少佐と結婚してジゼールを生む)の小さな顔には、そうした驚きがきわめて自然にきざまれ、それをわけなく受け入れるひだがたたまれてでもいるようだった。(彼女は、クーヴァン(修道院付属の女学校)の寄宿生たちと夏休みをすごしに行っていたイギリスの海辺で、ヨーロッパ情勢の推移について、ただ上つらの注意を払っていたにすぎなかった。ところが、ついきのうのこと、フランスの動員が切迫したことを新聞で教えられて、恐ろしくなってきた。そして、誰にも相談せず、ロンドンへも帰らず、すぐドーヴァーへ駆けつけ、フランス向けの最初の船に乗ったのだった。）

「もちろん、どなたもみんな応召なさいましてね」と、家番が説明した。「レオンはゆうべ出かけました。ヴィクトールも。お家《うち》には、アドリエンヌとクロティルドがいるだけなんでございますよ」

ジゼールは顔を輝かした。アドリエンヌとクロティルド！　ああ、よかった！　何から何までなくなったわけではないのだ。自分を育ててくれたふたりの女中、それはつまり、彼女にとっての家族だった。自分に残された家族だった……彼女は、元気をだして身を起こした。そして、スーツケースを持った家番の女のうしろについて、エレヴェーターのほうへ歩いていった。

「あら、すっかり模様変えをしちゃったの？」と、つぶやくように彼女が言った。

このまっしろな階段、この手すり……不眠に濁った彼女の頭の中には、さまざまな想像や思い出があとからあとから引きつづいた。そして、どこにも手がかりのないこうして模様がえされた家の中に身をおいた彼女は、見たこともない建物の中にいるにもまして、島流しにでもあったような気持ちだった。

それから三十分の後、花模様の麻のペニョワールを身につけ、足にスリッパをつっかけた彼女は、ふたりの女中といっしょに、子供のころを思わせる熱いショコラとトーストを前に、ひろびろとしたアントワーヌの食堂にすわっていた。食卓にひじをついた彼女は、ショコラの茶碗をさじでかきまわしながら、このつかのまの快適な気持ちをいかにも子供らしく味わっていた。彼女は、いままで一度も、溌剌とした気持ちになれたことがなかった。あらゆる行動がすべて規則ずくめに制限されていたイギリスのクーヴァン付属の学校の生活は、彼女に、何ひとつ新しいことをやってみたいという気持ちをおこさせなかった。

　こうして、肩をまるめ、重たげな両乳もそのままに、だらけた表情で自分を投げ出している彼女には、たちまち青春の魅力といったようなものが失われてしまった。そこに見られたのは、もはや野の娘《ニグレット》ではなかった。からだの重い、唇の厚い、無表情な大きな目をした、奴隷種族としての宿命的忍従のもとに身を屈した、一個の有色奴隷にすぎなかった。

　ジゼールの来てくれたことは、すっかり動転していたふたりの女中に、まるで天から降ってきたような気分転換をさせてくれた。ジゼールをはさんで腰をおろしたふたりは、ひっきりなしに泣いたり笑ったりをくり返しながら、われがちにしゃべりまくっていた。ふたりは、ヴェーズおばさんのことについて、とめどもなく話して聞かせた。ふたりは、二週間めごとの日曜日、せめてもの気休めに、《養老院》へバナナやキャラメルを持っていっているということだった。クロティルドの口からは、《おばさん》が《ぼけてきた》ことを包み隠さず聞かされた。いまでは、養老院でのとるにもたりないできごと以外、どんなことにも無関心になってしまっていること、ふたりがたずねていっても、時によると、何か下心でもあってたずねてくるうるさい他人とでもいったような無愛想なあしらいをされること、たいていの場合、ベジグ遊び(トランプ遊び)のじゃまをされたくないと思って、面会室のしまる時刻がくるよりさきに、ふたりを追い返すこと、などを聞かされた。

ジゼールは、目にいっぱい涙をためながら聞いていた。彼女はほっとためいきをついた。

「あたし、帰るまでに行ってみるわ」

「帰るまでに?」

ふたりの女は、思わず大きな声を立てた。ふたりは、ジゼールが、ふたたびイギリスへ帰らないようにさせてやろうと思っていたのだった。アントワーヌさまからは、みんなが何カ月か暮らせるだけのお金を残していっていただいていることだし。アドリエンヌは、早くも三人での生活のことを考えて、どういうふうに暮らして行こうかとたのしそうに話していた。そして、さまざまな計画を、話して聞かせて、ジゼールをとまどいさせた。アドリエンヌは、けさの新聞の中から、《祖国防衛のために尽くさんとするフランス婦人に告ぐ》という記事を切り抜いておいた。自分たちが身をささげ、何かお役に立つような機会は山ほどあるのだ! 応召者の子供たちの託児所、乳児のための乳製品配給機関、包帯材料の製作、軍服製造のための仕事、等々……誰も彼もが、国家防衛のために一役負わなければならないのだ! 問題はそのどれをやるかということだった。

ジゼールは、心を動かされて、微笑してみせた。べつにいそいで帰らなければならないわけでもなかった。フランスにいたら、たしかにお役に立てるのだった……

家番の女も、ふたりの女中も、みんなジャックの名を口にすることを忘れていた。ジゼールは、ジャックがスイスにいるとばかり思っていた。で、べつにたずねてみようともしなかった。彼女は、それから二日たって、クロティルドのおしゃべりのはずみに、自分がパリに着いたその日、ジャックのパリにいたことを知らされた。だが、それがもっと早くわかったにしても、はたして会うことができただろうか？　誰ひとり、彼の住所を知ってはいなかったのだ。それに、彼女としても、彼に会う気になれただろうか？

七十四

ジャックは、『戦 旗《エタンダール》』社の階段をあがって行きながら、まだ上までのぼりきらないうちに、ムールランの部屋の靴ふきの上に牛乳びんを見つけ、がっかりしたようにこう叫んだ。

「留守だ！」

ベルを鳴らしてみたが、まさになんの答えも聞かれなかった。ジャックは、念のためと思って、間をおいて三度までノックしてみた。

「誰だ？」

「チボー」

ドアがあいた。ムールランは、腰から上を裸になり、ひげと髪とをシャボンだらけにしてあらわれた。

「や、失礼！」と、彼はジェンニーのいるのに気がついて言った。「ご婦人ご同伴とことわってくれたらよかったのに」彼は、足でドアをおした。「おはいり……かけたまえ」

入口に近いところに、わら椅子がひとつあった。ジェンニーはすぐにそれに腰をおろした。

窓はしっかりしめられていた。部屋の中には、厚紙、のり、硝石、ほこりのにおいがこもっていた。ひもをかけた新聞紙の束が、机の上、庭園用のベンチの上、たがのゆるんだおけの中など、いたるところに山と積まれていた。片すみのゆかの上には、ねこのためのおがくずを入れた小便皿のそばに、古いガスメーターがほったらかされ、切断して平らにつぶされたガス管が、まるで切株といったように突き出ていた。

ムールランは、ふたたび台所へもどっていった。

「いま帰ってきたばかりだ、まるで泥棒みたいなざまなんだ……」と、彼は水栓の下でくしゃみをしながら、遠くからどなった。彼は、まもなくきれいなシャツを身につけ、頭をタオルでごしごしこすりながらあらわれた。「一晩おもてにいたんだ、ばかみたいにな……腰抜けみたいにな……わかるだろう？　動員っていうやつは、おれの場合、とりもなおさず家宅捜索であり、拘留なんだ……家宅捜索だったら、いつでもござれだ。何もありはしないんだから。ちゃんと手配がしてあったんだ。だが、拘留のほうは、このところしばらくお待ち願いたかった……もちろんぶちこまれるのがこわくってじゃない」彼は、嘲笑するような眼差しをジェンニーのほうへ投げながら言った。「ぶちこまれているときほど、落ちつけるときはないんだからな……刑務所がなかったら、おそらく本のことを考えたり、本を書いたりするひまはなかったろう……だが、それはそれとして、イのいちばんにぶちこまれたくはなかった！……きのう、でかの野郎がほうぼう手入れをやりおった。ピュルテーのところとか、ゲルパのところとか……『エグランティーヌ』社までやりおった。なかなか聞きこみがきいてたんだ。だが、なにひとつ獲物がなかった。せいぜいピエール・マルタンのアジビラだけ。知ってるだろう？　『良識に訴う』という、あれだけだった。ちょうど同志が、印刷所から出そうとしていたところをおさえやがった。ところがクレースのやつ――ロベール・クレース、『労働生活』社の男だ――兵役免除になっていて一度も軍隊にはいらなかった青年だ――あいつどうやらひっぱられ、反戦思想のアジビラを書いたというので告発され、刑務所にぶちこまれ、いま第一次の身体検査を待ってるんだが、検査のあとでは第一線に送られることになるらしい。ゆうべそのことを聞いたんだ……同好の面々、ご用心あってしかるべしだな！……おれはつまり、あげられてはつまらんと思った。それですぐさま風をくらった……」

「で？」

「どこか同志のところにかくまってもらえるだろうと思っていた。ところがどうして！　シロンのところなら、ここのほうがまだしも安全だ。そこで、ギュイヨーのところへ出かけて行った。誰もいない。コティエのところへも行ってみた。これまたいない。ラセーニュのところ、モリニのところ、ヴァロンのところ、どこへ行っても誰もいない。誰も彼も、みんなおれ同様にずらかったんだ！　そうしたわけで、夜がな夜っぴて、行きあたりばったりにうろついた。そして、けさ、ヴァンセンヌで新聞を買い、はじめて自分のおめでたさに気がついたんだ。そこで家へ帰ってきた。まずはこうしたわけなんだ」彼は、その眉毛のかぶさった目をジャックのほうへ向けた。「おまえ、新聞を読んだかな？」

「いや」

「まだだと？」

ムールランの眼差しは、いったんジェンニーの上にそそがれたのち、ふたたびジャックのうえへもどされた。彼は、ジェンニーのいるということと、それにジャックが動員の翌日、朝の十時に、まだ情報を知らずにいるということとのあいだに、何か関係を求めてでもいるようだった。彼は、くぎにかけてあった黒い仕事着のポケットから、一束の新聞を取りだした。そして、きたないものでもつまむように、指の先でその中の一枚を取りだし、ほかの新聞は、たたきのゆかの上に投げすてた。

「これだ。笑いたければ笑うがいい。つらいことにも平気なおれだが、これにはどかりとやられたかたちだ！　『ボネ・ルージュ』ともあろうものが、だ！　メルルとアルムレーダの新聞なんだ！手のひらをかえすといったように、ポワンカレ政府の提灯持《ちようちん》ちだ！　命長ければ恥多しだ、さ！　読んでみろ！」

ジャックは、ムールランが仕事着をくぎからはずし、腹だたしげにそれに腕を通しているあいだ、低く声に出して読んでみた。

《……吾人は、政府がブラック・リストを利用しないであろうということについて明言できる……

政府は、フランス大衆、とくに労働者階級を信じている。人も知るごとく政府は平和を守ろうとしてあえて不可能さえも試み、いまもなおそれを試みている。固き決意を持った革命の徒による明確な意思表示こそは……》

「《固き決意を持った革命の徒》か！……恥知らずめ！」と、ムールランがうなった。

「《政府にたいし、十二分の信頼感をあたえるところのものなのだ……フランス国民は、こぞってその義務を尽くすにちがいない……これこそは、政府がブラック・リストの利用を放棄することによって期待したところにほかならない》」

「どうだ？　どう思う？　おれは、これがいったいどんな意味かのみこめるまで、二度まで読み返さなければならなかった。だが、事実をしっかりつかむことだな……つまりはこうしたわけなんだ。フランスのプロレタリアは、嬉々としてやつらの戦争を受け入れてるのさ。いっぽう労働者による反対にしても、ほとんど物の数にもたりない。そこで政府は、警戒検束をひっこめたんだ……わかるかな？　つまり、革命家たちの全部に向かって、やさしく耳をつまんでやって《おいおい、石あたまの諸君、諸君の反抗もゆるしてやるぞ！　だから諸君は、兵士としての諸君の義務を尽くすんだ！》って言ってるようなものなんだ。政府は、さもおなさけ深い王さま気どりで、じょうだん言い言いブラック・リストを破りすて、注意人物を野に放つ……といったところで、見わたしたところ、注意人物たるや、総じて愚にもつかんやつらだからだ。わかるかね？」

ムールランは笑っていた。その老いたるキリストといったような顔をしかめての、不敵な、よくひびく、歯ぎしりするような笑い声には、何かしら恐ろしいものが感じられた。

「注意人物？　そんなものなんかいないんだ！　そんなものはもういないんだ！　わかるかな？　政府がこれほどまでに高をくくっているということ、戦争の第一日から、これほど安心しきった寛大な態度をしめすということ、そうした裏には、革命派の指導者たちが、いかにはっきりした保証を内務省にあたえているかがわかるんだ！　恥知らずのやつらめ、おれたちを、まんまと政府に売りこんだんだ！　ふん、こんどはこれで事ずみさ！　参謀本部がしっかりひもをつかんでるんだ！　戦争しに行くやつらには、なんの文句も言えはしない。文句の言えるやつらと言えば、戦争させてるやつらばかりさ！」

彼は、ひらひらする仕事着の下で両手をうしろに組みながら、二足三足向こうのほうへ歩いていった。

「しかしだ！」彼はとつぜん、くるりとふり向いて言った。「おれにはそうとは思われないんだ！　これで事ずみだとは思われないんだ！」

ジャックは、はっとからだをふるわせた。

「ぼくもそうだ」と、ジャックは低い声で言った。「打つべき手がないとは思われないんだ！　たといいまでも！」

「たといいまでも！」と、おうむ返しにムールランが言った。「さらに、数日後、数週間後、あわれな家畜どもが戦死しだしたらなおさらだ！……ああ、クロポトキンがいてくれたら！……せめて、誰でもいい、何をなすべきかを語り、人をして傾聴させるだけの力をもった何者かが！　同志はこぞってこんどの戦争に賛成した。それは、だまされてのことなんだ。またまたおめでたさにつけこまれたっていうわけなんだ……だが、ちょっとしたきっかけさえあったら、そして、はっと自分をとりもどすことになったら、一瞬にしてすべてをひっくりかえしてしまえるんだ！」

ジャックは、むちで打たれたように立ちあがっていた。

「なに？……ちょっとしたきっかけ？　ちょっとしたきっかけ？」彼は、ムールランのほうへ歩みよった。「いったい何ができるんだ？　え？」

その声の異様なひびきに、ジェンニーは彼のほうをふり向き、恐怖のあまり、なかば口をあけたまま、一瞬息をつめていた。

問われたムールランは、じっとジャックをみつめていた。ジャックは、つぶやくようにこう言った。

「どうなんだ？　聞かせてほしい！」

ムールランは、ちょっと当惑したように肩をすくめた。

「どうなんだって？　とんだばかげた考えかもしれない……こうなんだ……ちょっと頭に浮かんだだけを言うわけだが……何から何まで、たしかに言語道断なことにちがいない！　だが、それはそれとして、このおれは、あくまで希望を、このうえともに希望を、あらゆることを向こうにまわして、しかも希望を持ちつづけずにはいられないんだ！――国民は――そうだ、わが国民にしても相手方の国民にしても――ともにはっきりだまされてるんだ！　おそらく……もしも……」

「もしも？」

「もしも……さあ、どういったものかな……もしもとつぜん両軍のあいだに、ひとつの良心がひらめいて、この厚くたたんだ嘘を引きさいたとしたらだ！　こうした不幸な連中のすべてが、はっと正気をとりもどし、火を吐く戦線をあいだにはさんで、みんなひとしく、自分たちのかり出されたことに気がつくことになったとしたら、みんなはこぞって怒りと反抗にたけりたち、いっせいに立ちあがることになりはしまいか？　そして、自分たちをかり立てたやつらのほうへいっせいにおどりかかっていくことになりはしまいか？……」

ジャックは、とつぜんはげしい光に打たれでもしたようにまばたきした。そして、目を伏せると、ジェンニーのほうを見ていないようすで、しかも彼女のそばへもどっていって腰をおろした。

何か気づまりな一瞬。しばらくの沈黙。三人とも、何かおぼろげには気がつきながら、しかもそれとはっきりわからないものが通り過ぎたといった感じだった。

「しかも、挙国一致というさわぎだ！」と、ちょっとあいだをおいてからムールランが言った。「地方では、社会党の市参事会のどれもこれもが、祖国の危急を宣言し、国防の促進、そしてドイツを文明国家群から放逐するという議事日程に賛成したんだ！　これを見ろ！」彼は、さっきゆかに投げだした新聞の何枚かを拾いながら言った。「これはC・G・Tのマニフェストだ。『フランスの無産階級に告ぐ』わかるかな、C・G・Tが何を言おうとしているかが？　《われらは事件の前に圧倒された……プロレタリアは、人類を戦争の惨禍から守るため、いかなる努力をなすべきかを一般に理解していたとは言えなかった》……言葉を変えれば《いまさらほかにしかたがない。思いきりよく死にに行け！》だ……ここにあるのは鉄道従業員組合から出されたビラだ——いいか、鉄道従業員のだ！　あろうことか、われらの鉄道従業員の！——これが、けさ、パリ全市の壁に張りだされた。《同志諸君！　共同の危険を前にして宿怨は消えた。社会主義者、サンディカリスト、革命家よ、諸君は卑劣なるカイゼルの策謀を打倒しなければならないのだ。共和国からの呼びかけがあったとき、諸君は率先その声に応ずべきだ！……》待て、待て……もっとある。もっと勇ましいやつ！　さ、これをじっくり読んでみろ。『陸相への公開状』……署名？　あててみろ！　いわく、ギュスターヴ・エルヴェ！……読むぞ。《予は、フランスが、この不祥事を回避せんため、万全の策をつくしたものと考え、閣下の特別のご配慮により、予が、国境に向かって出発せんとする最初の歩兵連隊に編入せられんことを望む！》これだ！　そうなんだ！　みごと寝返りを打ちやがった！　『社会闘争《ラ・ゲール・ソシアル》』の主筆ともあろうギュスターヴ・エルヴェが！　かつて、いかなる国家であれ、その労働者をして、一滴の血をも流さしめる資格なしと言いきっていたギュスターヴ・エルヴェが！……だからこそだ、政府としては、落ちつきはらって、机の引き出しにブラック・リストをしまえるんだ！　こうやって、つぎからつぎへと、われらが革命の大指導者たちを、手中におさめていくんだろう！」

誰かがドアをたたいていた。

「誰だ？」と、ムールランは、あけるまえにこうたずねた。

「シロン」

はいって来たのは五十がらみの男。平べったい顔の上にごま塩ひげをたくわえ、はげあがったひろいひたい、小鼻のつぶれた鼻、目と目のあいだはとても離れていて、そこに皮肉な眼差しが光っていた。冷静なエネルギーを思わせる面がまえ、そしてそこには、ちょっとおうへいな感じがあった。

ジャックとは、すでに顔見知りの男。ムールランのところでたびたび会っていた、たったひとりの男だった。

サンディカリストであり、これまでにも革命的活動のため幾度となく刑務所の門をくぐったことのある古顔の闘士シロンは、ここ数年来、ずっと運動から遠ざかって暮らしていた。彼は専門工としての仕事の余暇に、さまざまなアジビラを書き『戦旗《エタンダール》』にも寄稿をつづけていた。そして、ムールラン同様、フリーランサーのひとりとして、いつも持ちまえの聡明さをくもらすことなく、確固たる信念を持ち、毅然としてみずからを保ち、愚劣なことを仮借せず、仲間づきあいよりも大義名分を重んじ、そのためみんなから尊敬されながらも、とかく慎重さのゆえにとやかくいわれ、いっぽう、その個人的価値の点から、いくらか嫉視されてもいるといった男のひとりだった。

「かけないか」と、ムールランが言った。それでいて、あいていたたったひとつの椅子には、すでにジェンニーをかけさせていた。「ところで、読んだか、やつらの新聞を？」

シロンは、ちょっと肩をそびやかしてみせた。それは、新聞などは問題にしていないといった意味と同時に、やってきたのが、こんどの事件のためではないことをしめしているかのようだった。

「今夜、ジャン・パール（カフェーの名）に集まりがあるんだ」と、彼は、ムールランをみつめながら言った。

「きみには、おれから知らせると言っといた。ぜひ来てほしい」

「ありがたくないな」と、不平らしくムールランが言った。「行かなくてもわかってるんだ」

「そんなことは問題じゃないんだ」と、シロンが言葉をさえぎった。「おれは行こうと思っている。おれには、言ってやりたいことがあるんだ。それには、ふたりでないと困るんだ」

「それならそれで話は別だ」と、ムールランは納得した。「ところで、それはいったいどういうことだ？」

相手は、すぐにはなんとも答えなかった。そして、じっとジャックを、つづいてジェンニーのほうをながめたあとで、窓のそばへ歩みより、それを細めにあけてから、ふたたびムールランのそばへもどってきた。

「いろいろなことをだ。なすべきこと、それでいて、誰も考えているもののないらしいことをだ。おれたちは、えらい窮地に立っている。それはいまさら言うまでもない。だからと言って、腕をこまねき、やつらの跳梁にまかせておいていいはずはない！」

「説明を聞こう」

「こうなんだ。もし社会党、それにサンディカリストの指導者たちが、政府と結び、政府に協力するというからには、せめてその協力の代償として、自分たちの代表している者たちのため、何か保証の要求をなすべきはずだと思うんだ。どう思う？　戦争は、たしかに、ひとつの革命的状態を生む。よろしくそれを利用すべきだ！　ジョーレスだったら、ぬからずそれをやってのけるぜ！　プロレタリアのため、国家の譲歩を戦い取ったにちがいない……それだけだって何ものかだ！　戦争は、すべての者に、束縛と犠牲とを要求する。これから取られる処置にたいして、労働者たちのため、ちょっとした手心を要求してやる。べつにたいしたことではないはずなんだ！　いまだったら、条件をつける余地がある。目下の場合、政府はわれらを必要としている。つまり、持ちつ持たれつというわけなんだ……どうだ、ちがうか？」

「条件って？　たとえば？」

「たとえば？　政府をして、あらゆる軍需工場を徴用させてやる。つまり、企業家たちが、戦場に死ににいくものをいいことにして、巨大な利益をおさめることのないようにだ。そして、そうした工場を、組合管理のもとにおく……」

「悪くねえ」と、ムールランがうなった。

「いっぽう物価の高騰をふせぐんだ。すでにいたるところで、そうした事実が見られている。それにたいして、おれにはたったひとつの案しかない。政府をして、あらゆる最低生活の必需物資をおさえさせ、政府貯蔵を実行させ、仲介業者、投機業者を締め出して、分配機構を作らせるんだ……」

「まるで天から降ったような計画を、実行に移させようというわけなんだな……」

「機構なり、人間なり、ちゃんと目あてがついてるんだ。すでに動いている消費組合を利用しさえしたらそれでいいんだ……どうだ、ちがうか？　もちろん、やってみなければわからない。だが、フランス全土、さらにはアルジェリアにまで戒厳令がしかれたからには、民衆を貪欲者流の手から守るため、せめてそれだけだって利用すべきだ！」

　彼は、自分のどっしりした声の鳴りひびく部屋の中を、行ったり来たり歩きまわっていた。そして、ムールランだけを相手にしゃべりながら、若いふたりのほうへは、ときおり、うわのそらの一瞥を投げるだけだった。その、すべすべしたりっぱなひたいの上には、玉の汗が光っていた。

　ジャックは沈黙を守っていた。顔つきだけはきわめて緊張し、眼差しだけは光っていたが、彼は、何もきいてはいなかった。あれやこれやの考えにわれを忘れて、彼は、シロンのこと、工場のこと、戒厳令のこと、国家貯蔵のこと、その何から何まで、まるで遠い世界のことともいうようだった……《とつぜん、両軍のあいだに、ひとつの良心がひらめき、この厚くたたんだ嘘をひきさいたとしたら！……》そうムールランが言ってたな……

　ジャックは、ムールランがちょっと口出ししようとしたのを機会に、ジェンニーに目くばせして席を立たせた。

「もう行くのか？」と、ムールランが言った。「今夜、ジャン・パール亭には来るだろうな？」

　ジャックは、夢からさめでもしたようだった。

「ぼく？」と、彼は言った。「だめだ。今夜は、外国人退去のための締め切りなんだ。ぼくたちふたり、スイスへ行く……そのお別れにやってきたんだ」

　ムールランは、ジェンニーを、つづいてジャックをじっとみつめた。

「そうか？　決心したのか？……スイスへか？　そうか……よかろう……」彼はとつぜん、自分ではその気でなしに、大きな感動を顔にしめした。「では」と、彼は、気むずかしそうなようすで言った。

「行ったがいい！　そしておれたちのため、向こうでしっかりやってもらおう！　ではご両人、しっかりたのむぞ！」


ジャックは、心の中に興奮と混乱とを感じるにつけ、しばらくひとりでいたいという、いたたまれない気持ちになっていた。

「ところでジェンニー、しっかり心を落ちつけて、ぼくの言うことを聞いてもらおう」往来に出るが早いか、つぶやくように彼は言った。彼は、ジェンニーの腕をとり、彼女のほうへ身をかしげ、やさしい威厳を見せながら話をつづけた。「きみには、夜までに、しなければならない事がたくさんある。きみは疲れている。だから、家へ帰るんだ。言うことをきかなければ。きみは、休息をとらなくてはいけない……もう十時十五分。ぼくが家まで送っていく……ぼくはひとりで『ユマニテ』社へ行く。それから、いっしょに出発する手続きのことを調べなければ。二時間もあったら、何から何までかたづくつもりだ……わかったね？」

「ええ」と、ジェンニーが言った。

彼女は、たしかに、なんともたまらないような状態にあった。へとへとに疲れ、からだは熱っぽく、すっかりまいってしまった感じだった。彼女は長いこと、あの小公園の、腰の痛くなるようなかたいベンチに腰かけたまま待たされた。そここそは、ジャックの口から《誰ひとり、このぼくが愛するようにきみを愛した人はいないんだ》と聞かされたあのときの場所にほかならなかった。彼女は、苦しい喪心状態に落ちこみながら、つい手が届きそうで、そのじつすでに遠いものになってしまったかのようなあの晩の一部始終、それに引きつづいた日々のこと——そして、ついゆうべの、あの矯激な奇跡のことなどを思い返した……そして、二時間も待ったすえ、ジャックが殺気だった悩ましげな顔、うつろな眼差しを見せながら石段の上に姿をあらわしたとき、彼女には、すぐに、ふたりがもはやひとつでないことが感じられ、はげしい悲しみに胸を打たれた。彼女は、それまで考えつづけていたことをいまさら口に出す気にもなれず、ただジャックが、アントワーヌの出発の模様を語る話に耳を傾けていた。それから彼女は、歩いて、ムールランのところまでつれて行かれた。だが、彼女は疲れきっていた。このさきどこへ行こうにも、そうした元気はなさそうだった……彼女はただ、家へ帰り、クッションのあいだに身をのばし、つらいからだを休めることだけを思っていた。

電車はとても間遠になっていた。だが、いいあんばいに運転だけはつづけられていた。ふたりは、バスティーユから、歩かずにブールヴァール・サン・ミシェルの上手まで行くことができた。ジャックは、天文台通りまで、彼女をささえてやりながら歩いていった。そしてふたりは戸口で別れた。

「では行ってくる……一時と二時のあいだに帰ってくるから」そして微笑を浮かべながら「そしてふたりで、パリでおなごりの夜食をしよう……」

だが、二十メートルも行かないうちに、ジャックは、うしろのほうで、おし殺されたような、いままで聞いたことのないような声を耳にした。

「ジャック！」

彼は、ひと飛びするとジェンニーのそばへもどってきた。

「ママが帰ってきているのよ」

ジェンニーは、おろおろしたようすで、じっと彼をみつめていた。

「家番のおばさんに引きとめられたの……ママは、けさ帰ってきたんですって……」

ふたりは、あらゆる考えがとつぜん頭から抜けだしでもしたかのように、たがいに顔を見あわせた。

まずジェンニーの頭に浮かんだのは、そのままにして出てきた家の中の乱雑さ、乱れたままのダニエルのベッド、浴室の中のジャックの化粧道具……彼女は、一瞬のうちに覚悟をきめた。そして、ジャックの腕をしっかりつかんだ。

「来て！」

彼女の顔は、すっかり閉ざされてしまっていて、なんとも推測のしようがなかった。彼女はふたたび、なんでもないことのようにくり返した。

「来てよ。わたしといっしょにうちへ来て」

「ジェンニー！」

「来てよ！」彼女は、ほとんど荒々しいちょうしでくり返した。

いかにも思い決したようすだった。ジャックは、気持ちがいかにもあいまいで、意思らしいものをすっかり失いでもしたかのように、なんの抵抗もせずにジェンニーのあとからついていった。

ジェンニーは、先へ立って、一階一階をきわめて足早にあがっていった。疲れていることなど、いまではすっかり忘れてしまっていた。こうなった以上、一刻も早く事の決着をつけたいとでもいうようだった。

だが、踊り場までくると、彼女は鍵を穴にさしこむに先だって立ちどまった。彼女はよろめいていた。ふたりの耳には、しんとした中に、息切れのしているたがいの呼吸が聞きわけられた。ジェンニーは、何ひとこと言わなかった。彼女は、ぐっとからだを緊張させると、ドアをあけ、ジャックの手首をひっつかむと、それを力いっぱい握って、自分のあとから住まいの中へひっぱりこんだ。

七十五

フォンタナン夫人は、その結婚生活の最悪の時においてさえ経験しなかったほどの煩悶のうちに朝をすごした。

さいわい、ダニエルの部屋の戸はしまったままになっていた。そして、紅茶をいれようと台所へ出かけてさえ行かなかったら、おそらく自分が悪夢にだまされたものと思っていられたにちがいなかった。だが、ふたりの食器が目にはいったとき、夫人は本能的に目をつぶり、まわれ右をしたかと思うと、そのまま自分の部屋に帰ってとじこもった。

力抜けのした数分の後には、まるで夢遊病者といったような、熱に浮かされたような時がつづいた。そして、旅行服をぬぎ、古い部屋着にきかえ、部屋の中を整頓し、何やかやらちもないことをせいせい言いながらやってのけたあとで、夫人は、じっとしていようと思って、日のあたるよろい戸をしめた窓ぎわの安楽椅子に腰をおろした。何をおいても、自分というものをはっきりとりもどさなければ。だが、そのためには、いつもの小さいバイブルは、スーツケースの中に入れておいたので手もとになかった。夫人は、あたりの棚の上におかれていた、父の古いバイブルをとりにいった。それは黒い、ずっしりした分厚なバイブルで、欄外には、フォンタナン牧師の筆で、しるしやら照合の個所なりがいっぱい書きこまれていた。夫人は、手あたり次第のところをあけて、読んでみようとした。だが、おさえようとしてもおさえきれない彼女の気持ちは、ともすれば本文をはなれて、われにもあらず、とりとめのないいろいろな情景や考えのあとをたどり、その中には、ダニエルを思う気持ちと、あのウィーンでの事業家たちのこと、旅行中の難儀、軍隊でいっぱいだったほうぼうの停車場などの記憶が入りまじり、そして、そうした入りみだれた考えの末には、それのしめくくりをつけるといったように、いつもきまってジェンニーとジャックがからみあって眠っていたベッドの光景が思い浮かぶのだった。近くの大通りを通る輜重車《しちょうしゃ》のひびきは、あたりの壁をゆすり、夫人の頭の中にこだまし、その幻想を何か不吉な伴奏でつつんでいた。夫人は、生まれてはじめて、恐怖の気持ち、パニックの気持ちにおしつぶされ、それをどうしても反発できずにいる自分を感じた。旋風にまきこまれ、それにひっぱられていくといった感じ、恐ろしい混乱がヨーロッパを荒らし、わが家を荒らし、いまや世界に《悪霊》が凱歌をあげているといった感じ。

夫人はとつぜん、控え間のほうにあたって、何か人の動くけはいを耳にした。と思うまもなく、彼女は廊下に人の足音を聞きつけた。思わず顔がこわばった。立ちあがるだけの力もなかった。夫人はただ、上体を起こしてみただけだった。ドアがあいた。そして、服喪中のヴェールのかげにおそろしいほど青い顔をしたジェンニーが、じっと目をすえながら、すさんだ表情をしてはいってくるのが見えた。

枝葉模様の着物を身につけ、ひざの上にバイブルをのせ、いつもの場所にいかにも落ちついたようすで腰をおろしている母を見た瞬間、ジェンニーは、はっとおどろいてどぎまぎした。いままで何年となく忘れていた自分の過去のすべてが、とつぜん目の前におどり出てきた感じだった。彼女は、自分のうしろにためらっているジャックのことも忘れ、いきなり母に駆けよると、両手をひろげてだきついた。そして、もっとからだをくっつけようと、敷物の上に身をすべらせ、ひたいを母の着物におしあてた。

「ママ……」

夫人は、かわいいという気持ち、いとしいという気持ちで、一瞬胸の苦しみから救われた。夫人の心は、寛容の気持ちでいっぱいだった。と同時に、自分のみつけたあの秘密も、いまや一場の醜事実としてではなく、単なる弱さとでもいったように、これまでとちがった光のもとに考えられた。夫人は、あわやわが手にもどった娘の上に身をかがめ、彼女を腕にだいてやり、打ちあけ話を聞いてやり、不始末の相談にものってやり、わかってやり、助けてやり、これからさきの指図をしてやろうとしかけていた。だが、夫人ははっと息をつめた。廊下の壁に、何やら影がうごいたのだ……ジェンニーだけではなかったのだ！　ジャックがいる！　そしていま、この場に姿をあらわそうとしている！……思わずも、娘の首すじにおいていた手が緊張した。夫人は、目を、あけ放された戸口から放さなかった。ほんのわずかな時が過ぎた。紗《しゃ》のヴェールからは、何かたまらない、つんとしたにおいがただよっていた……ついに戸口のところに、ジャックが姿をあらわした。フォンタナン夫人の目の前には、ふたたびあのベッドの光景、失神したようなふたりの顔がちらついた。

夫人は、しめつけられたような声の中に、非難と恐怖をこめながらつぶやいた。

「あんたたち……ほんとに、あんたたち……」

ジャックは、すでに部屋の中へはいってきていた。彼は夫人の前に立ちながら、臆したような、同時に何か尊大ぶったようすで、じっと夫人の顔をながめていた。そこで夫人は、はっきり言った。

「こんにちは、ジャックさん」

ジェンニーは、さっと顔をあげた。もちろん彼女は、笑ってなんぞいなかった。だが、顔を妙にゆがめながら口をあけていることが、その顔に、何かしら悪魔的な喜びとでもいったような印象をあたえていた。そして、本能をむき出しにしたような、ぜんぜん変わったひとつの光、何かふてぶてしいひとつの光に、青いひとみがきらめいていた。彼女は、ジャックのほうへ腕をのばし、さっと手首をつかんだと思うと、荒々しく自分のほうへひきよせた。そして、母のほうをふり向くと、つとめてやさしく見せようとしながら、しかも勝ち誇った感じ、同時にいどみかかるといったような、ほとんど脅迫するようなちょうしでこう言った。

「ママ、わたしこの人に会えたんですの！　そして、これからはずっと！」

フォンタナン夫人は、一瞬、ふたりを次から次と見まもった。夫人は、つとめて微笑しようとした。だが、だめだった。唇からは、思わず力ないためいきがもれた。

ジェンニーは、じっと母をみつめていた。このためいき、恐怖と同時に温情にわななないている母の顔、ジェンニーは、そこに承認のしるしをこそ読みとるべきだったのに、彼女の疑りぶかい感性は、そこに不賛成による悲しみの色しかみとめなかった。彼女は憤然とした。そして、子としての愛情の底の底まで傷つけられたように思った。彼女は、母から身をひき離すと、そのままさっと立ちあがって、ジャックに身をよせて立ったのだった。反抗するようなその態度、かっと燃えたったその眼差し、そこには、とほうもない、盲目的な、ふてぶてしくも挑戦的な傲慢さがうかがわれた。

これに反してジャックのほうは、深い親しみをたたえながらフォンタナン夫人をながめていた。そして、もし何か口にするとしたら、それはまさしくこうした言葉にちがいなかった。《ぼくにはあなたがよくわかります……だが、あなたも、ぼくたちのことをわかってくださらなければ……》

フォンタナン夫人は、ちらりとふたりのうえへ当惑したような眼差しをそそいだ。夫人は目を伏せた。あのベッドの光景を、またもやはっきり思い浮かべたからだった。

しばらくのあいだ、沈黙がつづいた。

やがて、夫人は、いつもの習慣から、ジャックのほうへ向かって愛想のいい身ぶりをした。

「ふたりとも、立っていないで、腰かけたらどう……」

ジャックは、ジェンニーのために椅子をすすめてやった。そして自分は、フォンタナン夫人からしめされたように、その左手に腰をおろした。

こうしたかんたんないくつかの言葉、それによって空気は緩和されたようだった。まるで単なる訪問といったように、三人が円陣をつくって座を占めたとき、空気は落ちつき、正常に復しかけた感じだった。ジャックは、ほとんど常とかわらないちょうしで沈黙を破ると、夫人の帰りの旅行について何やかやとたずねることができた。

「では、いちばんしまいに出した手紙を受けとらなかったのね？」と、フォンタナン夫人がジェンニーにたずねた。

「一本も。ママからは一本も手紙がこなかったわ。ただこの葉書だけ、最初の葉書、月曜に、ウィーンの停車場で書いた葉書」ジェンニーは、歯を食いしばりながら、息切れしたように話していた。

「月曜？」と、フォンタナン夫人はくり返した。ひきつづく一日一日を思いだそうとする努力で、夫人は目ばたきをつづけていた。「だって、わたし毎晩二本ずつ手紙を書いたのよ。あなたに一本、ダニエルに一本」

ダニエルのことを思った夫人は、あらためて、胸せまるような気持ちになった。

「一本もこなかったわ」とジェンニーは、ぶっきらぼうに言ってのけた。

「そして、ダニエルからのたよりはなかった？」

「あったわ。いっぺんだけ」

「いまどこにいるの？」

「リュネヴィルを出発したんですって。それからはなんにも」

沈黙。気づまりになったジャックは、ふたたび口を切った。

「そして……いつウィーンをお立ちでした？」

フォンタナン夫人は、ちょっと思いだすのに骨が折れた。

「木曜日」と、やっとのことで夫人が言った。「そう。木曜日の朝ですわ……でも、ウディノ（イタリアの都市）に着いたのは、夜になってから。そして、翌日の正午になって、やっとミラノへ向けて出発することができましたの」

「その木曜の朝、オーストリアでは、すでにベルグラードの砲撃と占領のことがわかっていましたかしら？」

フォンタナン夫人は、当惑したようすで、じっとジャックの顔をみつめた。

「さあ、どうだったかしら」と、夫人は言った。ウィーン滞在中、夫人はただ夫の名誉を守ることしか考えなかったのだった。そして事件の経過には、ほとんど注意していなかった。

《ジェンニーは、事をうまく処理できたかどうかさえ聞こうとしない》と、夫人は思った。そして娘を見ながら、とつぜんこうした辛辣なことを思い浮かべた。《わたしの帰ってきたことを、がっかりしているんじゃないかしら？》

ジャックは、何か言わずにはいられない気持ちで、ウィーンでの民心の状態、デモ運動のことをたずねつづけた。そして、フォンタナン夫人も、ジャックとおなじく、あたりさわりのない題目にすがりつきたい一心から、つとめてなんとか答えようとした。つまりそれだけ、恐ろしい解決の時期をおくれさせることができるのだった。というのは、三人は、ひとつの《解決》がせまっていて、それが不可避なものであることを考えつづけていたからだった。

ジャックは、話に引き入れようとするかのように、たえずジェンニーのほうをかえりみていた。だが、なんの手ごたえも得られなかった。ジェンニーは、話を聞いていないらしかった。頭をきっと立て、やせた顔をひきつらせ、どこを見るともない冷たい目つきをみせながら、しかも、けさは唇をきっと食いしばり、あごを前に突きだしているところ、単に人から離れていたいといった気持ち以上に、さらにひそかな、水くさい、敵意のこもった緊張を見せているのだった。もたれにじゅうぶん腰をささえてもらえない椅子に腰をおろし、からだがつらく、神経のいらだってきていた彼女は、なんの感動もみせない眼差しで部屋の中を見まわしていた。そして、ときおり、現実とはなれた舞台装置の中の仕出し役者でもながめるように、その目を母のうえにそそいでいた。バイブルを手にしながら、窓からの光線をうけるためいつも斜めにおかれている古ビロードの安楽椅子に腰かけている母の姿は、まるでこの世のはじめから、ずっとそこにいたとでもいうようだった。それは遠い昔の思い出、一刻一刻しずかにわが身をはなれていく、いまは過ぎさったその過去（それは何かしら心にしみながら、とりわけ腹だたしく思わずにはいられない）を象徴しているものだった。彼女にとって、そうした過去は、ちょうど別れを告げにきた親戚の人たちの群れが、船出をする人から遠くさっていくのとおなじように、靄の奥ふかく沈みこんでゆくように思われた。彼女はいま、すでにほかの岸辺へ向かっての船旅にのぼりかけているのだった。そして、出発準備をととのえている船とでもいったように、彼女はすでに胸を高鳴らし、新生活の脈膊を感じていた。もしもこのときジャックにして彼女の腕をとり、《来るんだ。すべてを、永久に捨てるんだ》とでも言ったとしたら、おそらく彼女は、自分の背後に一瞥も投げずに、そのまま出発したにちがいなかった。

沈黙の中で、ジェンニーとダニエルの写真のそば、まくらもとの机の上におかれた小さな置き時計が、長々と時を報じた。

ジャックはそのほうへ目を向けた。そして、とつぜん逃げだしたくなった彼は、ジェンニーのほうへ身をかしげた。

「十一時……ぼくはそろそろ行かなくっちゃあ」

ふたりは短い目くばせをかわした。ジェンニーは、同意の意味でうなずいてみせた。そしてすぐ、ジャックよりさきへ立ちあがった。

フォンタナン夫人は、じっとふたりをながめていた。夫人の胸に浮かんだ考えは、とてもつらいものだった。あれほど真実な、あれほど純粋なジェンニーがいまはまったく別人の感じ！　はぐらかすとでもいったようす、《あばずれ》とでもいったようす……そうだ、表面しっかりしているように見せかけながらも、ふたりからは――そうだ、それがふたりであればこそ――何か偽善者めいたようすがうけとられた。ふたりは、まるで自分たちが解徴僧（ローマ時代、鳥の鳴き声、動物の足跡などによって吉凶を卜した僧）であり、自分たちだけが秘義に参しているとでもいったように、いささかばかばかしいほどの思いあがったしかつめらしさを見せながら、たがいに顔を見かわしていた。フォンタナン夫人は、それを《おなじ穴のむじな……》と解釈した。その解釈にまちがいはなかった。ふたりには、陶酔するような恋のたくらみがあったのだった。その恋こそは、ふたりにとって、絶対のもの、神秘なもの、先例のないもの、唯一のもの――そうだ、とりわけ唯一のものにしておきたいもの、すなわちふたりのほかの誰にも、その特殊性の中に分け入りがたくしておきたいもの！

　ジャックは、ジェンニーの同意にはげまされて、いとまごいをしようとフォンタナン夫人のほうへ近づいた。

　夫人は、あまりとつぜんの出発に、すっかりあわててしまっていた。もうこれ以上なんの話もせず、自分ひとりを残していこうというのだろうか？　自分は、たかがこの程度にしか信用されていなかったのか？……夫人は、われとわが心を納得させようと、わが身を傷つけるこうした無礼さをさえ甘受しようとつとめていた。むしろ自分のほうからこそ、打ちあけ話をしむけるべきではなかったろうか？　だが、いまとなっては手おくれだった。夫人には、もうそれだけの勇気がなかった。それに、疲労のため、これまでに受けた精神的な衝動のため、ふきげんと不当なあしらいにもみくしゃにされ、すっかりいらいらしていたのだった。そうだ、こうした最初の面会が、なんらいざこざなしに終わったほうがむしろよかったにちがいないのだ……それでいて、夫人は、ジェンニーを恨まずにはいられなかった。だが、目下の場合、恨むといえば、それは、娘の道ならぬ恋愛ざたというより、むしろなんとも不可解きわまる、筋の立たない、承知できないあの反抗的な態度だった！　夫人は、ジャックにたいして、なんら非難の気持ちを感じなかった。むしろ、訪問のあいだじゅう、好感をさえ感じていた。そのおずおずした謙遜のかげには、暗黙の理解をさえ感じていた。そうしたジャックにたいし、純粋な良心、なんら卑しいところのない心の生活をさえ察していた。それに、ダニエルのお友だちでもあることだし。夫人は、もしも主のおぼしめしということだったら、わが子のように愛してやりたい気持ちだった。

彼にたいしてなんら恨みがましい気持ちのなかった夫人は、いざ手を握ろうとするにあたって、ちょうどダニエルにたいしてとおなじく、ジャックを自分のほうへ引きよせ、《いいえ、それよりキスさせて》と、あやうく言いかけるところだった。ところが、おりあしく、夫人はそのとき、ジェンニーのほうへ目をあげた。ジェンニーは、ふたりのほうを向いて立っていた。そして、鋭い眼差しを、力づよい恨みの気持ちをこめながら、じっと母へそそいでいた。その眼差しは、こう語ってでもいるようだった。《ええ、わたし、ママを監視しているのよ。あなたが何をしようとしているか、見ているのよ。ジャックをはいってこさせてから、わたしの思いどおりに、あなたが母親らしい態度を見せてくださるつもりかどうか、見ていたのよ！》それを見るなり、夫人の心に燃えあがりかけていた憤激は絶頂にたっした。夫人は、はっと自尊心に目ざめて、おどりあがった。自分が自発的にしようとしたことを、なんで無言の脅迫などでしてやるものか！

夫人は、ついいままで、その気になっていた抱擁をしてやるかわりに、ジャックのほうへ手だけだした。そして、ジャックにだけは、その手のふるえ、平凡な握手の中にこめられた感動、無言の同意、愛情といったものが、感じられた。

これは一瞬のことにすぎなかった。だが、ジェンニーをつれてジャックの出て行くのを見ながら、フォンタナン夫人には、その瞬間、自分とジェンニーとのあいだのあらゆる将来の幸福があやうくされ、傷つけられたこと、自分と娘とのあいだのかけがえのないきずなが永遠に断たれたことがきわめて悲痛に直観された。夫人は、はっと身ぶるいした。

「ジェンニー……あなたも行くの？」

「いいえ」と、娘は、ふり向きもせずに言い放った。

廊下へ出ると、ジェンニーはジャックの腕をつかんだ。そして、足早に、ひとことも口をきかずに、ジャックを玄関までひっぱっていった。

そこまで行くと、ふたりは身をはなした。そして、たがいに見かわす目の中には、おなじ当惑の色が読みとられた。

「やっぱりぼくといっしょに行く?」と、つぶやくようにジャックがたずねかけた。

彼女は、はっとおどりあがった。

「何をいまさら!」彼女は、疑われたとでもいうように、侮辱を感じた。

「でも、ママにはなんて言うつもりだ?……」と、ジャックは、しばらくあいだをおいて言った。

ジェンニーは、彼の前に立ち、腕をあげて、手を槲《かしわ》の衣装戸棚の支柱にかけていた。

「おお」と、彼女は、はげしく首を振りながら言った。

「こうなったら、どんなことでもわたし平気よ!」

ジャックは、驚いて、彼女の顔をじっとみつめた。そして、その目は、くすんだ木をしっかり握った、おどろくほど白い、そして細かい筋肉がぴちぴちふるえている彼女の手のところまでおりて行った。彼は、その手にキスをした。

とつぜんジェンニーはこう言った。

「いっそ、いっしょにつれてったら?」

「誰を? ママを?」ジャックは、ほんの一瞬ためらった。「よかろう、もしきみが……もちろんさ……でも、なぜ? ママはいっしょに行くかしら?」

「さあ、それは」と、彼女はいそいで答えた。「たぶん、そのつもりはないと思うわ……でも、これから先のことを考えると……」そう言って口をつぐむと、彼女はかすかに微笑した。「わたし、うれしいわ!」と、彼女は言った。「どこで待ち合わすことにする?」

「ぼくが迎えに来てはいけない？」

「いけないわ」

「でも、荷物は？」

「たいして重くないんですもの」

「ひとりで、電車まで持って行けるかしら？」

「行けるわ」

「でも、ぼくの書類は？　このあいだ、きみの部屋においた包み？……」

「わたしの荷物の中に入れとくわ」

「では、リヨン駅でということにしようや……何時に？」

彼女はちょっと考えた。

「二時。おそくも二時半」

「食堂で待っている。いいな？　汽車の時間まで、そこに荷物をおいとけるから」

ジェンニーは、彼に近よると、両手で彼の顔をかかえた。《かわいい人》と、彼女は思った。彼女は、ゆっくり、燃えるような眼差しをジャックの目の中にそそぎこんだ。そしてふたりは、も一度最後に唇を合わせた。

こんどもまた、彼女のほうから身を離した。

「行って」と、彼女は言った。その声にも、その顔だちにも、はげしいいらだちと疲れがまじりあっていた。
「わたし、ママのところへ帰る。そして、何から何まで話してしまうわ」

七十六

ジェンニーの家を出るが早いか、ジャックは、さっき『戦旗《エタンダール》』社を出たとき、自分がたまらなくひとりでいたいと思わせた心の動揺にふたたびおそわれ、一瞬、自分として差しせまってなすべきことのなんであるかを考えてみた。するととつぜん、ムールランの言った言葉が、心の中にひびきわたった。《おそらく、ほんのちょっとしたきっかけさえあればじゅうぶんなんだ……もしもとつぜん、両軍のあいだに、ひとつの良心のひらめきといったようなものが……」

それはまさに目をくらますほどのものだった。《両軍のあいだに……》ジャックは、こうした考えを、きわめてはげしく、しかもきわめて具体的な明確さをもって思い浮かべながら手すりに手をおき、頭はぼうっとして、不敵な勇気と希望とに胸を高鳴らせながら、思わず階段のまんなかに立ちどまった……五、六時間まえから、無意識に彼の心の中に動いていたひとつの計画が、いまや明るみにおどり出し、彼の全身をひっつかんだのだ。それはもはや、漠然とした夢や、気まぐれな思いつきではなかった。彼にあって、とつぜん形をとるにいたったものは、ひとつのはっきりした計画、決定的な、自分自身の行動についての計画だった。それこそは、無政府主義の連中がひそかにいだいているような固定観念のひとつだった。彼はいま、自分がなぜスイスへ行こうとしているのか、向こうへ行って何をしようとしているのかがわかってきた！　無為と、無益な不安に長い幾日かをすごした後、いまはじめて、いかなる具体的な行為により、いかなる果断な単独行動によって、自分の信念のため、戦争防止のためたたかうべきかがわかってきたのだ！　言うまでもなく、その行動は、まったき犠牲を必要としていた。このことは、すでに最初からわかっていた。そして彼は、べつに虚勢を張るでもなく、自分の勇気を意識してというでもなしに、それを承知していたのだった。すなわち、自分がそのために命まで投げだそうとしている行為こそ、大衆の良心をよびさまし、事の流れを急に変えさせ、民衆や、同胞愛や、正義を敵として固く結束している力を打倒するため、今日考え得るかぎりの、唯一にして最後の手段だという玄妙な確信に動かされていたのだった。

ジャックはいま、フォンタナン夫人の帰ってきたことも、夫人への奇妙な訪問のこともすっかり忘れてしまっていた。ジェンニーのことさえ忘れていた。

ところがジェンニーのほうは……母の部屋まで帰って行くまえに、彼女は、ジャックの出て行く姿を見ようと、こっそりバルコニーへ忍び出た。そして、彼の出て来かたのおそいのを案じていた。やがて、車馬用の門から出てくるジャックの姿、往来いっぱいの通行人や車の列などに目もくれず、まるで取りつかれた人とでもいったように、サン・ミシェルの大通りのほうへ身をおどらして行くのが目にはいった。ジェンニーは、姿の見えなくなるまで見送っていた。だが、彼のほうでは、ふり返って見ようとさえしなかった。

ひとりとりのこされたフォンタナン夫人は、安楽椅子の背に頭をもたせ、しばらくのあいだまるで化石したようになっていた。夫人は、何ひとつはっきりした考えをまとめることができなかった。彼女のうけた印象は、漠然《とんでもないことになりそうだ……》と、苦しそうに心の中にくり返す言葉によって語られていた。夫人は、ジャックとジェンニーが、まるで株をおなじくした二本の幹とでもいったように、ふたり並んで自分の前に立っていたときの姿を思いつづけていた。それにつづいて、思いもかけぬ連想から、自分の父のいかめしい客間のこと、そして、そこの窓のところに、黒いふちをとった明るい色のモーニングを身につけ、若く、勝ちほこったように身をそらせ、自分のほうへほほえみかけていた許婚のジェロームの姿を思い浮かべた。自分たちも、あのころ、なんという自信をもって未来を望んでいたことだろう！　ふたりして、なんと敢然と、家族を向こうにまわしていたことだろう！　ジェロームのそばにいるとき、どんなに無敵な気持ちになれたことだろう！……夫人は、かつての日の興奮のこと、さまざまな空想のこと、幸福になれるという確信のこと、自分たちこそこうした感激をはじめて味わうものだという自信のことなど、すべてを一度に思いおこした。そして彼女は、そうしたばかばかしいことを思いだして、恨みがましい気持ち、さみしいといった気持ちを感じるどころか、そうした幸福への希望が、事実、実現されたとでもいうように、何か明るく、晴ればれした気持ちになったのだった。

夫人は、娘の帰ってくる足音をききつけて、はっとからだをふるわせた。覚悟をきめたようなその足音、ジェンニーのドアのしめかた、緊張した顔つき、うつろな、気ちがいじみた、まるで火と燃えて、同時にあらゆるものを焼きつくさずにはおかないような眼差し、それらが夫人をぞっとさせた。

夫人は、せめては愛情をしめすことによって、何か手ごたえのある封じ手でもと思って、おそるおそるこうつぶやいた。

「ジェンニー、ママにキスして……」

ジェンニーは、ほんのり顔を染めた。口には、まだジャックの唇の味が残っていた。ジェンニーは、帽子をぬぎ、ヴェールを取り、それをベッドの上へ持って行くのに気をとられて、さも母の言葉が聞こえなかったようなふりをした。それから、いかにも疲れていてたまらないままに、部屋の奥に長椅子を見つけ、そこへ行って横になった。

ジェンニーは、そこから、ちょっとうわずった声でこう叫んだ。

「ママ、わたし、とてもとても幸福なのよ！」

フォンタナン夫人は、目をきっと娘のほうへそそいだ。夫人は、その親ごころで、いささかいどみかかるようなちょうしをひびかせてそう言われた言葉の中に、一抹の悩みがくみ取れたように思った。それは、夫人をして――たといいかなる危険をおかそうとも、自分には一つの務めが、最後の一つの務めがのこっていることを思わせずにはいなかった。夫人は、それが聖霊によるものと思われる命令にしたがって、とつぜん威厳を見せて身を起こした。

「ジェンニー」と、夫人は言った。「おまえ、お祈りを、心からお祈りをしていておくれだったかしら？……おまえには、《聖霊わが身とともにいます》と言うことができるかしら？」

最初のひとことをきくが早いか、ジェンニーは反発をしめした。彼女と母とのあいだでは、信仰の問題が、一つのおそろしい深淵になっていた。そして、彼女だけには、それがどんなに深いものであるかがわかっていた。

フォンタナン夫人は、話しつづけた。

「ジェンニー……わたしのジェンニー……おまえの高ぶった気持ちを捨てておくれ……お母さんといっしょにお祈りをしましょう。あらゆることをごぞんじでおいでの《かた》に、お助けをお願いしましょう……そのおかたといっしょに、自分の心の底をしっかりみつめてごらん……ジェンニー！おまえは、心の底に、何か……割りきれないでいるものを感じないかしら？」夫人の声は震えだしていた。「……何かが……どなたかが……おまえはたぶんまちがっている、おまえは自分自身にたいして嘘をついていると教えていてくださりはしないかしら？」

ジェンニーが黙ったままでいるのを見て、夫人は、彼女が祈ろうとして心を静めているのだろうと思った。ところが、かなり長い沈黙のあとで、ジェンニーはためいきをつくようにこう言った。

「お母さんにはわからないのよ！」

そこには、きびしい、捨てばちな、反抗的なちょうしがしめされていた。

「どうして……そんなことがあるものですか？」

「そうなのよ！」と、ジェンニーは言った。そして、じっといっぽうを見すえているその目の中には、いらだたしげな強情さが見えていた。彼女は、自分は人にわかってもらえないのだ、自分はしいたげられているのだといったような陶酔感を、何かしら病的な快感をもって味わっていたのだった。そして、あやうくこう言ってのけかけた。《ママには、わたしたちのような恋愛はわかりっこないのよ！》だが、その《恋愛》という言葉、それを高い声に出しては言えなかった。彼女は苦笑とでもいったような微笑を浮かべた。

「わたしには、さっきはっきりわかったの、ママがわかっていてくださらないことが……ぜったいわかっていてくださらないことが！」

「何をお言いなの、ジェンニー？　わたし、おまえへのしむけかたが悪かったとでもお言いなの？」

「そうじゃない」

「そうじゃない？」

「そうじゃないの！」と、ジェンニーは、天井を見あげながら言った。そして、多分に不満をこめた低いちょうしで上体を起こしながらはっきり言った。「もしわたしたちをわかってくだすったんだったら、何かひとこと言ってくだすってもよかったじゃないの！　わたしたちの幸福を喜んでいることをわからせるため、せめてひとことでも！」

フォンタナン夫人は、目をそむけていた。そして、やっとのことで言った。

「ひどいわ、ジェンニー……いったいなんでわたしにそんなことが言えるの？　わたしは、けさ、何も知らずにこの家へ帰ってきたのよ……おまえはわたしを、そっとのけものにしていたのよ。何から何までわたしに隠していたのよ……」

ジェンニーは、ちょっと背をすくめて、母の言葉をさえぎった。それは彼女としてはめずらしいしぐさであり、おそらく母のほうでも、いままでかつて一度も見たことのないしぐさ、そして、とりもなおさずジャックのしぐさにほかならなかった。ジェンニーは、強情な、なんともえたいの知れない、思いあがったようすで言った。

「わたし、何もママに隠していなかったわ！……わかるでしょう、ママは、何も知らずにわたしを非難していらっしゃるのよ。二週間まえまで、わたし自身でさえ考えてなんかいなかったんだわ……」

「だって、わたしが立ったのは二週間まえではなかったわ。きょうでようやく一週間……で、わたしが出かけたころ、まだ考えてさえもいなかった？……」

「そうなのよ！」

（だが、それは彼女の嘘だった。というのは、ジャックと東部停車場で出会った夜、母はまだパリにいたからだった。彼女は、あお向いて、顔を母に見せないようにしながら話していた。だが、声だけはすべてをはっきり語っていた。そして、ふたりはともに顔をあからめた。）

「もし二週間まえ」と、ジェンニーは言った。その心の動揺は、ちょっと苦しそうに笑ったことにもしめされていた。「ママがジャックのことを話したとしたら、わたしあの人がきらいだってご返事したにちがいないわ！　二度とふたたび、会う気になんかなれないってご返事したにちがいないわ！」

フォンタナン夫人は、両手を安楽椅子の腕におきながらぐっとからだを乗りだした。

「では、ほんの幾日かのあいだのことだっていうの？……よく考えてみようともしないで……」（夫人はあやうく《わたしに話そうともしないで》と言いかけた。）だが夫人は、「……ダニエルに相談しようともしないで……？」とだけつけ加えた。

「ダニエル？」と、ジェンニーは、驚いたふりをしてみせながらくり返した。「ダニエルって、なぜ？」自分にもなぜとはっきりわかりそうもない一種の腹だたしさにかられるままに（おそらく、そこには自分にも気がつかずに、長い年月にわたる愛情ゆえの束縛とか、口に出さないいらだたしさの爆発が見られたものと言えるだろう）、彼女は、もう一度、そのふてぶてしい笑い声をひびかせた。そして、母のいちばん痛いところを突いてやりたいという、なぜかわからぬ誘惑を感じて、「まるでダニエルだったら、なんでも知ってて、なんでもわかるっていうようじゃないの！　そのダニエルに、いったいどんなことが言えるかしら？　誰も彼もとおなじ程度のばかげたことよ！　つまり、《もっともらしい》こと！」

「ジェンニー！」と、フォンタナン夫人はうめくように言った。

だが、ジェンニーには、もう自分をおさえることができなかった。

「きっとママも考えていらっしゃるようなこと？　はっきり言ってくださらない？……え？　戦争だからって？……でなければ、わたしたちがよく知り合ってもいないのにって？　わたしがしあわせになれないだろうって？」

「ジェンニー！」と、ふたたびフォンタナン夫人がくり返した。

夫人は、あっけにとられて、相手の顔をみつめていた。まゆをよせ、顔をこわばらせ、かみつくような口をきいているジェンニー、それは二十年このかた、そばちかくからながめてきたいかなるジェンニーとも似ていないものだった。そのジェンニーが、つい最近せきを切ってあふれ出た本能のとりこになっている……《ほんとに無責任な》と、夫人は、絶望したように考えた。だが、そこには、寛容と、安堵と言えそうな気持ちもこめられていた。

母の反対、その母の苦しんでいることさえ、ジェンニーの心を動かすどころか、かえってそれを刺激した。

「このわたしが、あの人とだったらふしあわせになってもかまわないっていうのだったら？　ダニエルとは無関係だわ！　わたしだけの問題よ！　忠告なんか聞きたくないわ！　ほかの人がどう考えようとかまわないの！　あの人、あの人がいる以上、ほかの人、ほかのどんな人にも相談なんかする必要はないの！」

フォンタナン夫人は、この新しい一撃を受けて、さっと青ざめた。いちばんつらく思われたのは、そうした侮辱が、意識的のものであり、故意になされたものであるという一事だった。《悪》の霊が、暗黒の霊が、娘の心に宿ったのだ！　夫人は、主のほうへ向かって、恐怖に満ちた呼びかけをした。彼女には、もはやこうした毒気に満ちた空気の感染から身をふせぎきれないように思われだし、心にわきあがる怒りをおさえきれなくなりそうだった。それでも彼女は、なおしばらくは、確固たるちょうしを守りつづけることができた。

「おまえはこれまで、いつも自分の気持ちのうえでは完全に独立していられたのよ、ジェンニー。それはおまえもよく知っているはずだわ。おまえが分別のつく年ごろになってから、わたしは何ひとつどうしろなんて言わなかったし、おしつけがましい注意だってしたことがなかった。いまでもおまえは、わたしの考えなんか聞かずに、自由にできると思っていていいのよ。でも、わたしとしては、つまりわたしの務めとして……」

「ママ、もうけっこう！」

「……わたしの務めとして、たといそれがむだだとわかっていても、おまえに言ってきかせなければならないの……つまり、おまえに、自分によく気をつけるように言ってあげなければならないという務め……ジェンニー……わたし、おまえの正しい気持ちに呼びかけるのよ……おまえとしたことが、善悪の観念をすっかり忘れてしまうなんて。考えられることかしら！　目をあけるのよ。自分というものを取りもどすのよ！　おまえはいま、まるで考えられないほど迷っているわ……そして、自分自身を、ただ自分の感情のためだけに投げだしてるわ。すこしも後悔しないばかりか、そうやって自分を投げだすことが、さも……力や……勇気や……気高さをさえ見せることでもあるかのように思って……」夫人は、息切れを感じていた。自分には荷が勝ちすぎる……なにしろあまりにも疲れている……それに、どうもドジをふんで、言わなければならないことも言いもらし、話すときの言葉のちょうしさえまちがっていたと感じないではいられなかった。……おそらく夫人は、そのまま口をつぐんでしまったかもしれなかった。だが、たまたま、からだを横たえていたジェンニーを見ると、ダニエルのディヴァンの上にからみあっていたふたりの姿が、とつぜん目の前に浮かびあがった。

「恥ずかしいと思わなくっては！」と、夫人はつぶやくように言った。

「ママ、もうけっこう！」と、ジェンニーは、脅やかすような強いちょうしでくり返した。

「恥ずかしいことだわ！」と、夫人は、自分を制しきれなくなって言葉をつづけた。「ジェンニー、おまえとしたことが？　まだほんの小娘のおまえが！……ひとりでいたのをいいことにして、誘惑にまけてしまうなんて！……」夫人は、とつぜん、怒りにまかせて、とんでもないことを言ってしまったのに気がついた。そして、そのまま急に言葉を切ると、話の向きを変えた。「これほど重大な、これほどえらい結果になる決心を、わずか幾日でつけられるものかしら？　一生をきめてしまうようなそうした決心を？　しかも、おまえだけでなく、わたしたちの一生までも……おまえの兄さんの一生、それにこのわたしの一生までも……なにしろ、わたしたちみんなの将来まで、どうなろうかというのですよ！　せめてそのことを考えてくれたかしら？　そう！　おまえは……」

「けっこうよ、ママ！　もうたくさん！」

「おまえはとりのぼせてしまったのよ！　まるで子供みたいなことをやったのよ！」と、フォンタナン夫人は、なんと言っていいかわからぬままにそう言い放った。そして、たえず心にくり返していた言葉を、うっかり口に出してしまった。「とんでもないことになりそうだわ！」

ジェンニーは、心に、冷然とした、はげしい気持ちのわき起こるのを感じた。それは、深い水底からわきあがる波のように彼女をゆりあげ、とつぜん彼女を立ちあがらせた。きょうというきょう、母というものがなんとはっきりわかったことだろう！　無理解、冷淡、利己主義！

「わたし、はっきり言いましょうか？」と、彼女は、フォンタナン夫人のほうへ歩みよりながら言った。「ふたりのうちで、もし自分というものがはっきりわからずにいるものがあったら、それはママのほうなんだわ！　そうよ！　ママは、自分の将来のことばかり考えて、わたしの将来ということを考えていてくださらないの！　いまになって、はじめてわたしにわかったことがあるわ。つまりママは、これまで自分のために、自分のためばかりにわたしをかわいがってくだすったの！　そして、嫉妬心から、わたしたちに反対しておいでになるの！　ママは、やきもちをやいていらっしゃるのよ！　やきもち！　ママは、たったひとつのことだけしか考えていないのよ。わたしというものを、自分のためだけにそばにおいておきたいということ！……でも、そんなことはあてにしないで！　もうだめ！　こんな心配をおさせしたくないけれど、でも、早くわかったほうがいいと思うわ。ジャックは今夜、スイスへ向けて出発するの。そして、わたし……わたしもいっしょに出かけるの！」

「今夜？　スイスへ？」と、フォンタナン夫人は、ほとんど聞きとれないような声でつぶやいた。「急に思いたってのことではないの。ママのお帰りになるまえから、そうすることにきめていたの。

最後の汽車で……」

「おまえ？　今夜？」

「そうよ。もう少ししたら！」

「いけません！　とんでもない、ジェンニー！　いけません！」

「なんと言ってもだめ。どうにもならないことなのよ」と、きっぱりした声でジェンニーが答えた。

「いまとなっては、誰ひとり、わたしたちの考えを変えさせたりはできないの！」

「わたしが反対よ！　わかりましたね？」

それには答えようともせずに、ジェンニーはただ肩をそびやかして見せた。

「わかる、ジェンニー？　わたし、おまえに出発することを許しません！」

「なんとおっしゃってもむだ……わたし、改めて申しあげるわ……それに、わたしをとやかくおっしゃるかわりに……もしママに少しでも愛情がおありだったら……」

「少しでも愛情があったらですって？……」と、フォンタナン夫人は言いよどんだ。夫人は、ほかの言葉はすべて忘れて、ただ、このおそろしい言葉ばかりを記憶にとどめた……

「そうよ！　もしママが、ほんとにわたしの幸福を考えていてくだすったのなら」と、ジェンニーは、いますっかり自制を忘れて言ってのけた。「もし、わたしのことを思って、わたしを愛していてくだすったのなら、そうよ、ママはきょう……」

これを聞かされたフォンタナン夫人は、もうこれ以上がまんができなかった。彼女は両手でひたいをかかえ、耳を指でふさぎながら、わが身を刺すような娘の声を聞くまいとした。

《すべては、人間ではなくって、神さまのおはからいによるものなんだ》と、夫人は目をとじながら考えた。《主よ、どうぞみ旨を成らしめたまえ！》

夫人は、ずっしりしたひびきを耳にして、おそるおそる頭をあげた。ジェンニーは、ドアをばたりとしめて、すでに部屋から出て行ってしまっていた。ベッドの上には、もはや帽子もヴェールも見られなかった。

《祈らなければならないのだ……祈らなければ》と、フォンタナン夫人は思った。

夫人は、さっき自分の目で見たままのジェンニー、われを忘れ、ふてぶてしいようすで立ちあがったジェンニーのおもかげを払いのけることができなかった……

「主よ」と、夫人は訴えるように言った。「お助けくださいまし。力をおあたえくださいまし！……何ひとつとり返しのつかないことはございません……主のお造り遊ばしたものについて、ぜったい絶望してはならないのでございます……」夫人は、ゆっくりと、聖なる言葉を二度までつづけてくり返した。《目に見ゆるものを見ることなく、見えざるものに心せよ。目に見ゆるものは一時のものにして、見えざるものは永遠のものなればなり》

やがて、初めのうちばかのようになっていた時につづいて、こんどは逆に、思いがけなく活発な精神の動きが見られだした。夫人は、打ちのめされたように、肩をまるめ、両手を組み、身動きもせずに安楽椅子にからだを埋めていた。だが、頭は、きわめて明晰に動きつづけていた。彼女は、忍耐づよく、最初の良心検討をこころみた。いつも苦しい時にするように、彼女はその苦しみを分析し、その輪郭をきわめ、つまりそのものを独立したものとさせ、それを主の前にささげ得るものとさせるため、それにはっきりした形をあたえようとした。「《主にささげざるものは、すべて失わるるなり……》」

ジェンニーがスイスへ行くということ、それは必ずしも夫人の心をいちばん大きく動転させたものではなかった。夫人には、どうしてもそれを信じることができなかった。夫人にとって、何よりつらかったのは、自分が欺かれたという一事だった。彼女の痛手、真実の、そしてもっとも深い痛手はそれだった。夫人は、自分の物わかりのいい愛情、ジェンニーを、まだほんの少女にすぎないころから自由にしてやっていたということから、ふたりのあいだにはしっかり信頼しあう習慣がつくりあげられ、重大な決心であるかぎり、ジェンニーが自分にそれを知らせ、自分の同意を求めないことがあり得ないものとむじゃきに信じこんでいたのだった。ところが、ジェンニーは、夫人にとって一生の重大時期のおりもおり、夫人の前から身をかくしてしまったのだ。夫人の留守をさいわい、これまできわめてきびしい親がかりの身として育てられていた娘のねこっかぶりというやつで、急に反抗的態度に出たと思うと、窮屈な、わけがわからないままにじっとがまんしてきた監督の目をふりすてる娘とでもいったように、まんまと夫人をだましてのけたのだった。夫人としては、ついいましがたのなさけない一場面もさることながら、娘の愛情について、なんの疑いをも持っていなかった。そして、自分のほうでも、母としての愛情が、そのためつゆ薄らいだとも思わなかった。そうだった。夫人のうけた手ひどい打撃は、彼女の信頼にたいする打撃だった。夫人がジェンニーによせていたあれほどの信頼、それがああしてむざんにも裏切られたとき、それは永久に消えることのない痛手だった。愛情にかけては、昔と少しも変わっていない。だが、はたしておなじだけの信頼が持てるだろうか？　いな、もうこのうえはぜったいに。

そう考えると、夫人は絶望せざるを得なかった。彼女は、ふたたび聖書を手にして、行きあたりばったりに開いてみた。彼女は、たいした努力もせずに、注意を本文にあつめることができた。気持ちも少しずつ落ちついていった。それは、ふしぎな、思いがけない、ほとんど心配されるほどの落ちつきだった。するととつぜん、さらに注意をこめて自分自身を調べていた夫人は、そうした落ちつきのおそるべき秘密が、ちらりとわかったように思った。彼女の心には、自分も知らないうちに何かしら一つの気持ちが生まれ、それが早くも、ゆっくりと、確実に、大きくなってゆきつつあった……それは、彼女の生活のいちばんつらかった時期、すなわち、これ以上無益な苦しみをつづける気力もなく、ジェローームと別れようと決心したころに味わったところのものだった。気持ち？　あるいはむしろ、本能的な反動といったほうがよいかもしれない。それは何かしら有機的な抵抗といったようなものだった。《それは》と、夫人は思った。《わたしたちをある種の苦しみに堪えさせてくれるため、〈自然〉の英知が、わたしたちの中からひき出してくれるところのものなのだ……》夫人は聖書を下においた。そして、自分の感じているものの正体をはっきりさせ、それに名をつけてみようとした……あきらめかしら？……超越かしら？……愛情と冷淡、これほど矛盾しあった二つの気持ちの混合には、名づけるべき言葉がないのではあるまいか？　冷淡！　夫人は、こうした粗野な言葉に身ぶるいした。この長い年月のあいだ、いつも自分の胸をふくらませていた母親の感情、それが何かできごとの影響をうけて、たちまち冷淡になり得るということ——なるほどいまの場合、そう考えることはちょっとうれしくはあったにしても——それは、これからさき、さらに一つの苦しみをつけ加えるものにほかならなかった。夫人は目をとじた。もうこれ以上、どんなことがあっても考えてみまいとした。——《み旨の成らんことを》と、夫人はも一度つぶやいた。

だが、夫人は、悲しみに心もよろめく思いだった。夫人は、またもや両手の中にひたいを埋めた。そして涙を流していた。

七十七

ジェンニーは、しゃにむに逃げだすことを心にきめていた。そして、自分の将来のすべてがかかっているこの行動をあやまちなくやってのけるため、たといどんなことがあろうとも、も一度母の顔を見たりしてはだめだということを本能的に教えられていた……それに、考えてみるだけのひまがあってもならない！

彼女は、さっと自分の部屋まで駆けつけた。彼女は、熱に浮かされでもしたように、小さなトランクの中に、自分の持っていた下着類や何枚かの黒い着物をつめこんだ。それがすむと、歯をくいしばり、頰をほてらせながら、帽子をかぶり、ヴェールをつけ、そして鏡も見ず、まるで追跡されているとでもいったかのように住まいを出た。

《これでひとりに、そして自由なからだになれたんだ！》と、彼女は、あわただしく階段を駆けおりながら、恐怖のまじった陶酔感といったような気持ちで思った。《もうわたしには、彼のほかに誰もいないんだ！》

外へ出たとき、彼女はちょっとくらくらした。どこへ行ったものだろう？ ジャックは、二時でなければ駅の食堂には来てくれない。しかも、いまは正午をちょっとまわったばかりだ。だが、そんなことはどうでもよかった。荷物の点から便利なのは、これからすぐにブールヴァール・サン・ミシェルとブールヴァール・サン・ジェルマンを通る電車に乗って、リヨン駅へ行くことだった。

さいわい電車も待たずにすんだ。そして、後部のところに席が取れた。

《何も考えないこと》と、彼女は思った。《何も考えないこと》

そのためには、たいした苦心もいらなかった。というのは、はちきれそうな電車の中では、まるで何かしら珍事のあったあとといったように、誰も彼もが、がやがやしゃべり立てていたからだった。

「しかも奥さん、お目出たごとときたら物すごいもんでしてね！ けさもほうぼうの区役所では、戸籍係の窓口は、いったいどこへ行っていいかわからないほどの騒ぎでしたよ。つまり、出発まえに結婚しようという応召者たちでいっぱいでしてね」――「だって手続きが……」――「なあに、きわめてかんたんになったんですよ。乱にあっては乱にしたがえ、というやつでしてね……出生証明書二通と軍隊手帳さえあれば、たといどんな関係だろうが、わずか五分で正式なものにしてもらえましてね……」――「わたし、けっこうだと思いますわ。精神的でもあるし、実際的でもあるし……」――「精神の面では事欠きませんや！　わがフランスでは、いざとなったらたちまち即応してやりますからな」――「わたし、城壁《フォルチフ》（パリ市をとりまく城壁）の近くのものなんですが、夜があけるなり、徴募係の事務所には黒山のような人だかりでしてね、えらい志願者なんでございますよ」――「いや」と、軍服をつけたひとりの軍医が訂正した。「まだ志願を受けつけてはいませんよ。つまり、聞き合わせとか、たぶん申しこみだけというわけでしょう……」

バスティーユで乗りかえた電車も満員だった。乗客は、立ったまま、腰掛けのあいだにもぎっしり詰まっていた。それにもかかわらずジェンニーは、親切なひとりのおかみさんのおかげで腰がおろせた。荷物を持てあましている彼女を見て、自分の小さな娘に席をゆずらせてくれたのだった。

電車のひびきと人々の話し声に揺られながら、ジェンニーは、自分自身の考えからのがれたいという一心で、頭の上でとりかわされる人々の話に、すすんで耳をかしていた。

電車は、サン・ジャック町のところで、ソルボンヌのほうをさしてあがって行く軽砲兵連隊を通すためにとめられた。

「どうやら、パリの軍隊という軍隊が、みんなこっそり発ってったらしいな……」――「ちゃんと手配ができてるらしいぜ。何から何まで……軍隊式にはこばれてるんだ」――「ちがいねえ！　はじめがこの式で行くんだったら、てきぱきかたづくことだろうぜ！」――「わたしは休暇でヴォージュ（フランス東部の山地）のリボーヴィレールに行ってましたがね……ところがどうです、東部の勇ましい兵隊たち、とりわけ猟歩兵たちを見たときには、みんな安心しきったものでしたよ！」――「それはそうかもしれないが、十キロも後退するなんて、ずいぶんだらしがないですな……」――「なあにそれぐらい！　やつらの後ろからは二百万のロシアの剣付き鉄砲がつっつくし、前にはわれらがまわるとなったら！……」――「ホテルの亭主から聞いたんですが、リュクサンブール（ルクセンブルク公国）から来た旅行者の話に、フランスの飛行家がツェッペリン（ドイツの飛行船）の真上からつっこみ――飛行船は、まるでシャボン玉のようにはじけちゃったっていうことですぜ！」――「デマに用心がかんじんですよ」と、車掌が言った。「さっきも誰かお客さんがゆうベアルザスですばらしい大勝利だったなんて言ってましたっけ……」――「じょうだんじゃない。そいつはたしかにヨタすぎらあ！……だが、なんでもドイツの斥候隊が、ナンシーのまわりに出たそうですぜ……」――「ナンシーの！　まさか！」――「みなさん、ソワソンの橋を爆破させたことを聞きませんでしたか？」――「やったほうは、敵か味方か？」――「もちろん味方でさあ！　ソワソンですぞ！」――「おそらくスパイのしわざだろうな……」――「スパイに注意がかんじんだ！　はくほどいるっていうことだから！　警察だけでは手がたりない。町内なり、家の中なり、めいめいの監視が必要だな」――「わたしの兄弟は、オルレアン駅につとめていますが、その女房の話に、つい隣の部屋に住んでる男が、ベッドの下にドイツ国旗を隠すところを見たそうですよ」——「ところで」と鼻眼鏡をかけたひとりの紳士が、もったいぶったちょうしで口をはさんだ。「わたしは、ドイツ人が、《ドイツ万歳！》とどなったところで、べつにさしつかえはないと思いますな。もちろんそれは、挑戦的な性質のものでないといった範囲でですが……でしょう？　つまり、彼らはドイツ人だ、彼らに少しも罪はない……」

モーベール広場で、ふたたび電車はとめられた。群集が、すっかり通りをふさいでいたからだった。ジェンニーは、モンジュ町の入口のところで、角材を手にしてたけり立った群集の一隊が、《マギー乳製品店》と書かれた店のショー・ウィンドーを、大きな音を立てて打ち破ろうとしているのを見た。

電車の中の人々も興奮していた。

「しっかりやれ！」——「マギーってプロシャ人でしてね……」と、鼻眼鏡の紳士が言った。「しかもドイツ軽騎兵の大佐ですよ！……『アクション・フランセーズ』が、ずいぶんまえからあばいていましたっけ！　動員令の出るのを待って、奥の手をだしたというわけですな！」——「なんでも、けさ、ペルヴィルだけでも、あの店の牛乳で百人以上の子供が殺されたっていうことですよ！」

ジェンニーには、角材がくり返しぶっつけられているのが見えた。そして、それが、鉄のブラインドに重いひびきを立てている音が聞こえた。やがて、鉄板が破られた。内部のガラス窓が粉微塵になって砕け散った。店の前に集まった群集はおどりあがって喜んでいた。「ドイツをやっつけろ！　裏切り者をやっつけろ！」広場のかどに、自転車に乗った警官の一隊が駆けつけてきて車をおりた。そして、その場の情景を遠くから見まもりながら、べつに割ってはいろうともしなかった。なにしろフランスは敵から攻撃されているのだから。そして民衆は、自分の手でさばきをつけようとしているのだから。けっきょくなすがままにまかせておくよりしかたないのだ。

やがて電車はリヨン駅に着いた。

駅前の広場は、人波でいっぱいだった。ジェンニーは、荷物を引きずるようにしながら、群集をわけて食堂へ行って腰をおろした。

ひろびろとあけ放した入口からは、あからさまな光が部屋の中までそそいでいた。ジェンニーは奥の一隅に身をちぢめて、汗ばんだ両方の手を握りしめていた。ジャックが来てくれるまでにはずいぶん時間が早すぎたが、彼女は入口から目を放さなかった。息づまるような暑さだった。電車に揺られたあとでのこの皮椅子のかけごこちの悪さで、からだのふしぶしが痛んでいた。日の色は、目がくらみでもするようだった。たくさんな人たちが、逆光線をうけながらたえず出たりはいったりしていた。ほかの人たちは、歩道の上を、いそぎ足に、荷物をのせた車を自分でおしながら通っていた。ジェンニーは、ちょっと見るのをやめて、そばにおいたトランクを手にすると、それをテーブルの下にすべりこませた。やがて、彼女はそれをまた腰掛けの上にのせ、ふたたび外をうかがいはじめた。こうしたちぐはぐな動作からも、彼女のいらいらしていることがうかがわれた。ここへ来るまでは、うまく自分というものを忘れていられた。だが、こうして自分自身と向かいあっていると、何ひとつ自分をささえてくれるものがなかった。そして、おそらくこのさき一時間、ひとりぼっちで、こうした心の中の興奮に身をまかせていなければならないと思うと、堪えがたい不安でいっぱいになった。つとめてなんでもないようなことに心を向け、毒にもならないようなつまらないことをいろいろ考えてみようとした。だが、いままで遠くへおしやっていた恐ろしい考えが、まるでとびかかろうとしてだんだん輪をちぢめてくる肉食鳥といったように、自分の頭のまわりを飛びまわりはじめていた……彼女は、身を守ろうとして、ちょっとのあいだ、目の前にならんでいるものを点検してみたり、かごの中のクロワサンや、うけ皿の上の角砂糖を数えてみようとした。それにつづいて、ふたたび入口のほうへ目を向けて、人々の行き来をながめた。帽子をかぶらない白髪まじりのひとりの女が、入口からはいってきた。そして、戸口のそば、とっつきにあったあいたテーブルを見つけると、両手に頭をかかえ、がっくりひじをついてすわりこんだ。そのとたん、ジェンニーは、いままで遠のけようとしていた思い出、そして、すきあらば彼女におどりかかろうとしていた思い出に取りつかれてしまった……目の前には、安楽椅子に身を埋め、両手をしっかりこめかみにあて、自分が残してきたときそのままの母の姿が見えたのだった。いまごろ何をしているかしら？　昼ご飯をたべようとでもしているかしら？　ジェンニーは、乱雑な台所の中、よごれた皿、ふたり分の食器類を前にした母の姿を思い浮かべた……そして、こんどは自分も目をとじて、ひたいを両手の中に埋めた。

しばらくのあいだ、彼女は身動き一つしなかった。≪ママはやきもちをやいてるんだ！……ママに少しでも親切な気持ちがあったら……》彼女は、自分の言った言葉を心のうちにくり返した。どうしてあんなことを口にしたのか、またそのあとで、どうして家を出る気になったのか。自分自身にもわからなかった！

やがて彼女が顔をあげたとき、その表情は落ちつき、こわばっていた。そして、頰には、指でつよくおさえていた痕がはっきり残っていた。《考えてみてもなんにもならない》と、彼女は思った。《つまり、わたしとしては、ああしなければならなかったんだ。ほかにしようがなかったんだ》彼女は、なおしばらくのあいだ、何を見るともなくじっとひとみをこらし、決心の重さにおしつぶされていた。彼女はいま、ただ一つの事についてだけためらっていた。そのための一挙手一投足、そのおごそかな義務、自分はそれをなすために、ジャックの来るのを待とうというのだろうか？　それはまたなぜなのか？　彼に相談しようと思ってなのか？　してみると、よせと言ってもらいたさが残っているとでもいうのだろうか！　いや、ちがう。断じて決心は変えないつもりだ。すると、差しせまってのことは、母の苦しみを少しでも早く切りあげさせてやることではなかろうか？

彼女は、からだを起こして、ボーイを呼んだ。

「どこか速達の出せるところがあって？」

「郵便局でございますか？　きょうのような日でしたらあいていましょう（八月二日は日曜日）！　そら、ここから見えます。あの青い街灯のところ……」

「荷物を預かっといてちょうだい。すぐ帰ってくるから」

彼女は駆けながら出ていった。
まさに、郵便局はあいていた。窓口には、一般の人たちや軍人たちが詰めかけていた。彼女は、速達用紙を一枚もらうと、ただひと息に書きおろした。

ママ、わたしばかでした。ママをいじめたことを一生忘れないでしょう。でも、お願い。ママどうかわかって、そして忘れてちょうだい。わたし、やはり残ることにします。今夜ジャックといっしょにスイスへ行くことはやめにします。ママだけひとり残して行きたくない。ジャックには、いまが最後の期限。どうしても出発しなければならないのです。わたしはあとから行くことにします。できたらママと。いかが？　いっしょにいらしってくださるわね、わたしがあの人のところへ行くとき？
すぐにも帰りたいの。ママにキスしに駆けつけたいの。でも、あの人の出発まえの何時間、それをあの人といっしょにすごさないことはつらすぎます。今夜、ママのところに帰って行きます。そして、何から何までお話ししますわ。そして許していただきます。

ジェンニーは、読み返さずに封をした。その手はふるえていた。そして全身には冷たい汗をかいていて、下着が肌に張りついていた。速達をポストに入れるまえ、彼女はそれが次の時刻に配達されることをたしかめた。それから、ゆっくり、ふたたび広場を通りぬけて、食堂の片すみへもどって行った。

　するだけのことを済ましたので、少し気が落ちついたとでもいうのだろうか？　彼女は、われとわが心にたずねてみた。だが、なんの答えも得られなかった。つらかったことをやってのけたので、ぐったりしたような気持ちだった。出血のあとと言ったように、ぐったりしてしまった感じだった。すっかり張りをなくした彼女には、ジャックの来ることが恐ろしくさえ思われた。彼から遠くはなれていれば、もっと心をしっかり保て、約束が守れるように思われたのだ。彼女は、自分を納得させようとした。《幾日かおくれて……一週間……せいぜい二週間おくれるくらいで……》だが、彼と別れての二週間！　そうした別離を考えたとき、それはまさに死を前にするといったほどに恐ろしかった。

　やっと入口のところにジャックの姿があらわれたとき、彼女は立ちあがると、顔色を変え、元気なく、じっとそのほうをみつめて立っていた。ジャックもすぐに彼女を見つけた。そして、最初ちらりと見ただけで、何か重大な事がおこったことを見て取った。

　彼女は、たまらなそうな身ぶりをして見せながら、どんな質問にも答えなかった。

「ここではいや……出ましょう」

　ジャックは、彼女の手からトランクを取った。そして彼女について外へ出た。

　ジェンニーは、歩道の上、人ごみの中を幾足か歩いた。と、とつぜん立ちどまった。そして、彼のほうへ悲痛な眼差しをそそぎながら、きわめて低い声で、きわめて早口にこう言った。

「わたし、今夜、ごいっしょに行けないわ……」

ジャックの唇がかすかに開いた。だが、なんとも返事をしなかった。彼は、からだをこごめて、トランクをおろした。だが、ふたたびからだを起こしたとき、ほとんど自分でもそれと知らずに、表情をととのえるだけのゆとりを持っていた。打ちのめされたといったような、そして、不審に堪えないといったような表情には、最初われ知らず心のうちにひらめいた《おれの使命……これでまったく自由になれるんだ！……》といったような考えの、片鱗さえもうかがえなかった。

ふたりは、旅行者や兵士どもにおし返された。彼はジェンニーを、壁のくぼんだところ、二本の柱と柱のあいだにすわらせた。

彼女は、せきこんだちょうしで言葉をつづけた。

「わたし、出発できないの……ママから離れるわけにいかないの……きょうはだめ……じつは……わたし、ママにとてもひどいことを言っちゃったの……」

ジェンニーには、彼の眼差しを見るだけの勇気がなく、じっと地面をみつめていた。いっぽうジャックは、彼女のようすをながめていた。そして唇をふるわせ、目には深い陰をたたえ、彼女の話しだすのを助けようというようにのぞきこんでいた。

「わかってくださる？」と、彼女はつぶやくように言った。「わたし、とても出発する気になれないの。あんなことがあった以上……」

「わかるさ、わかるさ……」と、彼もつぶやくように言った。

「わたし、ママのそばにいなければ……せめて、ここ幾日でも……向こうであなたといっしょになるわ……すぐ……できるだけ早く」

「そうだ」と、彼は力をこめて言った。「できるだけ早く！」だが、心の中では、《だめだ、永遠に……これでおしまいだと》と、思った。

ふたりは、しばらくのあいだ、麻痺したように、黙りこんだまま、顔を見かわすこともせずにいた。彼女としては、母と自分のあいだにおこったことを打ちあけたいと思っていた。だが、事の細かないきさつについては、いまは思いだすことさえできなかった。それに、そんなことをしたところでなんになろう？　彼女は、そうした自分だけの、人にわからぬ悲劇の中心に身をおいて、たまらなくひとりぼっちの気持ちだった。その悲劇には、ジャックはなんの関係もないのだった。そして、ずっと赤の他人にちがいないのだった。

ちょうどこの時、ジャックもまた、たまらなく彼女から離れてしまったような気持ちだった。ほかのあらゆるものからも離れてしまったような気持ちだった。二時間以来、彼を陶酔させていたヒロイズムの気持ちは、彼を孤立させ、あらゆる正常な感動にたいして無感覚なものにさせていた。何かにぶつかってとまってしまった時計とでもいったように、彼の気持ちは、ジェンニーの口から出た——自分を解放してくれた——最初の言葉、《わたし、出発できないの》という言葉のうえにじっととどまって動かなかった。彼の態度にしめされた悩ましさと絶望、それは見せかけだけのものではなかったが、けっきょくうわべだけのものだった。これで、最後の束縛が破れようとしている。いよいよ出発するのだ。たったひとりで出発するのだ！　すべてはこれでかんたんになったのだ。

ジェンニーは、もうあしたから見られなくなるだろうと思って、じっと彼の顔をみつめていた。彼女は、相手の顔から発する力に打たれながらも、心が動転していたため、いかなる変化が相手の心におこっているのか、またその決心によって、いかなる新しい、解放された彼の顔がしめされているのか、見わけることができずにいた。いとしい思いを眼差しにこめて、彼女は、相手の表情ゆたかな大きな口のあたり、あご、肩のあたり……かつて、それをまくらにして眠った、あの響きの高い、がっしりした胸のあたりをうっとりながめていた……そして、来たるべき一夜を、もう彼に身をよせ、そのぬくみに包まれてすごすことができなくなったと思うと、その悲しみに鋭く胸をつらぬかれて、あらゆることを忘れてしまった。

「好きだわ……」

だが、たちまち、ジャックのひとみの中に何かひらめいたのを見てとった彼女は、うっかり愛情をしめしすぎたことに気がついた……そのひらめきの意味に気のついた彼女は、思わず恐怖に身をふるわせた。自分はただ、彼の腕にだかれて寝ることだけしか考えず、そのほかのことは考えてさえいなかったかもしれないのだ……

ジャックは、興奮した眼差しで、じっと彼女の目をのぞきこんでいた。そして、ほとんど唇をうごかさず、つぶやくようにこう言った。

「出かけるまえに……ぼくたちの最後の午後だ……いや？」

彼女としては、こうした最後の喜びをこばむ気持ちにはなれなかった。さっと顔をあからめると、やさしく、なさけなさそうに微笑しながら顔をそむけた。

ジャックの目は、彼女をはなれて、日のあたっている広場の向こう《オテル・デ・ヴォワヤジュール》……《セントラル・パレス》……《オテル・デュ・デパール》などと、金文字の看板のかがやいている旅館の上にしばらくのあいださまよっていた。

「行こう」と、彼はジェンニーの腕を取りながら言った。

七十八

サフリヨは、不審そうなようすをした。

「誰から聞いたんだ?」

「カルージュ町の家番からさ」と、ジャックが答えた。「いま汽車からおりたばかりだ。まだ誰にも会っていないんだ」

「Si, si（イタリア語。《よしよし》）じつは、ブリュッセルから帰ってから、ずっとおれのところにいるんだ」と、サフリヨは打ちあけた。「身をかくしてるんだ……おれにはわかっていた。アルフレダなしに自分の家へ帰るのがつらかったんだ。だからおれは言ってやった。《パイロット、あっしのところに来るがいいや》って。で、やって来た。そして、上にいる。まるで刑務所そのままの暮らしなんだ。日がな一日、ベッドの中で新聞を読んでる。リューマチが痛むといってね……だが、それも一つの Pretesto（イタリア語。口実）さ」と、目くばせしてみせた。「誰にも会おうとしなかった。リチャードレーにさえ！ いや、ずいぶん変わった！ 女のやつに、すっかり足をさらわれたんだ！ まさか、あんなになろうとは思わなかったな……」サフリヨは、絶望といったような身ぶりをした。「もうあの男もあがったりだな」

ジャックは、なんとも答えなかった。サフリヨの言葉は、まるで靄をとおしてといったように聞こえていた。彼は、パリ・ジュネーヴ十八時間の長いながい汽車旅行のあいだ、まるで夢遊病者のようにすごしてきた状態から抜けきれずにいた。それに、歯茎が痛んでたまらなかった。それは、数週来、幾度となく眠りをさまたげていたのだったが、ゆうべ、汽車中での風の吹きとおしで、さらにはげしさをましていた。

サフリヨは、しゃべりつづけていた。

「飯は食ったか？ 飲み物は？ 何もほしくない？ では、タバコを一本巻かないか。なかなかうまいぞ。アロスタ産だ！」

「ぼくは、彼に会いたいんだ」

「ちょっと待てよ……上へ行って、おまえが帰って来たことを知らせてやろう。会おうと言うか、いやと言うか……そう言えば、おまえもずいぶん変わったな！」と、彼はむずかしそうな眼差しをジャックにそそいだ。「Si, si! おれの言うことを聞いていない。戦争のことを思ってるんだな……誰も彼もが変わっちまったよ……ところで、向こうのようすはどうだった？ わけなく発ってこられたか？……ところで、何よりたまらないのはこのことなんだ。誰も彼もが、軍人になってしまってからの熱狂ぶりだ！ やつらの軍歌だ、やつらの furia（イタリア語。《狂気》）だ！……応召者をのせた軍用列車！ やつらは、目をかがやかせて、《ベルリンへ！》とわめいている。そして、向こうでは《Nach Paris!》（ドイツ語。《パリへ》）だ」

「ぼくの見た連中は、歌なんかうたってはいなかった」と、沈みこんだようすでジャックが言った。

だが、つづいて、はっと目がさめでもしたように、熱にうかされた声で言った。「サフリヨ、たまらないのは、そんなことではない……それは、インターナショナルのことなんだ……インターナショナルは、何ひとつしようとしなかった。インターナショナルは裏切った……ジョーレスが死ぬと、誰も彼もがゆるんでしまった！ 誰も彼もが。きわめて優秀なやつらまでが！ ジョーレスの親友だったルノーデルも！ ゲードも！ サンバも！ ヴァイヤンも！ そうだ、ヴァイヤンだけは、それでもたしかに人物だった！ 彼だけだ、《戦争よりは反乱を！》と、議会で言ってのけたのは。誰ひとり！ C・G・Tの指導者までもだ！……これはいちばん不可解なんだ！……彼らは、けっして議会政治にそこなわれていたわけではなかった！ そして、連合委員会の決定もきわめて明瞭なものだった。いわく、《宣戦と同時に、即時ゼネスト！》……動員令発動の前日、プロレタリアはまだためらっていた。やろうと思えばできたんだ！ ところが、やつらは、やってみようとさえしなかった！

《神聖なる国土！　祖国！　国民的団結！　プロシャ軍国主義に対する社会主義防衛！》彼らの口にしたのはそれだけだった！　そして《いったいこれからどうするんだ？》と聞かれると、ただ《動員に従え！》としか答えることができなかった」

サフリヨは、いっぱい涙をたたえていた。

「ここでも、何から何までひっくりかえってしまったんだ」と、彼は、ちょっと黙っていてから言った。「同志たちは、みんな声をひそめて話している……いまにわかるさ！　誰も彼もが変わっちまった……こわいんだな……今日のところ、連邦政府《スイス政府》は中立だ。おれたちも自由にさせてもらっている。ところがあしたは、そしていざ出かけるとなったあかつき、出かけるさきはいったいどこだ……誰も彼もがびくついている。どこからどこまで、その筋の目が光ってるんだ……《本部》には誰もいない……リチャードドレーは、夜、自分のところか、ボワソニのところで集まりをやってる……みんな、新聞を持ってきて、読めるやつが、ほかの連中のために翻訳してやる。それから論争。そしてみんなは興奮する……なんの役にも立たないことに！　いったいなにができるというんだ？……リチャードドレーだけは仕事をしている。彼は信じて疑わない。インターナショナルは滅びない、さらに力強いものになって生まれかわると言っている！　いまこそイタリアが発言すべき時だと言っている。彼は、スイスとイタリアの社会主義者が団結して、名誉回復をはかるべきだと言っている……というのは」と、彼は昂然とひたいをあげながら言葉をつづけた。「おまえも知ってるとおり、イタリアでは、プロレタリアの全部が忠実だ！　イタリアこそは革命の真の祖国だ！　党の指導者たち、マラテスタ、ボルギ、ムッソリーニ、すべていままでにないほどな戦いぶりを見せている！　それは、イタリア政府をも戦争に踏み出せないようにと思ってだけのことではない。ヨーロッパのあらゆる社会主義者たち、ドイツの、またロシアの社会主義者たちの団結によって、やがて平和をとりもどそうと思ってなんだ！」

《そうだ》と、ジャックは思った。《みんなは、平和をとりもどすため、もっと近道のあるのを忘れているんだ！……》

「フランスにも、まだしっかり踏みこたえている連中がいないことはない」と、ジャックは、そんな問題はもう自分になんの興味もないといったような、無関心なちょうしでつぶやいた。「たとえば、金属工組合の連中などと連絡を取るんだな。あそこには、なかなかしっかりした人物がいる。メランのうわさをきいただろうか？……それにマナットと、『労働生活』の連中がいる。やつらはびくともしなかった……それにまだ、いる。マルトヴ……ムールラン、それに『戦　旗《エタンダール》』の連中……」

「ドイツには、リープクネヒトがいる……リチャードドレーが、すでに連絡をとっている」

「ウィーンにも……オスメールがいる……ミトエルクを通じたら、わけなく連絡が……」

「ミトエルク？」と、サフリヨがさえぎった。サフリヨは立ちあがっていた。そして、ぶるぶる唇をふるわせていた。「ミトエルク？　では知らないのか？……やつは出かけたぞ！」

「出かけた？」

「オーストリアへ！」

「ミトエルクが?」

サフリヨは、まぶたを伏せた。そのローマ人ふうのりっぱな顔のうえには、むき出しの、動物的な悲痛の色が読みとられた。

「ブリュッセルから帰ってきた日に、ミトエルクは、《おれは帰る》と言った。われわれはみんなこう言ったんだ。《気でもちがったのか! きさま、脱走者を宣告されているんじゃないか!》って。ところが、あいつはこう言った。《ちがいねえ。だが、脱走者と卑怯者とはちがうんだ。脱走者は、いざ戦争となれば帰って行く。おれは行かなければならないんだ!》って。おれは言ってやった。《だがミトエルク、行ったところで何をするつもりだ? まさか軍隊にはいろうというわけでもあるまい?》おれには納得がいかなかった!……すると、あいつはこう言った。《そうよ、軍隊になんかはいるもんか。手本をしめしてやるためなんだ。みんなの前で、銃殺されるためなんだ!……》こうなんだ。そしてその晩、あいつは出発した……」

言葉は、すすり泣きに終わっていた。

「ミトエルクが?」ジャックは、ぼうぜんとした目つきでつぶやいた。そして、しばらくあいだをおいてから、サフリヨのほうをふり向いた。「さ、ぼくが来たって言ってきてもらおう」

ひとり残された彼は、低い声でくり返した。《ミトエルク……》ミトエルクは、たしかにあることをなしたのだった。ミトエルクは、彼としてなし得るかぎりのことをなしたのだった……彼は、自分が飽くまでおのれに忠実だったことを自分自身に証明するため、できるかぎりのことをしたのだった！……そして、彼は手本となるための行為を選んだ。そして、自分の命をそれにささげた……

二階からおりてきたとき、サフリヨは、ジャックの面上に、何か消えのこる微笑のかげといったようなものをみとめてはっとした。

「チボー、運がよかったぞ！　会おうと言ってる……さ、あがって行け！」

ジャックは、サフリヨのあとについて、薬屋の店のほうについているらせん形の階段をあがっていった。あがりきったところで、サフリヨはからだをかわして、物置きの奥の板張りになっている隠れ家をしめした。

「あそこだ……ひとりで行け。そのほうがいいんだ」

メネストレルは、戸のあいたほうへ顔をふり向けた。彼は、顔をかがやかせながら、ベッドの上にからだを横たえていた。汗でぴったりなでつけられたようになった黒い髪が、ただでさえ小さい頭をずっと小さく、ひたいをぐっとふくれあがったものに見せていた。彼は、だらりとたらした手の先に一枚の新聞を持っていた。頭の上には、燃えるような四角な窓を背景にして、天窓が一つあいていた。部屋は、息がつまりそうだった。たたきのゆかの上には、ひろげたままの何枚かの新聞紙が散らばり、さらに、なかば吸いさしのタバコの殻が散らかっていた。

勢いこんで飛びこんでは来ながら、ベッドまでの途中でぴたりと立ちどまって微笑しているジャックを前にして、メネストレルはなんの受け答えもしなかった。それでいながら、彼は、リューマチス患者とも思われないほどの元気さで（ジャックは、すぐに《oune pretesto》（イタリア語。《気張りだな》）と、思った）、立ちあがっていた。彼は、色のあせた青い飛行家用のコンビネーションを、裸のからだにじかにつけていた。開いた襟のあいだからは、毛ぶかい、肉の落ちた胸が見えていた。なんとなく身じまいがだらしなく、きたないとさえいえる感じだった。のびすぎた髪の毛は、すそのところが巻きあがっていて、襟首のところで、まるで鶩鳥のしりとでもいったように、羽根の巻きあがっている感じだった。

「どうして帰って来たんだね？」

「何か向こうですることがあったでしょうか？」

メネストレルは、化粧箪笥にもたれていた。そして腕を組み、ひげをもみほぐしながらじっとジャックをみつめていた。以前見られなかったように、たえず左の目をけいれん的にしばだたかせていた。ジャックは、こうしたあしらいにすっかり興ざめたかたちで、出たとこ勝負の気持ちで言葉をつづけた。

「向こうがどんなぐあいだか、とてもご想像以上です……集会は全部禁止。ミーティングなんか持ち得ない……それに検閲ときたら。どの新聞にしても、反対記事の発表なんか、思いもよらないありさまなんです……あるカフェーのテラスでは、国旗に敬礼のしかたがおそかったというんで、なぐられたやつがいましたっけ……では何をなすべきか？　兵営にアジビラでも撒きますか？　たちまちぶちこまれるにきまっています。では？　サボタージュ？　これはもちろん、ぼくの柄ではありません……弾薬貯蔵庫、軍需列車を爆発させるにしたって、相手が何百という貯蔵庫、何千という列車ときてはだめです。目下のところ、向こうでは、何もすることがないんです！　ぜったい何もないんです！」

メネストレルは、肩をすくめて見せた。そして、力のない微笑を唇の上にちらりと浮かべた。

「ここにしたっておんなじさ！」

「そうでしょうか！」と、目をそむけながらジャックが言った。

メネストレルには、その言葉が耳にはいらなかったようだった。そして、化粧箪笥のほうをふり返えると、洗面器に手をひたし、その手で自分のひたいをしめした。そして、あいた椅子がないため、立ったままでいるジャックに気がつくと、書類のいっぱいつんであった一つの腰掛けをあけてくれた。あたりを見まわすときの彼の曇った眼差しは、まるで憑かれた人とでもいうようだった。彼は、ふたたびベッドへもどると、両腕をだらりとたれ、ふとんのはしに腰をおろし、深いためいきをほっともらした。

やがて、とつぜん、

「おれには彼女が必要なんだ……」

きっぱりと、ほとんど無関心といったように言い放されたその言葉、それはただ、事実を語っているだけというようだった。

「あんなことをすべきではなかったんです」と、ジャックは、ちょっとためらったあとで、つぶやくようにそう言った。

その言葉は、こんどもメネストレルの耳にはいらなかったようだった。それでいて、彼は立ちあがると、一枚の新聞を足で蹴散らして、戸口のところまで歩いて行った。そして、しばらくのあいだ、さもけがをした昆虫とでもいったように片足をひきずりながら、興奮と弛緩のまじりあったようすで、部屋の中を縦に大きく歩きはじめた。

《こうも変わるものだろうか？》と、ジャックは思った。まだ疑わずにはいられなかった。相手が自分の存在を忘れているようなので、彼にはそれだけゆっくり観察ができた。顔はやせ、そこにはもはや、力の集中や、たえず目ざめている明敏な表情も見られなかった。目はたえず動いていたが、そこには輝きというものが見られなかった。そして、眼差しはおどろくほどやさしくなり、ときおり一種の清朗さ、やすらぎといったようなものさえ見うけられた。《いや、ちがう》とジャックはすぐに思い返した。《清朗とはちがう。倦怠だ……倦怠のもたらす消極的なやすらぎだ》

「すべきではなかった？」と、ややあってメネストレルが、何か漠然と問いかけるようなちょうしでくり返した。彼は、歩きつづけながら、ちょっと肩をすくめるようなようすをして見せた。それからとつぜんジャックの前に立ちどまると、「あれ以来、いまのおれに持てなくなった観念——それは責任の観念だ！」

《あれ以来……》ジャックには、メネストレルが、単に自分の身におこったこと、アルフレダのこと、パタースンのことだけを思っているのでなく、ヨーロッパのこと、その指導者たちのこと、その外交官たちのこと、また党の役員たちのこと、そして、おそらくジャックのこと、彼が自分の任務を捨てたことを言っているのだなと感じとった。

メネストレルは、も一度、壁から壁へと歩いていってから、ふたたびベッドに身を横たえながらこうつぶやいた。

「じつのところ、誰にいったい責任があるんだ？　自分自身の行為にたいし、自分自身にたいし責任を持つべきものがいるだろうか？　責任を持つべきものを知っているか？　おれは、いままで一度もそうした人間に出会わなかった」

長い沈黙がつづいた。不透明な、息ぐるしい沈黙、それは、暑さや、仮借のない日の光とまじりあっていた。

メネストレルは、身じろぎもせず、目をつぶったまま横になっていた。横になると、とても大きく思われた。つめはタバコのために黄いろくなり、指は目に見えないまりを握りしめてでもいるように、なかばとじられていた。彼は、手のひらを上へ向けたまま、ふとんのはしに出していた。そで口から、手首がのぞいていた。ジャックは、猛禽のつめとでもいったようなその手を、その手首を、じっとみつめていた。それはいままで、これほど弱々しく、女性的に見えたことのないものだった。《あいつ足をさらわれたんだ……》そうだ、サフリヨの言葉に誇張はなかった！……だが、そうした事実を認めただけでは、なんの説明にもなりはしない。ジャックは、ふたたび、メネストレルの秘密に突きあたらなければならなかった。すべて、いよいよその時機の到来したと思われるおりもおり、あっさりすべてをあきらめるなんて？　しかもこれだけ鍛えられた男が……

《これだけ鍛えられた？》と、ジャックは心に考えた。

とつぜん、メネストレルは、からだを動かさずにこう言った。

「ミトエルクは、死に場所を求めに出かけていった」

ジャックは、はっとからだをふるわせた。

《誰もが死に場所を求めている》と、彼は思った。

しばらくの時が過ぎていった。ジャックはつぶやくようにこう言った。

「死んで、一つの仕事をする。それは必ずしもたいしてむずかしいことではないでしょう……はっきりそれと意識された仕事、窮極の仕事、何か役立つ仕事だったら」

メネストレルの手が細かくふるえた。まぶたを伏せた骨ばった顔は、化石したように動かなかった。

ジャックは、やおら身を起こし、いらだった身ぶりで、ひたいにたれさがる髪をかきあげた。

「ぼくは」と、彼は言った。「それがしたいのです」

その声に、とつぜん異様なひびきがききとれたので、メネストレルは、目をあげてふり向いた。ジャックは、じっと目を天窓へそそいでいた。光をいっぱいうけたりんとした顔のうえには、なみなみならぬ決意のほどがうかがわれた。

「後方にあっては、闘争はぜったい不可能です！　少なくともいまのところ。各国政府にたいし、戒厳令にたいし、検閲にたいし、愛国的狂乱にたいし、ぜったい打つ手はないんです、ぜったいに！　……だが、前線となると、問題は別です！　戦線に運ばれて行く人々にたいして、たしかにはたらきかける余地があります！　その人々をねらうのです！」メネストレルは、何かちょっと身ぶりをした。ジャックはそれを、自分の言葉を疑っての身ぶりと解した。だが、それは神経的なけいれんにすぎなかった。「聞いてください！　それはぼくにもわかっています。きょうは、みんな銃に花を飾って、《ラ・マルセイエーズ》（フランス国歌）や《ヴァハト・アム・ライン》（ドイツ軍歌）……そう。だが、あしたは？　歌をうたって出かけていったその男は、いまや現実に直面したひとりの哀れな男にすぎないんです！　戦争と直面した！　腹はぺこぺこ、足は血まみれ、へとへとに疲れ、砲撃や突貫、負傷者や戦死者というものをはじめて知っておびえているひとりの男……こうした男にこそ呼びかけなければならないんです！　そうした男にこそ叫んでやらなければならないんです。《ばかめ！　きみはまた搾取された！　愛国心、義侠心、勇気、きみはそうしたものを搾取された！　あらゆる人々がきみをだました！　きみが信用したあらゆる人々、きみが自分を守ってもらおうとして選んだ人たちまでが！　だが、いまこそは、彼らがきみに何を求めていたかを知るべきなんだ！　反抗せよ！　彼らのために命をささげることを拒んでやるんだ！　人を殺すことを拒んでやるんだ！　きみの正面にいる兄弟たちに手を差しのべるんだ！　彼らもまたきみのように、欺かれ、搾取された人々なんだ！　銃を捨てろ！　そして反抗するんだ！》」彼は、感動に息がつまりそうになっていた。そして、ちょっと息をついてからふたたびつづけた。「すべては、そうした男を動かすことにあるのです！……《その方法は？》とおたずねですか？」

　メネストレルは、片方のひじの上に身を起こしていた。そして、その眼差しにちょっと浮かんだ皮肉だけでは隠しきれない注意をこめて、ジャックの顔をじっとながめた。それは《そうだ。で、その方法は?》とたずねているようだった。

「飛行機で!」と、ジャックは問われるのを待たずに言いきった。そして、ちょうしをゆるめた低い声で、「飛行機だったら呼びかけられます!……戦線の上を飛ぶんです。仏独両軍の上を飛ぶんです……両軍の上に、何千何万というアジビラを撒くんです――両国語で書いたのを!……仏独両軍の司令部は、アジビラが陣営にはいることだったらふせげましょう。だが、何キロメートルという戦線にわたり、空から降ってきて、村落の上、露営地の上、いたるところの兵士の集団の上に撒き散らされる雲のようなビラだったら、ぜんぜん手出しできますまい!……ビラの雲、それはいたるところにはいりこんでいくでしょう! それは、フランスで、そしてドイツで、かならず読まれることになるでしょう!……あらゆる人がわかるでしょう!……それは手から手へ、予備隊の人々にまで、一般民間の人々の手にまでわたるでしょう! フランス、ドイツを通じてのひとりひとりの労働者に、ひとりひとりの農民に、彼らの実状、彼らが何をなすべきか、正面の敵とはいかなるものであるかを思い起こさせ、彼らたがいに殺戮しあうということが、いかに無法非道な罪悪であるかを思いださせることになるでしょう!」

メネストレルは、口を開いて何か言いかけた。だが、そのまま口をつぐむと、目を天井へそそぎながら、ふたたびからだを横にした。

「おお、パイロット、そうしたアジビラの効果のことを考えてください! 反抗へのなんと力づよい呼びかけであるかを！……効果？　おそらく物すごいものがあるでしょう！　戦線のただ一点で、両軍のあいだに交歓が生まれる。もうそれだけで、それはたちまち燎原の火のように燃えひろがっていく！　服従の拒否……指揮官たちの意気阻喪……そうした飛行のなされた日、仏独両軍の指揮系統はきっと麻痺してしまうでしょう……ぼくが飛行した地域では、あらゆる行動が不可能に陥ってしまうでしょう！　なんというすばらしさ！　その宣伝力のすさまじさ！　やれ、魔法の飛行機だ……それ、平和の使節だ……動員に先だち、インターナショナルのおさめることのできなかった勝利を、こうしていまでも、みごとにおさめることができるのです！　プロレタリアの団結には失敗しました。ゼネストにも失敗しました。だが、敵味方の交歓には、りっぱに成功できるでしょう！」

メネストレルの唇には、ちらりと微笑がきざまれた。ジャックは、一足そのほうへ歩みよった。そして、彼もまた、ゆるぎのない確信を見せながら微笑していた。彼は、落ちつきを忘れることなく、別に声を張りあげもしないで言葉をつづけた。

「いま言ったことのうち、何一つ実現不可能なことはありません。ただし、誰かに助けてもらわなければ。そして、あなたに助けていただきたいのです。あなたは、古い手づるをお持ちです。あなたでなければ飛行機を手に入れることもできません。そしてあなたは、幾日かで、ぼくに操縦を教えてくだされます。せいぜい何時間か、目的の方向へ向かって飛べさえしたらいいんですから。戦線は、じゅうぶん飛んで行けるだけの距離にあります。スイスの北部を飛びだしたら、アルザスに集結している両軍まで、なんの苦もなく飛べましょう……いや、ぼくはすっかり調べました。困難についても、危険についても……困難については、もしもあなたの肩入れさえあったら、わけなく克服できるのです。危険については――それはもちろん、一つしかないことはわかっています――だが、それはぼく一個の問題なんです」彼は、さっと顔を赤らめながら口をつぐんだ。

メネストレルは、ちらりとジャックのほうへ一瞥をおくって、彼がすべてを言いつくしたことをたしかめた。そして、しずかに身を起こすと、ベッドのふちに腰をおろした。彼は、ジャックのほうを見ないようにしていた。そして両足をぶらぶらさせ、手のひらでそっとひざのあたりをさすりながら、しばらくのあいだうつむいていた。やがて、彼はそのままの姿勢で話しはじめた。

「では、フランスを逃げだしてきたきみは、スイスで、誰からもあやしまれることなく、そうやって操縦のけいこができるとでも思っているのかな? そして、わずか幾日かで、自分ひとりで飛び立って、地図を読みわけ、地形を見きわめ、何時間かのあいだ、自分ひとりで飛べるようになれるだろうと思っているのかな?」声は淡々としていて、そこにはほとんど皮肉らしいかげも見えず、顔にも、なんら表情がうかがえなかった。やがて彼は、片方の手をあごの高さまであげていった。そして、ちょっとのあいだ、気のなさそうな注意をこめながら、きたないつめを一つ一つながめていた。「ところで」と、彼は、ほとんどぶっきらぼうなちょうしで言ってのけた。「失敬だが、きょうはこれだけということにしてもらおうか……」

ジャックは、あっけにとられたかたちで、部屋のまんなかにつっ立っていた。彼は、相手から言われたとおりにするに先だち、はたして自分の聞きちがいではなかったろうか、賛成の言葉なり、注意なり、はげましの微笑なりを受けることなく、このまま帰ったものかどうかと考えながら、メネストレルの視線をつかまえようと思っていた。

「では失敬」と、メネストレルは、目をあげないではっきり言った。

「失礼します」ジャックは、つぶやくようにそう言ってから、戸口のほうへ歩いて行った。

彼は出ようとして、むらむらとした気になり、とつぜんくるりと向きなおった。メネストレルの目は、じっと彼をにらんでいた。昔にかわらぬ烈々とした眼差し。それは、びっくりしたといったように、ジャックのうえにそそがれていた。だが、それは、いつものような底意の知れぬ眼差しだった。

「あしたまた来てくれたまえ」と、メネストレルは、おろどくほどの早口で言った。(その声は、昔ながらの声であり、昔ながらに力のこもった、いかにもせきこんだ声だった。)「あした、正午ちかく、十一時に。身をかくすんだ。わかったな? 見つかってはいけない。誰にも! 帰って来たことを誰にも秘密にしておく」とつぜん、メネストレルの顔は、とまどいしないではいられないほどの、いかにもやさしい微笑を浮かべた。「では、あした」

《そうだ》メネストレルは、ジャックが出て行き、ドアがしまるやいなや考えた。《こうなるうえは、それもよかろう……》

彼は、こうした向こう見ずな計画の成功を必ずしも信じてはいなかった。敵味方の軍隊の交歓!

ゆくゆくは、そうしたことも可能だろう。何カ月かの苦しみと、何カ月かの殺戮の後で！……だが、士気を阻喪させてやること、反抗の種子を蒔いてやること、それもたしかに悪くないのだ……《彼の気持ちはよくわかる。最後にひとつ、ヒロイズムの花をとねがっているのだ……》

彼は、立ちあがると、かんぬきを差しに行った。そして部屋の中を幾足か歩いた。

《機会……》ふたたびベッドのところへもどりながら、彼は思った。《あるいはあたえられたたった一つの機会かもしれない……たった一つの解決かもしれない！……》

七十九

ジャックは、いま頭を板壁にもたせている。かまびすしい列車のひびきは、からだの中へまでおし入ってきて、そこで大きくひろがり、彼をゆすりあげていた。三等の車室《コンパルチマン》のなかには、彼ひとりだった。窓はすっかりあけられていたが、まるで釜のなかにいるような暑さ。彼は、汗びっしょりになって、陰になった腰掛けに身を投げだしていた……聞こえるものは、もう列車のひびきではなく、発動機のうなりにかわっていた……大空を飛ぶ飛行機……無数の白いビラが虚空に散る……

ひたいをなぶる風も熱い。だが、おろしたブラインドのばたばたいうのが、何か涼しい気持ちをさそう。目の前では、旅行バッグが車の動揺につれてしきりに揺れる。色のさめた、黄いろい布の旅行バッグ、それがまるで、巡礼のずた袋といったようにふくれている。この最後の旅にまでまめやかな昔なじみの旅の道づれ……ジャックは、あわただしく、書類とか、下着類とかを少し詰めこんできていたのだった。急行にも、ほんのちょっとのところでまにあった。彼は、メネストレルの指示にしたがって、行き先も告げず、誰にも会わず、一時間でジュネーヴを去ってしまった。けさから何もたべていない。駅でタバコを買うだけのひまもなかった。だが、そんなことはどうでもよかった。

彼はそのまま発ってきた。今度という今度、それはまさしく《出発》だった。ひとりぼっちの、名も知れぬ出発――帰ることのない出発だった。この暑さ、いらいらさせる蠅、槌を打ちこむかなとこのように頭にひびく音、これさえなければずいぶん落ちつけそうな気持ちだった。落ちつき、しかもしっかりして。いまやこれまでの苦しみも、絶望も、すっかり踏みこえられてしまっていた。

彼は一瞬、目をとじた。だが、ふたたびすぐに目をあけた。夢を見つづけているためには、心を静める必要もなかった。

丘のいただきすれすれに飛んで、青い谷間に舞いおり、草原や森や町々の上を飛んで行く……彼は、メネストレルのうしろの席に掛けている。足もとには、アジビラの山。メネストレルが合図をする。機は地上に近づく。そこにうごめく青い軍帽、赤いズボン、濃緑の上着(フランス兵の服装)……ジャックは、身をかがめ、ビラをいっぱいかかえてそれを投げる。発動機がうなる。機は、太陽をめざして舞いあがる。ジャックは、身をかがめ、また身を起こし、たえまなく、足もとめがけて、白い胡蝶の雲を撒く。

メネストレルが、肩越しにこっちを見ながら、にっこり笑う！

メネストレル……メネストレル、ジャックの使命の観念は、まさにこのがっしりした一点を中心にまわりつづける。

ジャックは、ついいましがた彼と別れてきたところだった。きのうのメネストレルと、けさの彼とのなんという変わりかた！　昔どおりの指導者ぶり！　しゃんとした体軀、的確な、きびきびした態度、着物を着て、靴をはいて、ちょうど外出から帰ったところだった。しかも、迎えてくれながらの、あの得意満面な微笑！——《万事上乗だ！　運がよかった。案じるよりも産むがやすいぞ。おれたち、三日もしたら飛びだせるんだぞ》おれたち？　ジャックは、腑に落ちかねてわけのわからない言葉をつぶやいた。《党の中核であるあたら貴重な命を……危険にさらすなんて……》だがメネストレルは、彼のほうをちらりと見ながらさえぎった。そして、きつい一瞥と同時に、ちょっと肩をすくめてみせた。それは、彼にいかにも人間味のある感じをあたえて、《おれはもう、どんなことにも、誰のためにも、役に立たなくなった男だ》と述懐してでもいるようだった。やがて彼は身を起こすと、とても早口にこう言った。「多言は無用だ……きみはすぐにバーゼルへ行く。それにはいろいろ理由があるんだ。国境から飛び立てば、すぐアルザスの上に出られる……めいめい最善をつくすことにする。おれは、飛行機の準備をする。きみはアジビラの準備をする。まず文章をつくらなければ。これはたしかにひと仕事だ。だが、きみはすでに考えているにちがいない。それができたら印刷だ。そのためには、プラトネルがいる。きみは知らない？　ここに紹介状を書いておいた。グライフェンガーセの本屋だ。印刷所を持ってるし、安心できる職工がいる。あそこだったら、ドイツ語、フランス語が自由に話せる。アジビラの翻訳もやってくれる。二日三晩夜業をやったら、両国語のアジビラを百万枚くらい刷ってもらえる……念のため、すべては土曜日までに準備をする。きょうから数えてまる三日。これは必ずしも不可能ではあるまい……文通はいけない。ぼくのところはもとより、誰あてであっても、郵便物は監視されているんだから。何かあったら、気ごころの知れた男をつかって知らせる。あて名は、この封筒の中に入れておいた。そのほか、はっきりした指令もいっしょに。それに地図も。いや、いま出してはいけない。途中で見るんだ……で、国境近くの、ぼくの指定する場所に、ぼくのきめたその日、その時刻に、やってくるんだ……わかったかね？」このときはじめて、その目にはなごみが見え、声もいささかやさしさをおびた。「よし。十二時三十分のバーゼル行きの列車がある」メネストレルは、前へ進み出て、ジャックの肩に両手をおいた。「ありがとう……大仕事を引きうけてくれて……」その眼差しはうるんでいた。ジャックは、瞬間、メネストレルが自分をだいてくれるつもりなんだなと考えた。ところが、メネストレルは反対に、急にその手をひっこめた。おれはあやうく愚劣なことをしかけていた。《そうだ、それより、すぐ発たせてやらなければ》そして、軽くびっこをひきひき、ジャックを戸口のほうへおしていった。「乗りおくれるぞ。では、近いうちに！」

ジャックは、立ちあがって窓へ近づき、少し風にあたってみようとした。彼は、外をながめる。だが、この八月の日の下に、これを最後と彼の目に輝きわたっている見なれた湖水やアルプス連峰のながめも、いまは目にもはいらなかった。

ジェンニー……ついきのう、パリから運ばれてくる汽車の座席に腰かけながら、ジェンニーのことが心に浮かぶと、いつも堪えがたい胸苦しさに息のつまる思いだった。せめてもう一度、あの青いひとみの彼女の顔を両手にかかえ、ふさふさした髪の毛に指をつっこみ、彼女の眼差しのくるめきや、かすかにゆるむ唇を、じっとま近にながめてみたいと思いもした！　せめてもう一度、そうだ、これをかぎりに、しなやかな、火と燃えるあの若い肉体をだいてみたいと思いもした！……彼は、さっと座席からおどりあがると、廊下（車室の片側が廊下になっている）へ出て、窓の手すりを両の手で握りしめた。そして目をとじながら、身をよじり、息をはずませ、顔を、風と、煤煙と、油煙のはたくのにまかせていた……いま、彼は、あまり苦しい思いもせずに、彼女のことを思っていられるようになっていた。そして、あれほどはげしく愛していたのに、彼女はいまは、死んでしまった女とでもいったように思い出の中だけに眠っている。嘆いても返らぬことは、それ自身のうちに慰めを持っている。彼にとって、目的達成が目の前にせまったとき、すべて——きのうまでの生活も、パリも、この一週間の激動も——すべて、たちまちはるかかなたへ飛びすさってしまった！　彼はいま、ジェンニーとの恋のことを、まるで幼い日のことでもあるように、また、よみがえらすすべもない過ぎ去った過去とでもいったように思いだしていた。そして、これから彼に残されているもの、それこそは、目もくらむような明日のことだけにすぎなかった……

　ジャックは、さっき機械的にあげたブラインドを、そのまま下へおろした。彼は、両手をポケットにつっこんだと思うと、汗ばんだ手をふたたび出した。この暑さ、このほこり、このひびき、この蝿、なんとしてもたまらない！　ふたたび腰掛けに腰をおろし、カラーをかなぐりすて、腰掛けのすみにうずくまり、片方の腕を窓の外にたらしながら、彼は考えてみようとした。

たいせつなことはこれからなのだ。アジビラを起草すること。すべてはこれにかかっている。それは、ぱっとやみをつんざく稲妻のようなもの、これから殺しあおうとしている人々の肺腑をつらぬき、いやおうなしに真実をさとらせ、彼らをして、いっせいに立ちあがらせるようなものでなければならない！

頭の中では、すでに脈絡のないさまざまな言葉がぶつかりあっている。それに、文章も、大ぜいを前にして述べているかのような響きを立てて、すでにおぼろげに浮かんでくる。

《敵……何がいったい敵なのか？　フランス人、ドイツ人……すべて出生による偶然なんだ……人としては、おんなじなんだ！　労働者、農民大衆。勤労者！　そうだ、勤労者！　それがどうして敵になるのだ？　国籍の相違か？　だが、たがいの利害にちがいはないんだ！　すべては彼らを結びつけている！　すべては彼らを、自然の盟友たらしめているんだ！……》

彼は、手帳と、ちびた鉛筆をポケットから取りだす。《そうだ、心に浮かんだことを、そのまま書いてみることにしたら？》

フランス人よ、ドイツ人よ。誰も彼もが兄弟なのだ！　諸君はおなじ人間なのだ！　そして、犠牲者たることに変わりはないのだ！　虚偽をおしつけられた犠牲者だ！　諸君のうち誰ひとりとして、諸君とおなじ勤労者の弾丸に身をさらそうと思って、好んで妻をすて、子らをすて、家をすて、工場をすて、店をすて、畑をすてたものはないだろう！　死ぬことは、誰にとってもおそろしい。殺すことは誰しもきらいだ。命のとうとさ、誰しもそれを疑わない。戦争の愚劣さは、誰にもはっきりわかっている。こうした悪夢からのがれたい気持ち、妻を、子を、仕事を、自由を、平和を、一刻も早くとりもどしたい気持ち、それは誰にとってもおんなじなのだ！　それでいながら、諸君はいま、銃にたま込めして向かいあい、命令一下愚劣にも殺しあおうと身がまえている。しかも諸君は、たがいに知ってもいないし、なんら憎みあう理由もなく、どうして人殺しをさせられるのかさえ知ってはいない！

汽車は、速力をゆるめて、やがてとまった。

「ローザンヌ！」

思い出のかずかず……カンメンジンの下宿での、ブロンド色の板壁の部屋……ソフィア……人目につくといけないと思って、おりてみたかったがやめた。少し窓掛けをあけてみる。駅、プラットフォーム、新聞売り場……あそこに見える三番線のプラットフォーム、そここそは、冬のある夜、父の死に際してパリへ帰るとき、アントワーヌと歩きまわったところ……そのときの兄との旅が、いまではまるで十年もまえのことのように思われる！

人々が、スーツケースを持ち、子供たちの手をひっぱって、廊下の中を行ったり来たりしている。

ふたりの憲兵が車中を検査して歩いている。年のいった夫婦者が、ジャックの車室《コンパルチマン》にはいって来て腰をおろした。男は、仕事のためにこわばった手をした年寄りの労働者で、旅行のための晴着を着ていたが、すぐに上着をぬぎ、ネクタイを取り、ひたいの汗をふいてから葉巻に火をつけた。女房は、その上着をとっててていねいにたたみ、それを自分のひざの上にのせた。

ジャックは、あいかわらず片すみに身をうずめたまま、ふたたび手帳をとりあげた。熱に取りつかれたように、彼は走り書きをつづける。

わずか二週間にもならないのに、この全面的な、魔につかれたような気ちがいざた。ヨーロッパ全土をあげて！　新聞は、すべて出たらめの報道ばかり。あらゆる国の国民が、おなじような嘘に酔っぱらっている！　きのうまでは、あり得べからざること、唾棄すべきものとされていたことが、いまや避くべからざること、必然的なこと、正当なこととされているのだ！……いたるところ、仕組まれた興奮に駆られた民衆が、理由も知らないで、たがいにおどりかかろうとしている！　自分が死に、敵を殺すということが、ヒロイズムの同意語、至高の精神の同意語ででもあるかのように！……これらすべて、どうしてなのか？　誰のためか？　その責任者はどこにいるのだ？

責任者……彼は、紙入れの中から、たたまれた一枚の紙片をとり出す。それはヴァンネードが、彼のため、ウィルヘルム二世に関する本の中から、カイゼルのした演説の一節を書きぬいておいてくれたものだった。《自分は固く信じている。国家間の紛争の大部分は、こうしたけしからん方法により、ただみずからの権勢を保持し、みずからの人気を高めようとする数人の大ばか者の術策野望の結果にほかならないのだ》《こいつのドイツ語の原文を見つけなければ》と、彼は思う。《つまり、それみろ、これが諸君のカイゼルの言葉なんだ！》と言ってやりたいためなのだ。《原文をさがさなくては。どこで？　どうして？……ヴァンネードにきいてやったものか？　だが、手紙はだめだ。メネストレルにとめられている……原文をさがさなければ！……バーゼルの図書館は？　だがかんじんの本の名まえは？　それに、さがすには時間がいる……だめだ……だが！　原文をさがさなければ！……》血が頭にのぼって、くらくらする。《責任者……責任者》彼は、からだをゆすって、姿勢を変える。こいつらがいるのでいらいらしてくる。ばあさんは、びっくりしたような目で、彼を見ている。ばあさんは、彼の正面、高すぎる座席に掛けている。黒い靴をはき、白靴下をはいている。車の動揺で小さな足が揺れる……《責任者……原文をさがさなければ……》これ以上、じっと自分のほうを見ているようなら……ところが、ばあさんは手さげかごの中からパンとすももを取りだす。それをゆっくりかんでは、手の中に吐きだす。その手には、エンゲージリングが光っている。ひたいのところに、自分では気がついていないようだが、蠅が一匹、まるで死人の上にとまっているように歩きまわっている……たまらん！　ジャックは、立ちあがる。

どうして原文を見つけたものか？……バーゼルで？　だめだ、それは徒労だ……いまとなっては手おくれだ……見つからないことはわかっている！

たまらなく風にあたりたくなった彼は、廊下へ出て、両方の手で窓にしがみつく。暗い雲が、いまやアルプス連峰の上にかぶさっている。《夕立がくるにちがいない。だからこんなにむしむしするんだ……》

高いところから見おろした湖水は、水銀のように濃く、いぶしたような輝きを見せている。湖畔まてなだれおりている硫化したようなぶどう畑が、毒物のような青さを見せている。

《責任者……放火犯をさがすのには、まずその火事によって利するものが誰であるかを考えなければ……》彼は、顔をふいてから、ふたたび鉛筆をとりあげる。そして、立ったまま、窓のかまちに身をもたせて、老婆、夕立のせいである蒸し暑さ、蠅、列車のひびき、動揺、風景、それらすべてのもの、反発を感じさせるあらゆる世界を気にかけまいとつとめながら、熱に浮かされたように筆をすすめる。

目に見えぬ力である《国家》、それは諸君を、まるで農夫がその家畜をあつかうように扱ってきた！……国家！　国家とは何か？　フランス国家、ドイツ国家、それははたして国民のための、正しい、また認められた代表者なのだろうか？　国民大衆の利益を守るところのものだろうか？いな！　フランスにおいてもドイツにおいても、国家は、少数者のみを代表し、投機業者一派の代理公使にすぎない。それら一派にとっては、金銭だけが力であり、しかも、彼らは今日、銀行、大会社、運輸、新聞、軍備、計画、あらゆるものを掌握している！　彼らこそは、大多数の犠牲において特定の人々の利益をはかろうとする封建的社会組織の絶対君主だ！　この数週間、われらは、目のあたり、こうした組織の活動を見せられてきた！　こうした組織の複雑な歯車が、あらゆる平和的抵抗を一つずつ粉砕していくのを見せられてきた！　そして、こうした組織こそ、いまや銃剣を手にした諸君を国境に投げだし、諸君のほとんどすべてのものになんの関係もない、かつ迷惑でさえある利益を守らせようとしている！……死に行かされるものにとっては、自分の犠牲が、はたして何ぴとを利するものであるかを考えてみる権利がある！　すなわち、自分の命を投げだすまえに、それを誰のため、なんのために投げだすかを知ることの権利だ！

しかり、第一の責任者、それは少数の公的搾取者、大銀行家、大工業家にほかならない。彼らは、おのおのの国において血の出るような競争をこころみ、そして今日、自分たちの特権を固めるため、自分たちの繁栄をいやがうえにも盛んならしめるため、人々を犠牲にしてはばからない！　しかも、彼らの繁栄は、大衆を豊かならしめ、その運命の改善に資するどころか、諸君のうち、その殺戮からのがれ得た人々をさらに奴隷化する役にしかたたないのだ！……

だが責任者は、以上述べた搾取家たちだけにはとどまらない。おのおのの国において、彼らは政府自体の中に、その支持者なり援助者なりを持っているのだ。……すなわち責任者の中には、その第二位を占めるものとして、カイゼル自身によって指摘された誇大妄想的な、ひと握りの政治家どもがいるのだ……

《原文を見つけなければ》と、彼は思う。《原文を見つけなければ……》

……すなわちそうした大言壮語派、大臣、大使、野心をもった将軍たち、彼らは、外交と参謀本部の名にかくれて、陰謀を弄し、政略をこころみ、彼らの謀略の対象たるフランス人諸君よ、ドイツ人諸君よ、彼らはなんら諸君の意思をはかることなく、諸君に知らせることさえしないで、冷然として諸君に命を賭けさせている……それは、こうしたわけなのだ。二十世紀の民主化されたヨーロッパにおいて、いずれの国の国民も、その対外政策の運用についてはあずかることをしなかったのだ。そして、諸君が選び、当然諸君を代表すべきはずの議会でさえ、他日諸君を——諸君のすべてを——殺戮の場に送りこむであろう秘密条約のことについて、少しも知らされていなかったのだ！

そして、こうした大きな責任者の背後には、フランスにあっても、ドイツにあっても、あるいは上級銀行の投機を助長し、あるいは党派心による是認によって政治家どもの野心をかり立て、たとい多少の区別はあれ、戦争を意識的に可能にみちびいたところの連中がいる。保守政党の面面、工業家組合の面々、国家主義的新聞界の面々がそれだ！　同時に教会もまたこれに属する。事実聖職者どもは、ほとんどいたるところにおいて、有産階級のために一種の精神的な憲兵組織をつくっている。教会は、それみずからの超現世的任務を裏ぎって、いたるところで、権力者たちと手をにぎり、その人質になっている！

ジャックは、書くのをやめて、読みなおしてみようとした。だがだめだった。ちびった鉛筆をあまりかたく握りしめていたのと、興奮、窮屈な姿勢、車の動揺などのおかげで、それはほとんど読みわけにくいものになっていた。

《整理しないといけないな》と、ジャックは思った。《どうもいかん……くり返しが多い……長すぎる……相手を納得させるには、緊張した、短いものでなければだめだ……だが、彼らをして反省させ、思いなおさせるには、根本的な理念も必要だ！……むずかしい！》

彼は、もうこのうえ立ってはいられなかった。腰をかけよう。ひとりになろう……彼は、あいている車室《コンパルチマン》をさがそうと思って、廊下にそって歩いてみた。どれもこれもふさがっており、どれもこれもがやかましかった。いやおうなしに、元の席にもどらなければならなかった。

沈みかけている太陽は、目のくらむような灼金《しやくきん》の光で列車の中を満たしている。じいさんのほうは暑さに堪えかねて、消えた葉巻をくわえたまま、片ひざついていびきを立てながら眠っている。女房のほうは、そろえたひざのうえに上着をおいて、新聞であおいでいる。白髪まじりの縮れ毛が、風にゆられてしきりに動く。彼女は、ジャックの眼差しを避けている。だが、ジャックのほうでは、ひっきりなしに、ちらりと自分のうえにそそがれ、きびしく自分をみつめている眼差しに出会う。

彼は、腕を組み、目をつぶり、いやおうなしに気を落ちつけようと百までかぞえる。とつぜん、彼は疲労におし流されて眠りはじめた。

眠ったのにおどろいて、彼ははっと目をさます。何時だろう？　汽車は速力をゆるめている。どこだろう？　同室の連中は立ちあがっている。じいさんのほうは、上着を着て、ふたたびタバコに火をつけている。ばあさんは、手さげかごに錠をかけている……頭がぼうっとなったジャックは、どこの駅だか見さだめようとした。ベルヌ？　もう着いたのかしら？

「Grüetzi！（《ではごきげんよう！》。Gott grüsse Sie！を、ちぢめて言ったもの）」と、彼の前を通りながらじいさんが言った。

プラットフォームはたいへんな人。わっと列車めがけて飛びかかる。車室《コンパルチマン》には、ドイツ語をはなすおしゃべりな一家がどやどやはいってくる。母、祖母、ふたりの女の子、女中。網棚は、食料品のかごや子供の玩具を山のように積まれて、その重みにしなっている。女たちは、疲れたような、おどおどした顔。暑さに気の立った女の子たちは、あいているすみを占領しようとけんかをはじめる。言うまでもなく、せっかく夏休みに出かけたところを戦争になり、国に帰ろうとしている人たちなのだ。父親は、おそらく第一日に連隊に召集されているのだろう。

列車が動きだす。

ジャックは旅客がいっぱい立っている廊下へ逃げだす。大部分は男だ。

左手のほうで、スイスの青年が三人、高い声でフランス語で話している。

「ヴィヴィアニはあいかわらず首相だが、なんの権限も持っていないのさ……」――「外相になったドゥーメルって、どういう男だ？」

右手のほうでは、ふたりの乗客——ひとりは腕に折カバンをかかえた若い学生、ほかのひとりは、鼻眼鏡をかけた、おそらく教授と思われる年のいった男で、新聞を続んでいる。

「ごらんでしたか？」と、青年は、『ジュルナル・ドゥ・ジュネーヴ』を教授のほうへ差しだしながら、あざ笑うようなちょうしで言った。「ローマ法王、とんだ味をやりますな！『全世界のカトリック信徒に告ぐ』なんてものを出したんですから！」

「それがどうだというんだね？」と、相手が答えた。「なんと言おうと、世界にはまだ数百万のカトリック信徒のいることは事実だからね。法王からの破門だって？　それが正式のものだったら、まさに晴天の霹靂というやつだな……せめて、事のはじまるまえに出たらよかったのに……！」

「まずお読みねがいましょう」と、学生が言った。「おそらく法王が、戦争を堂々と非難していられるものとお考えでしょう？　列強のやり方を悪いといって、あらゆる交戦国を、なんの差別もなく、ひとしく雷霆《らいてい》のような破門宣告の対象にしておいでになるとお思いでしょう？　ところがちょっと！法王に、何かおもんぱかりの気持ちがおありになってのことだろうって？　とんでもない……あすにも武器を取って殺しあいに出かけなければならないものたち、自分の良心を納得させるため、おそらく不安な気持ちで法王の命令を待っているものたち、そうした何百万のカトリック信者にたいしての法王のお言葉は、《殺すなかれ！　拒絶せよ！》ではなかったんです。——もしそうだったら、あるいは戦争を不可能にさせることもできたでしょう——ところがです、法王は、殊勝らしくこうおっしゃいました。《子らよ、いざ立て！……いざ立てよ。ただし、汝の霊をキリストへ向かって高めることを忘るるな！》」

ジャックは、うわのそらの気持ちで聞いている。とつぜん彼は、どこかで見かけた応召司祭のことを思いだした。どこだったろう？　アントワーヌを送っていった北停車場でのことだった……目を輝かしたスポーティフな若い司祭（《スポーツ団体所属の司祭》《青少年指導者》といったような司祭）で、真新しいアルピニストふうの靴の上までたくしあげた法衣《スータン》の上に、雑嚢《ざつのう》を二つ十文字に掛け、小さな軍曹の略帽を、耳の上に小いきにずらしてかぶっていた……北停車場、アントワーヌ……ダニエル、ジェンニー……われにもあらず思い浮かぶそうした人々、それにまた、いま身のまわりに見いだされる男や女、いまやそれらの人々は、自分とはちがった世界の人々なのだ。すなわちそれは生者の世界、未来を持った生者の世界、彼というものがいなくなっても、人生の旅をつづけていく人々なのだ……

左手のほうで、三人のスイス人の青年たちが、憤然として、ドイツがベルギーに突きつけた最後通牒のことを話しつづけている。

ジャックは、ひと足そのほうへ歩みよって聞き耳を立てた。

「ちゃんと張りだされていたんだ。ドイツの一軍団は、ゆうべベルギー国境を突破して、リエージュへ向かって進んでるんだ」

若いひとりの男が、隣の車室《コンパルチマン》から出てきてその連中といっしょになった。ベルギー人だ。いそいでナミュールに帰って、応召しようとしている男だ。

「ぼくは社会主義者なんです」と、その青年はすぐに宣言した。「だからこそ、ぼくは、力が権利を紛砕するのを見ていられないんです！」

彼はとめどもなくしゃべり立てていた。彼は、声をはげまして、チュートン民族の野蛮さを攻撃し、西欧文化を礼賛していた。

ほかの乗客たちもそばへよってきた。その誰も彼もが、ドイツ政府の破廉恥にたいして憤慨の態度をしめしていた。

「ベルギー議会は、けさ会議をひらきました」と、五十がらみの男が言った。ひどいドイツなまりのフランス語を話す男だった。「どうです、社会主義の連中は、国防予算に賛成するとお思いですか？」

「もちろん、いっせいに！」と、ベルギー青年は、いどみかかるような眼差しで、相手を威圧しながら叫んだ。

ジャックは、何ひとこと言わなかった。彼には、ベルギー青年の言った言葉の正しいことがわかっていた。それでいて、彼にはブリュッセルでのベルギー社会主義者たちの態度、完全平和についての彼らの宣言のことがはげしく思いだされていたのだった……ヴァンデルヴェルド……先週の木曜。それからまだ六日とたっていない……

「パリでも」と、スイス青年のひとりが言った。「戦時予算会議がきょう開かれることになっています」
「パリでだって、おんなじことでさ！」と、ベルギー青年が、火を吐くようなちょうしで言った。「どこの連合国でも、社会主義者たちは予算に賛成するにきまってますよ！　ぼくらの味方は《正義》です！……こんどの戦争、これは、おしつけられた戦争なんです。この、プロシャ軍国主義にたいする戦いでは、真の社会主義者は、こぞって第一線に立つべきなんです！」彼は、そう語りつづけながらも、ドイツなまりの男をじっと見すえて放さなかった。男は、黙ったまま語らなかった。

危機に瀕した祖国を救え！　ドイツ帝国主義者を打倒せよ！　このことがすべての人々の口に、言いあわせたようにくり返されていた。ジャックがきのう読んだフランス左翼の最後の新聞にも、いたるところおなじ合い言葉が見られていた。いたるところ、社会主義者たちは戦争に反対することをあきらめていた。ついきのうも、郊外のここかしこで、セクトの集まりのことが報じられていた。だがそれは、《応召者家族救援の方法について討議》するためということだった。いまや戦争は、一つの事実となっていた。それはなんの抗弁をもゆるさない一つの事実だ。とりわけ『ラ・ゲール・ソシアル』のごとき、この傾向がいちじるしかった。その第一面では、ギュスターヴ・エルヴェはこんなことさえ書いていた。《ジョーレス君よ、われらの夢の崩壊を見ずして逝《い》けるきみは幸福なるかな……だが予は、きみをあわれむ。きみは、神経質な、感激しやすい、かつ理想主義的なわが国民が、この悲痛な義務を敢然受諾するのを見ずに逝ったのだから。きみは、わが社会主義者たる労働者たちを見て、おそらくわが意を得たりと喜んだにちがいない！……》さらにはなはだしいのは、鉄道従業員組合の発した《鉄道従業員に告ぐ》の一文だった。その組合は、つい先ごろまで、きわめて激越に、国家主義反対を述べ立てていた。《共通の危難を前にして、われらの宿怨は消え去った！　社会主義者よ、サンディカリストよ、革命主義者よ！　カイゼルの野望を倒せ！　共和国より召されるとき、率先立ってこれにこたえよ！》《愚劣きわまる……》と、ジャックは思った。《いまやいたるところの国々で、不可能視されていた民衆各派合同の実が見られている！　しかもそれが、戦争によって実現された！　せめてもそれが、戦争反対のために実現されたものだったら……愚劣きわまるインターナショナルの同志にして、しかもいたるところで、声を一にして国家的の立場から戦争を承認しているのだ！　それをふせごうと思ったら、いまに先だつ二週間まえ、声を一にして、戦争防止のストライキをやったら事たりたのに！》ジャックは、唯一にして最後ともいうべき独立不羈《ふき》の論調を、わずかにイギリスの新聞『デイリー・ニューズ』に見いだすことができた。そこでは、イギリスの世論に、好戦的風潮のあらわれはじめたことを非難していた。そして、イギリスは、その感染から身を守り、自由と意思の中立をあくまでも保ち、いかなる場合にも、たとい敵の軍隊がベルギー国境侵犯の挙に出るようなときでも、絶対不干渉の態度をとるべきであると断固として宣言していた。まさにそれにちがいなかった……ところがきょう、イギリス官辺筋の語るところは、イギリスもまた、敢然としてこの悪魔の踊りにはいることをもってしている！

　ベルギー青年の高らかな声が、廊下の中にひびきわたった。

「ジョーレス自身、おそらく率先して範をしめしたことでしょう！　ジョーレス？　彼もおそらく、勇躍応召したことでしょう！」

《ジョーレス》と、ジャックは思った。《彼ははたして、党員の脱落するのをあくまでもふせぐことができただろうか？　どこまでも踏みとどまることができただろうか！》ジャックはとつぜん、モンマルトル町のカフェーの前に、自分がジェンニーといっしょに立っていたときのことを思い浮かべた……やみの中に、しんとして集まっていた群集——救急車……《そうだ。きょうが葬式の日だ》と、彼は思った。《花輪、演説、三色旗、軍楽隊などに送られて！　やつらは、偉大なジョーレスの遺骸を独占して、それを祖国の名において振りまわそうとしたんだ……ああ、ジョーレスの柩が動員令下のパリの町を通過するとき、そこになんの騒ぎもおこらないようだったら、万事休すと言わなければならない。労働者によるインターナショナルは完全に滅び、ジョーレスとともに葬られることになるのだ……》

そうだ、いまや、かなた、催眠術をかけられたいたるところの大都市では、万事休してしまっている。後方では、そうだ、いまやあらゆる手段が断たれてしまっている。だが、戦線では、戦争に直面している人々は、そうだ（彼は信じて疑わなかった）、この地獄ののろいを断ち切るため、ただ一つの呼びかけを待っている……火花一つで、解放革命が爆発するのだ！……

脈絡のないいくつかの言葉が、ふたたび彼の頭に浮かんだ。《諸君は若く、そして生きている……それを、死のほうへ追いやろうとするものがあるのだ……いやおうなしに諸君の命をうばおうとしているのだ！　しかも、その目的は？　大銀行家の金庫の中に、新しい資本を築きあげるためなのだ！

……》彼はポケットの底の手帳に手をやった。だが、人々の出入り、こうしたやかましい車の中で、どうして筆が取れるだろう？　それに、二十分もたたないうちに、やがてバーゼルだ。プラトネルをたずね、そして、宿なり、仕事のできる隠れ家なりをさがさなければ……

たちまち彼は心をきめた。眠っておいてよかった。頭ははっきりしてきて、からだには精力のあふれる感じだ。プラトネルは待たせておこう。興奮を、このましぼませてしまうのは愚の骨頂。町など歩かず、駅の待合室に陣取ろう。そして頭にわきかえるこれらの言葉を、湯気の立ったまま、すぐさま紙の上に投げだすのだ……待合室。それとも駅の食堂か。なにしろ腹がぺこぺこだ。

八十

思いもよらぬ隠れ場所！　レストラツィオーン・ドリッテンクラッセ（ドイツ語。《三等旅客食堂》）はとてもひろく、相当な客がいながら、使われているのは食堂の中央だけで、奥のほうにはぜんぜん客のかげが見えなかった。

ジャックは、あいているたくさんなテーブルのうち、壁ぎわの大テーブルを選んだ。

上着を脱ぎ、胸をあけた。とてもうまい子牛肉も食った。たっぷりあぶら肉をはさみ、てんぴでフリカッセにしたやつ。それには人参が添えられていた。彼はまた、冷たい水を水さしに一杯飲んでしまった。

天井では、扇風機がいくつかうなっている。給仕の女が、彼の前、いいにおいのするコーヒー茶碗のそばに、書くために必要なものをおいていってくれた。

ボーイがひとり「ツィガッレン！　ツィガレッテン！」（ドイツ語。《葉巻はいかが！　タバコはいかが！》）と呼びながら、盆を持ってカウンターの前を行ったり来たりしている。そうだ、ツィガレッテン！……十二時間もすわりなかったあとでの、最初のひと吸いのうまさ！　頭がくらくらするほどの快感、盛りあがってくる生命感、それが血管を走りまわって、思わず両手がわなわなふるえる。テーブルの上に身をかがめ、ひたいにしわをよせ、タバコの煙で目をしょぼしょぼさせながら、一刻の猶予もなく、いまはわきあがる考えを整理することさえ忘れてしまった。整理はいずれあとのことだ。すこし頭をやすめてから……むさぼるようないらだたしさで、ペンは早くも紙の上を走りはじめる。

フランス人よ、ドイツ人よ、諸君はだまされている！

こんどの戦争、それは両国のあいだで、単に防御戦としてだけでなく、諸国民の権利、正義、自由のための戦いだとして諸君につたえられている。なぜか？　それは、ドイツの労働者農民のひとりたりとも、フランスの労働者農民のひとりたりとも、侵略戦のため、領土市場の征服のためだったら、その血を流すことを承知しないだろうことがわかっているからなのだ！

諸君のすべては、隣邦の軍国主義的帝国主義を打倒するために戦争に行かされるのだと思っている。さも、あらゆる軍国主義が、みんなおなじ穴のものではないといったように！　さも、好戦的国家主義が、ここ数カ年、ドイツにおいてもフランスにおいても、多数の同志を集めていなかったとでもいったように！　さも、ここ数年来、仏独政府の帝国主義こそ、ともに戦争の危機をはらませたものでなかったとでもいったように！……諸君はだまされている！　諸君は、侵略者の不正な侵入にたいして、祖国を守りに行くのだと思いこまされている。なんぞはからん、仏独両国の参謀本部は、ここ数年来、心になんのやましさをも感じることなく、相手に先んじて電撃的攻勢に出るべき方法を研究していた。なんぞはからん、両国の軍隊の内部において、諸君の将帥たちは、こうした《侵略》による利益追求のことだけを考え、今日なお、これについて相手かたを非難しながら、じつは彼らみずから準備してきた戦争を、諸君の目に、もっともらしく見せかけようとしているのだ！

　諸君は、だまされている！　諸君の中の優秀な人たちは、心の底から、諸国民の権利のため、身をささげるのだと信じている。なんぞはからん、国民といい、権利といい、それは単に公式演説において口にされるものにすぎないのだ！　戦争にかり立てられる国民の誰ひとり、人民投票によって意思を問われた事実があるだろうか！　諸君すべては、内容も教えられず、それに副署したおぼえもなしに、古い、専断的な秘密条約の命ずるままに、死に向かってかり立てられている！……諸君はすべてだまされているのだ！　だまされたフランス人諸君よ、諸君は、ドイツの侵入をせきとめ、文明を蛮族の脅威から守らなければならないと思っていたのだ。だまされたドイツ人諸君よ、諸君はドイツが包囲され、国家の運命が危機に瀕し、あくなき外国の貪婪《どんらん》から諸君の繁栄を救わなければならないと思っていたのだ。そしてドイツ人諸君よ、フランス人諸君よ、諸君はおのおのだまされながら、この戦争が、諸君にとって聖戦であると心の底から信じていた。そして、遅疑することなく、愛国の至情にかられるままに、諸君の国家の《名誉》のため、《正義の勝利》のため、諸君の幸福、諸君の自由、諸君の生命を犠牲にしなければならないと考えたのだ！……諸君は、だまされている！　諸君は、わずか数日のうちに、破廉恥きわまる宣伝が、犠牲者たる諸君のうちにみごとにひきおこした虚妄の扇動にあおられて、事実なんの危険にもさらされていない祖国の呼びかけをそのまま信じて、勇ましく、たがいに戦うために出かけて来たのだ！　しかも諸君のおのおのは、自分たちが指導者階級の玩弄物にすぎないことを知らずにいる。彼らの計画のこまにすぎず、支配欲と利潤欲とを満たすため、彼らが濫費している金銭とおなじようなものにすぎないことを知らずにいるのだ！

じつに、仏独政府は、まったくおなじような嘘で、陰険にも諸君をだましてしまったのだ！いまだかつてヨーロッパのいかなる政府も、かかる破廉恥をおかし、かかる術策を弄して中傷讒《ざん》誣《ぶ》をほしいままにし、誤れる説明を吹きこみ、嘘の報道をまき散らし、諸君を仲間に引き入れるため、恐慌と憎悪を引き起こすため、これほどまでにあらゆる方法をつくした例はなかったのだ！……諸君は、わずか数日のうちに、自分たちに課せられた犠牲のいかに大きいかを考えるひまもなく、入隊させられ、武装させられ、殺人と死とに向かってかり立てられた。あらゆる自由は、一挙に奪い去られてしまったのだ！　両国にあって、日をおなじくして戒厳令がしかれ、両国にあって、ともに苛烈な軍専制がしかれた！　その理由を考えてみようとしたもの、その説明をもとめようとしたもの、みずからを求めようとしたものこそは災いなるかな！　それに第一、諸君のうちの何ぴとに、はたしてそれができただろうか？　諸君は、ぜんぜん真実を知らされなかった！　諸君にとって、情報は、ただご用新聞、すなわち国家的嘘を通じてだけしか知らされなかった！　しかも、とざされた国境内で、絶対勢力を持つそれら新聞は、いまやただ一つの声だけしか伝えていない。すなわち支配者の声だ。そして、彼らは、その目的を実現するため、どんなことでも信じこんでしまう諸君の無知、それに諸君の従順さを絶対に必要としている！

　諸君の犯したあやまちは、手おくれにならないうちに、火事をおさえなかった点にある！　諸君は、戦争をせきとめることができたのだ！　ところが諸君は、澎湃《ほうはい》たる平和主義大衆を結集し、これを組織し、これをして一致団結させ、断固として機を逸せず乗りださせることにより、放火犯人にたいして、あらゆる階級、あらゆる国をあげての運動を開始し、ヨーロッパ各国政府に、平和への意思をいやおうなしに受諾させることを忘れていたのだ。

　いまや、いたるところ、苛烈な統制は、個々人の良心を封じ去ってしまっている。諸君は、いたるところで、目隠しされた動物のような、盲目的な服従を強いられている……人類は、いまだかつてこれほどまでの屈従、これほどまでの理知の抑圧を知らなかった！　いまだかつて権力が、良識ある人々にこれほどまでに徹底した棄権をもとめ、これほどむざんに大衆の意向を抑圧し去ったためしを知らない！

ジャックは、下皿の上で、唇にこげつきかけていたタバコの吸殻をつぶした。そして、たれさがる髪を気むずかしそうにはらいのけると、頬に伝わる汗をふいた。《……またこれほどむざんに、大衆の意向を抑圧し去ったためしを知らない！》このちょうしのいい言葉のひびき、それは、ふとした幻覚から、まるで実際目の前にいる両軍にたいし、彼みずから声をかぎりに叫んでいるとでもいったように彼の耳にひびきわたった。

ジャックは、ついこのあいだ、彼に、まるで電撃にあったような思いをさせたいまとおなじような感激、興奮、自己解放の気持ちのことを思いだしていた。あの時、たちまちわきおこった信と怒りと愛との興奮、相手を説得し、引っぱっていかずにはいられない気持ちは、たちまち彼をして、集会の壇上に立たせ、とっさにわいた感興にまかせて、自分自身を、とつぜん、大衆の上に、また彼自身の上に高くおしあげさせることになったのだった。

ジャックは、ポケットから取りだしたタバコに火をつけることも忘れて、ふたたびペンを走らせはじめた。

いまや諸君は、彼らの戦争のいかなるものであるかを知ったのだ！……諸君は、弾丸のうなりを聞き、負傷者や瀕死の者のうめきを聞いたのだ！　いまこそ諸君は、彼らの準備している大殺戮の恐ろしさを予感できることだろう！……すでに諸君の大部分は、いまさらのように目をさまし、良心の奥では、あれほどやすやすとだまされたことを恥じている！　あれほどわけなく捨ててきた親しいものたちへの思いで、諸君はいまやなやんでいる。いまや現実の力にせまられて、諸君の精神は目をさまし、諸君の両眼はひらいたのだ！　しかも諸君にして、こんどの戦争の発頭人たる金権による封建組織が、いかなる言語道断な動機から、いかなる征服制覇の野望から、諸君になんの関係もない、諸君になんの利益をもたらさない物質的利益の追求から、諸君にこの恐るべき犠牲を課しているかの事実を知ったとき、諸君のおどろきはいかばかりか？

諸君の自由、諸君の良心、人間としての諸君の尊さ、それはいったいどうなったか！　家庭の幸福はどうなったか？　庶民として守らなければならない唯一の宝、諸君の生命はどうなったか？　フランス政府、ドイツ政府は、きわめて明白な諸君の個人的利益に反して、諸君の意思に反して、諸君の信念に反して、きわめて人間的な、きわめて純粋な、きわめて正当な諸君の本能に反して、諸君を家庭から奪い、諸君を仕事から奪い、諸君の生命を自由に処分する権利を持っているのだろうか？　諸君の生命と死とを自由に処分する恐ろしい力を彼らにあたえたもの、それははたして何なのか？　いわく、諸君の無知！　いわく諸君の忍従の精神！

一瞬の反省、一挙手一投足の反抗、これだけで、いまでも諸君は自由になれるのだ！

諸君にそれができないというのか！　砲弾にさらされ、物心両面の最悪の苦痛にさらされながら、しかも諸君は、遠い平和の到来を期待しようとしているのか！――戦争最初の犠牲者である諸君にとって、それを知る日はこないだろう。諸君につづいて戦線に送られ、諸君とおなじく《光栄ある》大殺戮の犠牲者になる後輩にとっても、おなじくそれを知る日はこないだろう。すでに手おくれだなどというなかれ。いまは、服従と死あるのみなどとあきらめるな！　それは卑怯なことなのだ！

そして、それはまったくのあやまりなのだ！

いまこそ逆に、自由を回復すべき時がきたのだ！　自由、安全、生きることの喜び、諸君から奪われた幸福、それらの回復は、ひとえに諸君にかかっている！　まにあううちに考えなおせ！

諸君は、参謀本部をして、こうした骨肉殺戮を一日でもつづけさせないための方法、きわめて確実な方法を持っているのだ。すなわち、戦うことを拒絶するのだ！　総決起による反抗によって、彼らの威力を根こそぎくつがえしてしまってやるのだ。

それが諸君にはできるのだ！

明日にもやってのけられるのだ！

それが諸君にできるのだ。しかも、なんら報復されるおそれもなしに！

だが、そのためには三つの条件、明確な三つの条件を必要とする。いわく、決起が迅速になされること、いっせいになされること、同時になされること。

迅速とは、諸君の指揮官をして、諸君にたいし、防衛手段を講ずるだけのひまをあたえないためにだ。いっせいかつ同時にとは、それの成功が、国境の両面で、時を同じくして切って落とされる集団行動の成否いかんにかかっているのだから！　もし、犠牲を拒否するものが五十人にすぎない場合、諸君はなんの容赦もなく銃殺されるにちがいない。だが、それが五百人、千人、一万人だったとしたら。敵味方の陣地において、同時に一団となっての決起だったとしたら。反抗の叫びが、両軍のあいだで、連隊から連隊へとひろがっていったとしたら。つまり、不死身な数の力が発揮されるとき、いかなる抑圧も、不可能になるのだ！　そして、諸君を指揮する司令官にしても、そうした司令官を諸君のために任命した政府にしても、わずか数時間で、たとい不逞な権力の中に身をおいていてすら、永久の麻痺状態におかれるのだ！

　こうした決定的な瞬間のいかに厳粛であるかを理解せよ！　一挙にして諸君の独立を回復するには、以上三つの条件があったらじゅうぶんなのだ。そして、この三条件の完遂は、諸君いかんにかかっている。迅速であること、いっせいの、しかも同時的なものであること！

　ジャックは顔を緊張させ、呼吸は迫って、まるで笛を吹くような音を立てていた。彼はちょっと書くのをやめた。そして、ガラス張りの天井のほうへ、盲人のような眼差しをあげた。現実の世界は消えてしまっていて、何も目にはいらなかった。何も聞こえなかった。ただ、自分のほうへ苦しそうな顔をふり向けている、数かぎりない受難者だけしか見えなかった。

フランス人諸君よ、ドイツ人諸君よ！　諸君は人間だ。諸君は兄弟だ！　諸君の母、諸君の妻、諸君の子供たちの名にかけて、諸君にとってもっとも高貴なものの名にかけて、さらには、何世紀の昔から、人をして正しいもの、賢いものにさせようとしてきた神のいぶきの名にかけて、諸君はこの最後の機会をつかまなければ！　救いは諸君の眼前にある！　立ちあがれ！　みんないっせいに立ちあがれ！　手おくれにならぬそのうちに！

この呼びかけは、きょう、同時に、フランス、ドイツにわたり、諸君の戦線全部にわたり、何十万となく投下される。そして、いましも、両軍の陣地の上で、仏独何十万の心が、諸君の心とともにふるえ、何十万のこぶしが振りあげられ、虚偽と死にたいする生の勝利のため、何十万の心が反抗の決意をかためているのだ！

勇気を持て！　ためらうな！　あらゆる躊躇は身の破滅だ！　あすが日すぐに、諸君の反抗を爆発させろ！

あした、同時に、日の出とともに、フランス人よ、ドイツ人よ、いっせいに、ヒロイズムと同胞愛の感激のうちに、諸君の銃をさかさにし、武器をすて、解放のおなじ叫びをあげるのだ！

いっせいに立て。そして戦争を拒絶せよ！　各国にたいし、平和の即時樹立を要求せよ！

いっせいに立て、あした、日の出とともに！

ジャックは、インキスタンドの上にそっとペンをおいた。

彼は、ゆっくり上体を起こしながら、テーブルから少しからだをはなした。目は、伏せたままだった。身のこなしは、やさしく、やわらかく、しとやかで、まるで小鳥どもを驚かすのを恐れるとでもいうようだった。顔からは、すべての緊張が消えていた。さも、何ごとかを待っているというようだった。すなわち、いささかつらくはあるにしても、心に期していることの完了を……すなわち心がしずまり、こめかみの動気がまえほど強く打たなくなり……たいした苦痛を感じることなく、ゆっくり現実のほうへ立ちもどれるのを……

ジャックは、書き消し一つない、熱に浮かされたような字のいっぱい書かれた何枚かの紙片を、機械的に一つにまとめた。彼は、紙片を折りたたみ、しばらくそれをなでていたが、たちまちそれをしっかり胸におしあてた。彼はちょっとうつむきこんだ。そして、唇はうごかさず、さも祈るとでもいったように、

「……世界に平和を取りもどしてやるのだ……」

と、つぶやいた。

八十一

プラトネルは、ジャックをひとりの老婆の家に泊まらせることにした。老婆は、ステュンフという闘士の母親で、息子は党の使命で、ついこのあいだから留守だった。ジャックは、バーゼルに住み、書店につとめていることになっていた。彼は、プラトネルから、規定どおりの契約書をわたされた。こうしておけば、宣戦以来とりわけやかましくなっている警察から、身柄について何か不審を持たれたとき、職業なり住所なりについて、わけなく証明ができるというわけだった。

プティ・バール（バーゼル市の場末にある一区画）のエルレン・シュトラーセ（プラトネルが店を出しているグライフェンガッセからたいして遠くなかった）の貧民街にあるステュンフ老人の家は、立ちぐされたというような家だった。ジャックの借りた部屋は、せまい廊下のようになっていて、その両端に低い窓がついていた。ガラスのはまっていない窓の一つは中庭へ向かっていた。そして、そこからは、うさぎ小屋のにおいや、つんと鼻を打つような、むきすてた野菜の皮のにおいがあがってきていた。も一つの窓は、町へ向かっていて、往来を越した向こうには、バーデン駅の石炭庫がながめられた。ということは、ほとんどドイツ領というわけだった。天井には、頭のすぐ近く、手をのばせば届きそうなところに、屋根がわらが並んでいた。それが日に熱して、夜となく、昼となく、テンピの鉄板を思わせるような暑さを送ってきていた。

こうした蒸風呂のような中に閉じこもって、ジャックはアジビラを書いていた。そして、口に入れるものといっては、毎朝ステュンフ夫人がドアの前においていってくれる一杯のコーヒーと、フォワ・グラをぬったパンだけだった。ときおり、正午ちかく、なんとも暑さが堪えられぬままに、逃げだしたい気持ちになる。だが、外へ出るなり、たちまち古巣が恋しくなって、いそいで帰ってくるのだった。そして、ベッドに身を横たえ、汗びっしょりになって目をつぶり、いらいらしながら夢をたぐる……大空を飛ぶ飛行機……メネストレルのうしろに席を占めた彼は、身をかがめ、アジビラをつかんで、それを空間に撒きちらす……発動機のうなりと、血の鼓動とが入りまじる。彼はいま、大きな翼を持った鳥そのものになっていた。そして、これらのアジビラを、自分の胸からむしりとって、それを世界の上に撒きちらす……《みんないっせいに立ちあがれ、あした、日の出とともに！》アジビラのおのおのの部分が、自然に整いを見せてくる。少しずつ、文章が体をなしてくる。いまは、すっかりそらんじてしまっていた。ベッドの上に横になり、じっと天井を仰ぎながら、少しもつかえることなく心の中にくり返す。そして、ときどき、がばとはね起きると、テーブルのところへ走りよって、文章を変え、言葉の配置に手を入れる。それから、ベッドへもどって横になる。まわりの部屋のみじめさなど、ほとんど少しも気にならない。彼は、自分の夢だけに生きている……反乱が、だんだん近づいてくることを思っている……司令部では、士官たちがひたいをあつめて、書記たちが立ちさわぐ。総司令部との連絡も断たれてしまった……どう弾圧してみても、いまやまったく見こみがない。各国政府が、この面子《めんつ》を保ちたかったら、のこされた道はただ一つ、いそいで休戦協定を結ぶこと……

ジャックは、頭についてはなれないこうした考えに、かつは苦しめられ、かつはささえられていたのだった。それは、彼にとってコーヒーと同じようなものだった。彼はいま、その二つのうち、どちらなしでもすまされなかった。何か突発的な必要から――たとえばちょっとプラトネルの本屋まで行くとか、あるいはステュンフ夫人と踊り場の上で出会うとか――ちょっと夢から引きはなされるようなことでもあると、たちまち気分がわるくなり、薬にあこがれる中毒患者そのまま、あわてて孤独へ立ちかえる。するとたちまち、おっとりとした気持ちがもどってくる。それは、単なる落ちつきというものではなかった。幸福で、活気にあふれた、熱意とでもいったようなもの……ときおり、手がふるえ出して思わず書くのをやめるとか、あるいは、壁に取りつけた鏡の破片の中に、汗に光る自分の顔、落ちこんだ頬、神がかりのような眼差しを見いだしたとき、彼は、生まれてはじめて、自分はからだぐあいがわるいんだと思う。そう思うと同時に微笑が浮かぶ、いまの場合、それがいったいどうだというんだ……燃えるような暑い夜には、彼は、眠れぬままに、ひっきりなしに起きあがっては水さしの中にタオルをひたし、あついからだを冷やしに行き、そのまましばらく、天窓のところへ行ってもたれた。天窓は、《地獄》へ向かって開かれていた。石炭庫のあたりのさわがしさの中には、無数の鉄道従業員が、アーク灯のかげにうごめいている。その向こうには、立ちならぶ倉庫のやみの中に、トラックが揺れ、トロッコがぶつかりあい、無数の光が右往左往している。そのまた向こう、光っている線路の上には、どこまでつづくかわからないほどの貨車の列が、汽笛を鳴らして進みながら、つぎつぎに、戦時下ドイツのやみの中へと姿を隠していっている。ジャックは、思わず微笑した。知っているのは自分だけだ。自分だけに、こうしたあがきのすべてでむなしくなることがわかっているのだ……解放のときがせまっているのだ……すでにアジビラも書かれている。それをカペルがドイツ語に訳してくれる。そしてプラトネルが、百二十万枚刷ってくれる……チューリッヒでは、メネストレルが飛行機をととのえて待っている……あますところ数日！　《いっせいに立ちあがれ。あした、日の出とともに！……》

こうした、熱に取りつかれたような四十八時間の仕事のあとで、ジャックはようやく原稿を渡す決心をした。《土曜までにまにあわせるのだ》と、メネストレルが言っていた……

プラトネルは、彼の書店の店裏の部屋にいた。まわりには紙の梱《こり》がうずたかくつまれ、入口にはレザー・クロースをはった二重戸がとざされ、そして、朝だというのに、よろい戸はすべてしめられたままだった。四十がらみの、小柄な、顔のまずい、不健康そうな男。胃がわるいので、息がくさい。胸は、鳥の胸とでもいったように飛びだし、頭はすっかりはげあがり、やせた首と、突き出たかぎ鼻が、まるで禿鷹を思わせていた。突きでた鼻は、彼のからだを前へのめらせ、からだの重心を失わせ、たえずフラトネル自身にも不安定な感じをあたえ、そして、そうしたしっくりしない、ぐあいのわるい感じは、相手の人に伝染した。だが、こうしたしっくりしない感じにしても、なれるにしたがって、そこから、人のよさそうな眼差しや、親身な微笑や、少し言葉の尾を引くようすで、すぐにこちらの気持ちをうけとり、たえず親切にと思ってやまないやさしい声などをうけとることができるのだった。だが、ジャックは、いま新しい友人などを必要としなかった。彼は誰をも必要としなかった。

フラトネルは、がっかりしているようだった。ついいましがた、ドイツ議会で戦争予算が可決された確報を、社会民主党の議員団から受けとったからのことだった。

「フランス社会党議員の議会での賛成投票、あれもたしかに大きな痛手にちがいない」と、彼は、憤怒に声をふるわせながら打ちあけた。「だが、それも、ジョーレスの暗殺以来、いくらかは予測されていたことなのだ……だが、ドイツの連中が！　ヨーロッパにおける最大のプロレタリア勢力であるわれらの社会民主党が！……闘士としてのおれの一生を通じて、これほど手痛い打撃はない！　おれは最初御用新聞の記事を信じまいとしていた。おれは、社会民主党員のすべてが、帝国政府に断固痛棒をくらわすにちがいないと信じていた。通信社からの報道を読んだとき、おれはからからと笑ったものだ！　とんだ大嘘とからくりだと思った。おれは、《あしたになれば取消しものだ！》と思っていた。ところがどうだ。きょう、事実を前に見せられて、かぶとをぬがざるを得なくなった。何から何までほんとうなんだ、すさまじいほどほんとうなんだ！……どんなからくりでこうなったのか、おれにはいまもわからない。おそらく事実は、いつになってもわかるまい……ライエルによれば、ベートマン・ホルウェヒが二十九日にズデークンを呼んで、社会民主党の反対をやめさせることにしたらしいとのことなんだ……」

「二十九日？」と、ジャックは言った。「だって、二十九日には、ハーゼがブリュッセルで演説していた！……ぼくもいたんだ！　その演説も聞いたんだ！」

「なるほどな。ライエルは、ドイツ代表がベルリンに帰って来たときには、すでに指導者委員会が召集され、屈服のことがきまっていたと言っている。つまりカイゼルは、動員令を出してもいいこと、反乱もゼネストもないだろうことを知ってたんだな！……議会での投票のまえには、秘密会議で党の集会も持たれたはずだ。そして、おそらく紛糾を見たにちがいない！　おれは、まだ、リープクネヒト、レデブール、メーリンク、クララ・ツェトキン、ローザ・ルクセンブルクといった連中を疑う気持ちになれずにいる！　ただし、彼らは少数だったにちがいない。で、裏切り者たちを向こうにまわして、敗退せざるを得なかったんだ……だが、事実は事実だ。彼らは戦争を可決した！　三十年の努力、三十年の闘争、遅々として困難をきわめた開拓、それがわずか一回の投票でけし飛んじゃった！　わずか一日で、社会民主党は、永久にプロレタリア社会の信任を失ってしまった……少なくともドゥーマ（ロシア議院）では、ロシア社会主義者は、ツァーリズムを向こうにまわして打ってかかった。彼らはこぞって、戦争反対の投票をした！　セルビアにおいてもそうだった！　おれは、ドゥーチャン・ポポウィッチの手紙の写しを見た。セルビア社会主義者の反対は、絶対不屈のものだった！　しかも、あの国だけは、国防上の愛国主義からむりもないと言えただろうに、そのセルビアにしてさえそうだったんだ！……イギリスでさえ、きわめて執拗な抵抗を見せた。ケヤー・ハーディーは、けっして矛をおさめていない。ここに最近の『インディペンデント・レーバー・パーティー』がある。どうだ、勇気をつけてくれるじゃないか？　絶望してはならないんだ。少しずつ、みんなにわからせていってやるんだ。おれたち全部の口を封じてしまうわけにはいかない……すべてのため、すべてにたいして、ひとつがんばるんだ！　インターナショナルは再生する！　そして、そのあかつき、かつてインターナショナルの信頼をうけ、しかも帝国主義的独裁に手もなくまるめこまれたような連中は、その責任を問われなければならなくなるんだ！」

ジャックは、だまって相手に話させていた。そして、相手にたいする礼儀から、賛成の意味をしめしていた。彼は、自分がパリで見たことを思うにつけ、いまさらどんな裏切りも驚く気持ちになれなかった。

ジャックは、テーブルの上に散らばっている何枚かの新聞を手にとると、気のないようすでその大見出しを読んでみた。《独兵十万リエージュに向かう……イギリス、陸海軍を動員……ニコライ大公、全ロシア軍総司令官に任命さる……イタリア、中立を公式発表……アルザスにおける赫々たる仏軍の攻勢》

アルザス……ジャックは、新聞をおしやった。アルザスにおける攻勢……《諸君はいまや戦争のいかなるものであるかを知った！　諸君は弾丸のうなりを聞き……》彼にはいま、自分のひそかな興奮をかきみだすあらゆるものが堪えられなかった。一刻も早くここを出て、外に行きたくてたまらなかった。

プラトネルが、判の寸法をきめようとして原稿を手にしたのを見すました彼は、うまくつかまらずに逃げだした。


いま、バーゼルは、ジャックの散歩の前にひろがっていた。バーゼルと、それに雄大なラインの流れ。さらにはかずかずのつじ公園や庭園など。陰と光、やけつくような暑さと涼しさとの対照を見せているバーゼル。バーゼル、そして、清らかな水をたたえた泉。ジャックは、汗ばんだ手をその水にひたした。八月の太陽が空をこがしていた。アスファルトの道路からは、つよいにおいがのぼっていた。ジャックは、せまい通りを抜けて、聖堂への道をたどった。ミュンスターの広場は、がらんとしていて、車一台、人っ子ひとり見えなかった……一九一二年のバーゼル会議！……聖堂は、しまってでもいるようだった。その赤い砂岩の色が、まるで古陶器のような色調を見せていた。古いテラコッタの聖骨筐《せいこつきょう》が、壮大な、しんとしたすがたで、日の光に投げだされてでもいるような感じだった。

ここライン川を見おろす見晴らし台の上、寺の後陣のかげと川のおかげで涼しい風の吹き通るマロニエの木陰、ジャックのほかには誰もいない。下のほう、茂みにかくれた水泳学校からは、ときおり楽しそうな叫び声が上がってくる。ジャックのほかには、ただ山鳩だけ。彼は、ちょっと、その羽ばたきのあとを目で追った。そうだ、このバーゼルへ来るまで、いつもひとりぼっちの自分でいながら、これほど徹底的に、ひとりぼっちと感じたことは一度もなかった。それがいま、こうした完全なひとりぼっちの尊さと力が、なんともたまらなく感じられている。すべてのことをなしおわるまで、二度とわかれたくないこのひとりぼっちの気持ち……とつぜん、なんという理由もなく、こんなことが思い浮かんだ。《おれはただ、絶望感からこんなことをしようと思っている、おれはただ、自分から逃げだしたいばかりに、こんなことをしようとしている……おれには、戦争をせきとめることなぞできやしまい……誰も助けることなんかできやしまい。助かるのはおれだけなんだ……だが、おれだけは、なすべきことをやってのけ、自分自身を助けるのだ！》ジャックは、おそろしい考えを払いのけようとして立ちあがった。彼はこぶしを握りしめた。《あらゆるものを向こうにまわして、負けないこと！　そして、死の中へ逃げこむこと……》

赤ちゃけた堤防を越え、橋と橋とのあいだにライン川の見せている曲線のかなた、プティ・バールの鐘楼や工場の煙突のかなた、暑い靄につつまれているあの豊饒な木立の多い地平こそ、まさにドイツ、こんにちのドイツ、動員下のドイツ、剣戟のざわめきにすでに底の底までひっくりかえされているドイツなのだ。ジャックは、西のほう、国境線がライン川と切りむすぶあたりまで行ってみようと思いついた。そこまで行けば、ここスイスの岸から石を投げれば届きそうなところに、ドイツの岸、ドイツの平野が見られるのだ。

ジャックは、サン・タルバンの町を抜けて、郊外へ出た。太陽は、目も向けられないような空のなかへ、ゆっくりあがってゆきつつある。刈りこまれたいけがきにかこまれて、青葉の棚、ブランコ、回転式の噴泉の水を浴びているしばふ、花模様のテーブル・クロースをかけた白いテーブルなどの見えているいくつかのはでな別荘。それは、鉄火のヨーロッパの中心にありながら、この一郭の平安だけは、まるで免疫されたとでもいったように、まだ何ものにも乱されていないことを語っていた。もっとも、ビルシュフェルデンまで行ったとき、軍歌をうたいながら、ラ・アールからくだって来た演習服のスイス兵士の一隊とすれちがった。

森は、右手、丘の中腹にひろがっている。ライン川と並行した長い道は、若木のしげみをぬけて走って行っている。立札に《ワルトハウス》と記されている。左手には、木の間をとおして、日に照らされた緑の原がひろがり、その中央を、まがりくねったライン川が流れている。これに反して、右手のほうは森が厚くたたみ、木におおわれたけわしい山がそびえている。ジャックは、何を考えるでもなくゆっくり歩いて行った。幾日かの閉じこもった生活、家々のあいだを日に照らされて歩いたあとなので、木陰がなんとも言えずこころよい。山麓の丘の上に、林を擁した白い建物が茂みのあいだに見えてきた。《あれがきっとワルトハウスだな》と、ジャックは思った。一条の小道が、ななめに水ぎわさしてはせおりている。水に近いので、木の下陰はとりわけ涼しい。とつぜん、ジャックはライン川の岸に出た。

ドイツはそこにある。そして、彼とのあいだには、ただこの輝きわたった流れがあるばかり。ドイツ側には、人っ子ひとり見えない。向こう岸には、釣りをしている男のかげ一つ見えず、地平をかぎる丘の鐘楼、麓のまわりに集まっている赤屋根の小さな村と川とのあいだには、そこにひろがっているりんご畑にも、ひとりの耕作者のすがたも見えない。ただし、ジャックには、水ちかく堤防の藪だたみの中にかくれて、三色に彩られた小さな小屋の屋根が見えた。歩哨小屋かしら？　それとも屯田兵、ないし税関吏の詰所かな？……

ジャックは、いろいろ奇妙なものの見えるこうした風景から目を放すことができなかった。両手をポケットに深くつっこみ、足にしめった土を踏みしめながら、彼はドイツと、そしてヨーロッパをじっとながめていた。こうした歴史的な大河の岸にただひとり、世界の上に、また自分自身の運命の上に大きく目をひらいて立っているいまの彼、ジャックにとって、この時ほど心が落ちつき、頭がさえ、意識が目ざめて感じられたことはかつてなかった。時はきたらん、時はきたらん！……人々の心がいっせいにとどろき、人々の平等が、尊厳と正義の中に打ち立てられる時がくるのだ……そうして同胞愛の時代を迎えるまでに、人類は、おそらくなお憎悪と暴力とのこうした一時期を過ごさなければならないだろう……ジャックには、もはや一刻も待てなかった。彼はいま、自分の全部を即刻投げださなければならない人生の時期に達していたのだった。ところで彼には、いままでかつて、自分を投げだしたこと、自分の全部を投げだしたことがあったろうか？　一つの思想、ひとりの友、ひとりの女のために？……いな、おそらく革命的思想のためにさえ、おそらくはジェンニーのためにさえ！　自分を投げだすあらゆる機会に、彼はいつも、自分のいちばんたいせつな部分をのこしておいた。自分に捨てるべき部分があれば、それをけちけち選りわけてから捨てるという、おどおどした道楽者らしい態度で人生をわたってきた。ところがいま、自分の全身をあげて、真に投げだすべきことを知らされたのだ……いよいよわが身を犠牲にするのだと思って、ジャックは炎のように燃え立っていた。たえず絶望と隣あわせで暮らしていたころのこと、ともすればいっさいがっさい棄権してしまいたくなる気持ちと戦いながら暮らさなければならなかったころのこと、そうした時代もいまは終わってしまったのだ！　みずから求めて死ぬということ、それは棄権とはちがっている。それこそ、一つの運命に、花をじゅうぶん咲ききらせることにほかならないのだ！

木の下陰に人の足音が聞こえたので、ジャックは思わずふり向いた。黒ずくめの服を着た夫婦者の木こりだった。男は、腰になたをさしていた。女は、両方の手にかごを一つずつさげていた。ふたりとも、スイスの百姓らしいきびしい顔だち、引きしめた口、不安そうな目つき、ともに、人生は散歩にあらずということをはっきり語っているようだった。ふたりは、こうして灌木のしげみのなかに身をかくし、目を皿のようにしてあちらのようすをうかがっている見知らぬ男を、けげんな目つきでじろじろながめていた。

あまり国境近くまで来すぎたのがいけなかった。川の岸だったら、税関吏の見まわりや軍隊の巡邏《じゅんら》もあるにちがいない……ジャックは、いそいで道をとってかえした。そして、本道へ出ようとして、しゃにむに藪だたみにわけいった。

おなじ日の夕方ちかく、ジャックは、カペルから指定された場所へ出かけて行った。

「外で待っててもらおう」と、カペルが言った。「いま、再診察の時間で、《おやじ》がいないんだ。十分もしたらすぐ行くから」

《小児病院》は、プティ・バールの河岸《かし》に立っていた。きづたの垣根をめぐらしたせまい庭が、四階建の建物をとりまいていた。各階おのおの、サナトリウムのように棚になっていて、そこには、病児のベッドが、日のあたるほうへ向けて並べられていた。茂みのかげには、白い椅子が幾つかおかれていた。ジャックは、そこへ行って腰をおろした。なんという落ちつき、なんという静けさ……その静けさをみだすものは、小鳥たちのさえずりと、さらに遠くのほう、ジャックのいるところから木の間がくれに見える病児たちのおしゃべり以外何もなかった。ときおり、看護婦がそばへ行くと、子供は、弱々しい上体をまくらの上に起こした。

じゃりの上を踏む急ぎ足が聞こえた。カペルだった。ブルーズもぬぎ、眼鏡もかけず、だぶだぶなシャツとリンネルのズボンだけを身につけているところ、まるでわんぱく小僧といった感じだった。髪の毛はすばらしいブロンド、顔は、心もち頰のあたりの肉が落ち、皮膚は、しなやかですべすべしていた。だが、何よりおどろかされたのは、そのひたいだった。いっぱいしわがよっていて、まるで老人のひたいそのままだった。そして、ブロンドのまつげにとりまかれ、金属性の青さを見せている目も、その成熟さで人をびっくりさせずにはいなかった。

カペルは、ドイツ国民だ。そして、ここバーゼルで、医学の勉強をつづけている。彼は、ドイツへ帰ろうなどとは思いもしない。昼の間は、《小児病院《キンダーシュピタール》》で、ウェッブ教授といっしょにはたらく。夕方から夜にかけては、革命のために戦っている。プラトネルの書店の常連なので、そうした関係から、彼はプラトネルから、午後の時間に、ドイツ語への翻訳をたのまれたのだ。それに彼は、ジャックの計画について何も知っていなかった。したがって何一つたずねようとしなかった。

カペルは、ポケットから、ゴチックふうの、細い、とがった書体で書かれた四ページばかりの紙をとり出した。ジャックは、おどりかかるようにしてそれをつかみ、じっとみつめながら、手でさすった。彼の指はふるえていた。このドイツ人に、自分の息づまるような目的を話して聞かせ、それを打ちあけたものだろうか？……いや、よそう。いまこそは感情の発露や、友情の交換をたのしんでいるときではない。あますところ数日の命、彼は、そのあいだを、強者の孤独に立てこもろうと決心していた。彼は、紙をたたむと、かんたんに、

「ありがとう」と、言った。

カペルは、遠慮して、すでに話題を転じていた。彼は、ポケットから一枚の新聞をとり出していた。

「ねえ、ここにこんなことが出ている。《アカデミー・デ・シャンス・モラール（精神科学学士院）において、現任院長アンリ・ベルグソン氏は、ベルギーの寄稿家に敬意を表すべく一場の演説をこころみた。氏はいわく〈ドイツにたいする今次の戦争は、まさに野蛮にたいする文明の戦いである……〉》ベルグソンともあろうものがね！……」

そう言いながら、彼はとつぜん、遠い物音を聞きつけでもしたように口をつぐんだ。

「ばかばかしい……きみは、そうは思わないか？　ぼくは、一日のうち、幾度となく経験するんだ——とくに夕方、それに夜——何かずっしりしたひびきが聞こえるように思われるんだ……エルザス（アルザスのドイツ式発音）での砲声といったような……」

ジャックは、目をふり向けた。アルザスで……そうだ、そこではもう大殺戮がはじまっているのだ……一つの新しい考えが胸に浮かんだ。いま、数かぎりない無辜《むこ》の犠牲者たちが、わけのわからぬ、まったくいやおうなしの犠牲にかり立てられているとき、この自分だけがしっかり自分自身の運命をふんまえ、みずから死を選んだことについて、彼は得意にならずにはいられなかった。こうした死、

これこそは、信念にもとづいての行為、反逆者としての最後の抗議、愚劣きわまる世間にたいする最後の反抗、それらすべてをひとつにしたものにほかならないのだ。そして、それこそは、熟慮の結果に成った計画であり、彼自身の面目を伝え、彼自身それによってしめそうとする的確な意味を十二分に発揮するものにほかならない……

カペルは、ちょっと黙っていたあとで、ふたたび話しつづけた。

「ライプチッヒで、ぼくがまだ小さかったころ、ぼくの家は刑務所のすぐそばにあった。ある冬の夕方——ちょうど雪が降っていた町——に死刑執行の役人がやってきた。そして、あしたの夜明けに死刑執行があるだろうというニュースが伝えられた。いまでもおぼえている。ぼくは何も言わずに、まっ暗な中へ出ていった。夜もふけていた。雪もずいぶんつもっていた。外には人っ子ひとり通っていない。広場のあたりは、身の毛もよだつような静けさだった。ぼくは、ひとりで、何度となく刑務所のまわりを歩きまわった。ぼくはもう、家へ帰る気になれなかった。ぼくには、こうした考えを頭から、追っぱらうことができなかった。すなわちあそこ、壁の向こうに、ひとりの人間がいる。それは、ほかの人々から死刑を言いわたされた人間であり、自分でもそれを知っており、それを待っている人間なんだ……」

それから何時間かの後、悪い葉巻のにおいの立てこめているカフェハッレ（ドイツ語。カフェー）の奥、ひんやりした陶製の暖炉に背をもたせたジャックは、カフェ・オ・レの茶碗にパンをひたしながら、考えこんでいた。糸のさきにぶらさがった蜘蛛といったように、天井からぶらさがっている裸電灯の光は、見る目もまばゆく、彼に眠けをおこさせ、彼をして自分ひとりの世界へさそいこまずにはいなかった。

プラトネルは、彼を晩飯のために引きとめたがった。だが、ジャックは、疲れているのを口実に、いそいでアジビラの校正を見てしまうと、逃げだした。彼は、プラトネルに好意を持っていた。そして、そのことを、もっとはっきり相手に知らせてやれないことをわれとわが心にとがめていた。それにしても、月並な話や、くり返しの多いプラトネルの革命的なおしゃべり、じっと相手をみつめるその執拗な目つき、たえず相手の腕の上に、ひっつかむように手をのせてくる習癖、さらにまた、ぶかっこうな胸の上にあごを落としたと思うと、さも、陰謀をたくらむものがその一大事を打ちあけるとでもいったように話の終わりを低くぼかすやり方、それらすべてにいらいらさせられ、かんの立ってくるのがたまらなかった。

ところが、ここにいると、きわめて居ごこちがよかった。カフェハッレは、陰気で、貧乏くさく、そこに並べてある大きなテーブルには、テーブル・クロースがなく、木もすりへり、塗り色もはげていて、まるで黒パンそっくりの色と手ざわりとを見せていた。ここでは、キャベツと盛りあわせのソーセージとか、スープとか、へりをすっかり切り落としたパンとかが、きわめて安い値段で食えた。静けさこそはなかったが、ジャックは孤独を見いだすことができていた。それは、名も知らぬ、雑然たる大衆の中にあっての孤独だった。

それというのも、カフェハッレでは、客のたえる折がなかった。ここを埋めている奇怪な大衆には、世間ぎらい、独身者、宿無し、といったあらゆる種類の人間がいた。常連の、そうぞうしい学生たちもいた。彼らは、女中たちの名をみんな知っていて、きょうの午後の電報の説明をしているかと思うと、カント、戦争、細菌学、動物機械説、売春行為などについて、代わるがわる論じあっていた。あるいはまた、商店の店員たちとか、事務所につとめている男といったような連中もいた。それらは、きちんとした身なりの人たちで、口数も少なく、半ブルジョワ的といったような用心ぶかさでたがいを敬遠し、そのことにちょっと気を重くさせられながらも、それを踏み越えるだけの決心もつきかねているといった人々だった。あるいは、見るからにからだの弱々しい、ちょっと分類がむずかしいといった連中、失業労働者、病院からほうり出されたばかりで、まだヨードフォルムのにおいをぷんぷんさせているなおりかけの病人といった連中もいた。それに、入口近くに席を占め、しゃんとそろえたひざの上に、調律用の道具袋を手からはなさずに持っている盲人といったような不具者たちもいた。カウンターの前には、まるいテーブルが一つあって、そこでは救世軍の女が三人、晩飯をたべていた。野菜だけしかたべず、あごひものついた帽子のかげで、何かありがたそうないしょ話をささやいていた。そのほか、漂流物のように、どことあてなく流れ歩いているような人々。貧苦、犯罪、不幸といった波のまにまにここへやって来たような見すぼらしい人々。それらは、ここに来てすわれたのにほっとして、目をあげてあたりをながめる勇気もなく、おそらくずいぶんつらかったにちがいない過去の思い出に身をかがめながら、スープにさじをつっこむまえに、まずその中にパンをひたしたまま、じっと考えこんでいるといったような人たちだった。そうしたひとりが、ちょうどジャックの正面に来て腰をおろした。一瞬、ふたりの目が合った。そしてジャックは、その男の目の中に、ほんの一瞬、すべてのおたずねものに共通な、なぞの言葉とでもいったようなものをちらりとつかんだ。それは、視覚のアンテナのはしでつかんだ、きわめて内輪のなぞのような感情の表現。稲妻のように短い、いつもきまった問いかけだった。《で、おまえさんは？　おまえさんもやっぱりはみ出し組かい？　悪たれ組かい？　追っぱらわれ組かい？》

ひとりの若い女が、ドアの入口に姿をあらわし、ホールの中へつかつかとはいって来た。すっきりした姿、軽やかな身のこなし。黒いタイユールを着た女だった。女は、目で誰かをさがしていたのだが、その相手は見つからなかった。

ジャックは、うつむいた。急に胸が苦しくなってきた。彼は、とつぜん立ちあがったと思うと逃げだした。

ジェンニー……いまごろ、彼女はどこにいるのだろう？　自分というもののいなくなった彼女、フランス国境から出したきわめてかんたんな葉書だけしか受けとらなかった彼女、彼女はどうしているだろう？　ジャックは、こうして、幾たびとなく、はっとしたつかのまの感動から、また、たまらないほどのなつかしさ、したわしさの気持ちから、いつも彼女のことを思っていた。そして、寝つかれぬ夜ごと夜ごと、いつも彼女を、狂おしいばかりにだきしめていた……彼女には自分が必要であると思い、自分に捨てられた彼女が、これからはずいぶんたよりないだろうと思うと、彼はたまらない気持ちになるのだった。だが、彼は、たいしてそのことを考えなかった。彼女のために生き長らえようといった誘惑など、ついぞ心におこらなかった。彼にはわが恋を犠牲にすることが、裏切りであるとは思われなかった。自分自身に、すなわちジェンニーが愛していてくれたものに忠実であること、それこそむしろ、自分の恋にも忠実なのだと思うのだった。

外は、夜であり、そこには往来があり、さびしかった。彼は、どこへ行くというあてもなく、ほとんど駆けるようにして歩いていた。歩きつづける彼の口からは、男性的な歌声がもれていた。いまはジェンニーからも逃げだすことができたのだった。いまはもう、手の届かないところまで来ているのだ。彼の心には、いま、燃えさかるような、人を清めずにおかないような、英雄的な興奮があるだけだった。

八十二

毎日、ジャックが何をおいても心がけていたのは、メネストレルからわたされた指令の一つに従うということだった。《毎朝、八時と九時のあいだに、ユンク・シュトラーセ三番地の前を歩くこと。窓に赤い布の出ている日に、ヒュルツ夫人に面会をもとめ、〈貸間がおありだというのでうかがいましたが〉ということ》

八月九日、日曜日、八時半とおぼしきころ、エルゼッセル・シュトラーセとユンク・シュトラーセのかどを通りかかった彼は、一瞬胸の動悸がとまるように思った。三番地の露台には、いろいろ干し物がほされていた。そしてテーブル・クロース、ナプキンなどのあいだ、よく見えるところに、赤い木綿のきれがかかっていた！

このあたりの町は、小さな家々からできていて、そうした家々と往来とのあいだには、小さな庭がひかえていた。ジャックが、三番地の家の石段に足をかけようとしたとたん、ドアがあいた。そして、玄関の薄くらがりに、はでな色の上着をつけ、腕をむき出しにしたブロンドの女の姿が見えた。

「マダム・ヒュルツ？」

それには答えず、女は、彼のはいったあとのドアをしめた。廊下は、せまい玄関のようになっていた。どこもかしこもしまっているので、かなり薄暗い感じだった。

「貸間がおありだというのでうかがいましたが……」

女は、すばやく、上着の中に二本の指をすべりこませたと思うと、何やらとり出して彼にわたした。伝書鳩に持たせるような、薄紙を巻いたやつだった。ジャックは、それをポケットの底にしまいながら、その紙から、女の肌のぬくみを感じとるだけのゆとりをもっていた。

「おきのどくですが、何かおまちがいでございましょう……」と、高い声で女が言った。

そう言いながら、女はふたたび、石段へ向いたドアをあけてくれた。ジャックは、女の眼差しを求めていた。だが、女はすでに、目を伏せてしまっていた。彼は、一礼してから外へ出た。と、ドアはすぐにしめられた。

それから何分かの後、ジャックは、プラトネルといっしょに、写真用の液盤の上をのぞきこみながら、通牒の本文を解読していた。

アルザスにおける軍事行動調査の結果、一刻の猶予なく行動にうつることを必要とする。飛行は、十日月曜日と決定した。出発午前四時。日曜より月曜にかけての夜を期し、アジビラをディッチンゲン北東高地に送るべし。フランス参謀本部発行の国境地図参照のこと。BurgのGと、DittingenのDとのあいだに直線を引け。会合地点は、GとDより等距離のところ、小道を見おろした裸の高地。夜のひき明けから機の飛来に注意のこと。可能ならば、着陸に便するため、地上に白布をひろげおくこと。ガソリン五十リットルを用意せよ。

「今夜だ……」と、ジャックは、プラトネルのほうをふり向いて言った。顔には、緊張の色だけが見られていた。

プラトネルは、生まれついての陰謀家だった。書籍の取引きで年よりも早く老いこみ、いかにも弱弱しそうではあったが、一党を率いるにふさわしい豊富な想像力と速やかな決断力とを持っていた。生まれながらに危険を好み事件を好むその性格は、革命党にたいする彼の献身の場合、その確固たる信念と同様に、大いに買われていたのだった。

「その点については、二日このかた十二分に考えてきたことなんだ」と、プラトネルはすぐに言った。「決定しただけのことをする。あとはただ実行だ。おれにまかせてもらおう。おまえは、なるべく顔を見られないほうがいい」

「だが、小型トラックは？　今夜のまにあうかしら？　それに、運転手は？……カペルには誰が知らせに行く？　アジビラをいそいで飛行機にはこぶのだったら、人手が必要だと思うんだが……」

「まかせてもらおう」と、プラトネルがくり返した。

「予定どおり、ちゃんとまにあわせるから」

そうだ、もしジャックにして、自分ひとりですべてをかたづけなければならないのだったら、プラトネル同様、いろいろなことを考えなければならなかったろう。だが、この数日間、ひとりぼっちで、何もせず、しかも肉体的に疲れきっていたジャックにとって、いまはただプラトネルの専断にまかせておくほうが楽だった。

すでにプラトネルは、こまごましたあらゆる手はずをきめてしまっていた。彼は、自分の班の闘士の、ポーランド生まれのガレージの所有者を知っていた。信用できる男だった。彼は、その男のところへ行くために自転車に飛びのった。そしてジャックは、店裏の部屋で、そこにまだメネストレルの手紙が浮かんでいる小さな液盤を前にして、たったひとりで留守をしていた。

待っているあいだ、ジャックは身動き一つしなかった。彼は、プラトネルにたのんで出してもらった参謀本部の地図をひざの上にひろげ、ブルクとディッチンゲンをさがしあてた。と、目のまえがごちゃごちゃになった。彼は、心の重荷に取りひしがれ、物を考える気にさえなれなかった。この一週間というもの、彼はもっぱら目的だけに心をうばわれ、夢の中だけで生きてきた。自分自身のこと、これからさきの運命のことなど、ふとしたはずみに思いだすにすぎなかった。ところがいま、彼はとつぜん、数時間の後にしようと思っている行為、おそらく彼にとって最後のものとなるであろう行為の前に立たされているのだ。彼は、まるで機械人形のようにくり返した。《今夜……あした……あしたの夜明け……飛行機》だが、心では、《あしたになったら万事終わりだ》と思っていた。彼は、二度と帰れないことを知っていた。彼はメネストレルが、ずっと遠くまで、積載ガソリンをすっかり使いはたすところまで飛びつづけるであろうことを知っていた。そして、それから……いったいどうなる？　飛行機が戦線に撃ち落とされる？……あるいは、そのまま鹵獲《ろかく》されるか？……軍法会議にかけられるとしたら、それはフランス方のか、ドイツ方のか？……いずれにしても現行犯だ。裁判なしに即時処刑だ……はっと恐怖におそわれたジャックは、おどろくほど頭がさえてきて、一瞬両手でひたいをかかえた。《生命は、かけがえのない一つの宝だ。それを犠牲にするとはきちがいざただ。それを犠牲にすることは罪悪なのだ。自然に反した罪悪なんだ！　英雄的な行為のごとき、すべて愚劣な、天理に反したことなんだ！……》

このときとつぜん、彼の心には、ふしぎな安らぎが生まれてきた。恐怖の波は、すっかり引いてしまっていた……それは、彼をして岬のようなものをおどり越えさせ、彼はいま、別な浜辺へと船をすすめ、別な水平線をのぞんでいた……戦争をやめさせられるかもしれないのだ……反乱、同胞愛、休戦！《たとい成功しないまでも、りっぱな手本をしめしてやれる！ たといどっちへころんだところでおれの死は、りっぱな行為と言えるんだ……名誉を保つこと……忠実であること……忠実であり、しかも役立つこと……そうだ、役に立つこと！ 自分の一生をとりもどすこと、くだらなかった自分の一生を回復すること……そして、大きな安息を見いだすこと……》

いまや、彼の全身は、一つの弛緩状態にとらわれていた。休息といった感じ、ほとんどやすらぎといった感じ。それは、何かしら一脈のさびしさをともなった充足感といった感じだった……これでいよいよ重荷がおろせる……あの、うるさい、腹の立つような世間とのおつきあいもこれで終わりだ！ しちめんどうな、腹の立つような自分自身とのおつきあいもこれで終わりだ……彼は、なんの心のこりもなく、生のことを思っていた。生のこと、そしてまた死のことを……なんの心のこりもなく、だが、動物的な、うつけたような、そして、ほかのどんなものにも心を向けさせないほど強力な麻痺感で……生のこと、死のこと……

　帰って来たフラトネルは、ジャックが、まえのとおり、両ひざの上にひじを立て、両手にひたいをかかえているのを見た。ジャックは、機械的に立ちあがると、低い声でこう言った。「ああ、社会主義が嘘をついたのでなかったら……！」

プラトネルは、ガレージの所有者という男をつれて来た。すでに半白の男、落ちついた意志の強そうな顔をした男だった。

「アンドレーエフだ……小型トラックの用意もできてる。おれたちをつれて行ってくれるんだ。アジビラやガソリンは奥のほうにつめる……カペルにも知らせた。すぐやって来る……日が暮れたら出かけよう……」

ふたりが来たので失神状態から引きもどされたジャックは、確実を期するため、日のあるうちに道を見ておきたいと言いだした。アンドレーエフも賛成した。

「行こう。向こうまで案内しよう」と、アンドレーエフが言った。「小型のオープンにしよう。それだと、ふたりで散歩でもしているように見えるから……」

「だが、アジビラのひもかけは?」と、ジャックがプラトネルに言った。

「あらかたできてる……あと一時間もやれば……帰って来るまでにはできるだろう」

ジャックは、地図を手にして、アンドレーエフのあとにつづいた。

プラトネルは、カペルを相手に積荷の包装を終わりながら、地下室でふたりの帰りを待っていた。アジビラは、四ページ——二ページはフランス語、ほかの二ページはドイツ語——に印刷され、軽い、腰のつよい特別な紙に刷られていた。ジャックは、百二十万枚のビラを二千ずつの束にわけさせ、その一束ずつを、ちょっとつめではじけば破れるような薄い紙の帯でゆわかせることにした。全体の重さも、二百キロをわずかに越える程度だった。ジャックから言われたとおり、プラトネルは、カペルを相手に、こうした束を十ずついっしょに包装した。そして、その六十包みを、片手で楽にほどけるように、おのおの花結びにした糸でくくった。ジャックは、この六十包みの運搬を楽にするため、ちょうど郵便局でつかうような大きな袋を手に入れておいた。こうして、荷物はすべてで袋が六つ、そして、一つ一つの袋の重みが、四十キロくらいというわけだった。

アンドレーエフの自動車は五時になって帰って来た。

ジャックは、心配そうにいらいらしていた。

「とてもぐあいがわるいんだ……メッツェルレンを通って行く道は監視されてる……とてもだめだ。税関吏とか、警官の見張所なんかで……も一つ、ローフェンを通るやつは、レッシェンツまではいい道だが、そこまで行くと、動きのとれないような小さな道を通らなければならない……小型トラックは通るまい……自動車をあきらめなければ……そして、荷車をさがすんだ……馬が一頭で引く百姓のつかう荷車を……あれだったら、どんなところでも通って行ける。そのうえ人目を引くこともなかろうし」

「荷車だって?」とプラトネルが言った。「わけないさ……」と彼は、ポケットから手帳を取りだし、そこに書いてあった人名簿を調べていた。そして、「いっしょに来てもらおう」と、アンドレーエフに言った。「ふたりはあとに残っていて、つめる仕事をやってもらおう」

いかにも自信ありげなようすを見て、ジャックは、いっしょに行くのをあきらめた。

「残りの包みをしばるくらい、おれひとりでたくさんだ」と、ふたりきりになるが早いかカペルが言った。「休んでいろよ。少し寝といたほうがいい……だめか？」カペルは、そばへよってきて、手首のところを握ってみた。そして、ちょっと間をおいてから「ほう、熱があるな」と言った。「キニーネをのむか？」そして、ジャックが、肩をすくめていやだといったようすをみせると「それならそれで、こんなのりのにおいがこもっている、息もできないような穴の中にいないで、少しその辺を歩いてこないか！」

　グライフェン町は、晴着をきてぶらつきに出た家族たちの群れでいっぱいだった。ジャックは人波にまじって、橋のところまで行った。そこまで行くと、彼はちょっとためらってから左へまがり、河《か》岸《し》のところまでおりて行った。《運がよかった……なんてよく晴れた夕方だ……》彼は、ぐっと胸を張り、微笑さえ浮かべた。何も考えないこと。固くならないこと……《だが、せめて荷車がうまく見つかってくれればいいが……万事好都合にいってくれるといいが……》

　河岸に沿った道には、ほとんど人影も見えなかった。彼は、夕日の光に、一面紅を流したような河面を見おろしていた。土手の下、引き舟道の上には、水浴をした人たちが、夕日をおしみながらからだを干していた。ジャックは、ちょっと立ちどまった。空気は、たまらないほどなごやかだった。草の中の裸の胴体が、いかにもなごやかに光っていた……彼は思わず涙を浮かべた。そして、ふたたび歩きつづけた。ああ、あのメーゾン・ラフィットのこと、セーヌ川の岸のこと、夏、ダニエルとたびたび川で泳いだときのこと……

運命こそは、どういう数かずの道をたどらせ、どういう数かずのまわり道をさせながら、かつての日の少年をこの最後の日まで導いてきたというのだろうか？　それは、偶然の連続だったというべきなのか？　断じて否！　彼のあらゆる行動は、すべてたがいに関連していた。彼はいま、自分でもそのことを感じ、いままでにも、たといおぼろげにではあったにせよ、つねにそのことを感じていた。彼の生涯、それは何かしら神秘的な目的への、また運命的な傾向への、長い、衝動的な服従の生涯にほかならなかった。そしていま、その到達点に、その窮極点に達したというわけなのだ。死は、彼の目の前に、あの壮麗な落日のように輝いている。彼は、すでに恐怖を乗り越えてしまっていた。見せかけの強がりをすて、思いつめた、酔うような、身のしまるような悲しみの気持ちで、その呼びかけにこたえていた。こうした意識的な死、これこそは人生の完成なのだ。これこそは、自分自身にたいしての忠実さ……反抗の本能にたいしての忠実さの、窮極の行為にほかならないのだ……彼は、子供のころから、いつも《否！》と言いつづけた。それこそは、彼にとり、ただ一つの自己確認の方法だった。人生にたいする否ではなかった……社会にたいする否だった。ところが、いまこそ最後の否、すなわち、生きることにたいしての否なのだ……

ジャックは、どこをどう通ったかもおぼえずに、ウェットシュタイン橋の下まできた。頭の上には、車や、電車や――生きている人間どもが通っている。下のほうには、つじ公園が、静けさと、緑と、涼しさの泉といったようにひろがっている。彼は、ベンチに腰をおろした。いくつもの小道が、しばふやつげの茂みをとりまいて走っている。西洋杉の低い枝の上には、鳩が咽喉《のど》を鳴らしている。モーヴ色の前掛けをした、まだ年も若く、からだつきは小娘のようでいながら、顔だけには疲れの見えるひとりの女が、小道の向こうに腰かけている。女の前には、乳母車の中に、生まれてまもない子供が眠っている。毛もはえそろわず、蠟のような顔いろをした、胎児そのままといった子供。女は、がつがつパンをかじっている。女は、遠く、川のほうをながめている。そして、子供の手のように弱々しい、あいているほうの手で、合わせめのぎしぎしいっている乳母車を、うわのそらのようすでゆすっている。モーヴの前掛けは、色こそさめているが、さっぱりしている。パンにはバターがぬられている。女の表情はおだやかで、ほとんど満ちたりてでもいるようだ。そこには、何一つとりたてて貧乏くささも見えなかったのだが、時代の貧困といったようなものがいかにもきびしく感じられて、ジャックは思わず立ちあがると、そのままそこを逃げだした。

ちょうど、プラトネルが店に帰ったところだった。目を輝かせ、胸を大きく張りながら、

「手にはいったぞ！　ほろつき馬車だ。積んだものも見えずにすむ。引いていくのはすばらしい雌馬だ。アンドレーエフが御者をつとめる。ポーランドで農家につとめていたんだから……時間はかかるにちがいない。だが、どんなところでも通って行ける」

八十三

ハイリヒガイスト・キルヒェ(教会の名)の鐘楼で夜半の時が鳴っていた。一台の野菜車が、並の歩調で、南部の人通りのないところをぬけて、エッシ街道へ出ていった。

厚いほろは、四方を留め金でとめられていて、中はまっくらだった。プラトネルとカペルは、車のうしろに腰をおろして、口に手をあてながら低い声で話している。カペルはタバコを吸っている。時おり、タバコの火の動くのが見える。

ジャックは、奥のほうにもぐりこんでいた。アジビラの梱《こり》二つのあいだにはさまり、肩をまげ、両手を組みあわせてひざをかかえ、まっ暗な中でいろいろ反省しながら、興奮をおさえるため、つとめてからだを動かさず、目をつぶっていようとした。

プラトネルの声が、低くおしつぶされたように聞こえてくる。

「ところでカペル、おれたちのことも考えとこう。なにしろ、こんな時刻に飛行機が飛ぶっていうんだから……おれたち三人、あやしまれずに、何をしていたなんて聞かれずに、無事に馬車で帰れるだろうか？　なあ、どう思う？」と、プラトネルは、馬車の奥をのぞきこみながらたずねた。

ジャックは、なんとも答えなかった。彼は、着陸したときのことを考えていた……地上におりたとき、生きているものはどういう取扱いをうけるかしら……!

「たとい馬車は藪だたみに隠しておいたにせよだ……」と、口軽なプラトネルが言葉をつづけた。「荷物をおろしたら、飛行機の来るまえにアンドレーエフと馬車とは帰すんだな。夜明けまえに街道まで出られるように」

ジャックは、すでに機上の人となっている自分のことを思い浮かべていた……彼は、座席から身を乗りだす……無数の白い紙が空間に渦巻く……草原、森林、集結した軍隊……アジビラが、何千何万となく、野の上にばらまかれる……あられのような弾丸の音。メネストレルがふり向く。ジャックには、血だらけになった彼の顔が目にはいる。《ほら。おれたちは彼らに平和をもたらそうとしている。ところが、そういう彼らはおれたちに向かって撃ってくるんだ!……》彼の微笑は、こうでもいっているようだった。飛行機は、翼に弾丸をうけて滑走状態で下降をはじめる……新聞に出るかな? いや、新聞は箝口令《かんこうれい》でやられている。アントワーヌにもわかるまい。アントワーヌには、永遠わからずじまいで終わるだろう。

「で、おれたちはどうするんだ?」と、カペルが言った。

「おれたち? 飛行機への積みこみがすんだら、てんでに手っとりばやく引きあげるのさ!」

「All right!」と、カペルが言った。

馬車は、平地に出たらしい。馬は速足で走りだしていた。車体は、高いうえに積荷が少ないので、バネの上でしきりにおどっている。そして、そうしたやみの中での単調な動揺は、人をして思わずも口をつぐませ、うとうとさせる。カペルはタバコの火を消した。そして、両足を、梱《こり》の上にながながとのばした。

「おやすみ」

しばらくすると、プラトネルが何かぶつぶつ言いだした。

「アンドレーエフのばかやろう、このちょうしだと、時間より早く着いちまうぞ。そう思わないか？」

カペルは、なんとも返事をしなかった。プラトネルはジャックのほうをふり向いた。

「早すぎたりすると、目につく危険がありすぎるとは思わないか？……おい、寝てるのか？」

ジャックは、聞いていなかった。彼は、部屋のまんなかに立っている。身につけているのは、少年園で着ていたのとおなじ格子じまの仕事着。自分の前には、半円形を描いて、軍法会議の士官たちがいならんでいる。彼は、昂然と顔をあげ、一語一語をきざんだようにして話している。《ぼくは、自分を待ちうけているものがなんであるかを知っています。だが、ぼくは、自分に残っている最後の権利を行使します。あなたがたは、ぼくの言い分を聞いたうえでなければ、ぼくを処刑してはならないはずです！》そこは、裁判所の大きな中世風な広間で、手の込んだ天井は、彩色をしたごう天井になっていて、それを引き立てるかのように金色があしらわれてある。裁判長として臨んでいる将軍は、法廷の中央、一段高い席の上に、ちょこんと腰をおろしている。それは、例のクルーイの少年園長フェーム氏その人にほかならなかった。応召を志願して、将軍になったものらしい……例によって例のごとく、若々しく、それにブロンドの髪、まっさおにそりあげたあとにパウダーをはたいたまるまるとした頰、きらきら光って、そのため眼差しがはっきりつかめない眼鏡。そして、アストラカンのついた黒い肋骨服をこいきに着こなしている。その下のところには、小さなテーブルを前にして仲よく並んで、胸にいっぱい記章を光らせたふたりの年よりの憲兵が腰をかけてる。ふたりは、絶えず何か書きつづけている。そして、テーブルの下から、義足を前に突きだしている。《ぼくは、自己弁護をしようとするものではありません！　自己の確信にもとづいてやったことについては、なんら弁護の必要がないからです。だが、ここにおいでのあなたがたには、いままさに死のうとしている男の口から、真実の声をきく義務があります……》彼は、手で、自分の前、ゆかの上に立てられた半円形の手すりをつかんでいる。ここにいる人たち……彼は、自分のうしろに、目の届くかぎりつづいている階段、上に山なす観覧者をのせた自転車競技場の階段のようなもののあるのを感じる。ジェンニーが来ている。彼女は、ひとり、乳母車を持ち、顔色もわるく、放心したようなようすで、ベンチのはしに、モーヴ色の前掛けすがたで腰をかけている。だが、彼は、つとめてそのほうへ目を向けまいとする。彼はいま、彼女のために話しているのではない。また、じっと注意されていることの重荷のように首筋に感じられる、このふしぎにもしんと静まりかえった群集のために話しているのでもない。あるいはまた、ずらりと並んで、目をじっと彼のうえにそそいでいる士官たちのために話しているのでもない。昔、何度となく自分に恥をかかせた、フェーム氏ひとりを相手に話している。彼はなんの感動もしめさない相手の顔を、じっと燃えるような目でみつめる。だが、相手は、少しも彼の眼差しを受けとめてくれない。せめて、目だけはあけているのだろうか？　眼鏡が光り、軍帽のかげになっているので、はっきりしたことはわからない。ジャックには、小さな灰いろの目の奥にあるあのいじわるそうな光のことが、いかにもはっきり思いだされた！　そうだ！　凍ったような顔の表情からおして、執拗にまぶたをおろしているらしい。園長の前に、ひとりぼっちで立っているといった感じ？　ハンブルクのドックのあいだで拾った、縮れ毛のびっこ犬をつれ、まさにこの世で、ひとりぼっちといった感じ！……もしアントワーヌにしてこの場に来たら、いやおうなしにフェーム氏の目をあけさせてくれるだろうが。ああ、なんというひとりぼっちの感じ！　あらゆる人々を向こうにまわしてひとりぼっちといった感じ！　将軍や、士官たちや、憲兵たち、それに名も知らぬこの群集、そして、ジェンニーをも含めて、みんな彼を被告人だと考え、彼から弁明を聞こうとしている。なんという愚劣さ！　この自分は、自分をさばく権利がありでもするように思っている連中の誰より、ずっと偉大であり、純粋なんだ！　自分はいま、社会全体を向こうにまわしている……《諸君の掟にくらべて、さらに上級の掟があるんだ。それは、良心の掟にほかならない。ぼくの良心は、諸君のあらゆる法典よりも、さらに声高く語っているのだ……ぼくは、戦場において愚劣に命をおとすか、諸君に欺かれた人々を解放するための反抗から命をおとすか、いずれか一つを選ばなければならなかった。そして、このぼくは選んだんだ！　ぼくは、喜んで死んでいく。だが、それは諸君のためではない！　ぼくが死ぬのは、諸君がいかにそれを憎悪させようとも、ぼくにとっていちばんたいせつな、そして唯一のもの、すなわち人類互いの同胞愛を最後まで守って戦いぬくため、諸君からゆるされたたった一つの方法だったからにほかならないのだ！》一つ一つの言葉の終わりに、ゆかに立っている小さな手すりが、握りしめている手の中でふるえる。《ぼくは選んだ。そして、いかなる運命が待っているかも知っているんだ！》彼はとつぜん、目の前に、銃の狙いをつけている一隊の兵士のすがたを思い浮かべてぞっとした。その第一列に、彼はパジェスとジュムランの姿をみとめた。彼は頭をあげた。そして、ふたたび法廷に立っている自分の姿を見た。死刑執行の兵士たちをありあり見たので、顔の緊張は、渋面となって消えずにいる。彼は、その渋面を、首尾よく傲然とした笑いにすりかえることに成功した。彼は、ひとりひとり、士官たちの顔をみつめてやる。つづいて、フェーム氏の顔をじっとみつめた。彼は、きっと目をすえて、昔、不安と警戒のまじりあった気持ちで園長の沈黙のかげに何が隠れているかを見きわめようとしたときをそのまま、フェーム氏の顔をじっとみつめた。彼は、かみつくような声でどなり立てた。《そうだ、ぼくは、どういう運命が自分を待っているかを知っている！だが、諸君はそれを知っているか？　諸君は、自分たちこそいちばん強いと信じているのか？　なるほど、きょうのところは！　ちょっとした合図、それに数発の弾丸。それによって、諸君は、ぼくを沈黙させられたと自慢もできよう。だが、ぼくひとりを殺したところで、何もせきとめることはできないのだ！　ぼくの使命は、ぼくが死んでも生きている！　あすの日にも、それは諸君の気のつかないような収穫をもたらすのだ！　そして、たといぼくの呼びかけになんの手ごたえがなかったにせよ、諸君によって血潮の中に突き落とされた国民たちは、やがて目をさまし、たしかに自分をとりもどすことになるのだ！　ぼくのあとからは、ぼくとおなじような人々、良心と連帯の観念に目ざめた幾千幾万の人々が、諸君を敵として立ちあがる！　諸君と、諸君のけしからん組織とを向こうにまわして、人間的な現実と精神力とが立ちあがるのだ！　それにたいしては、悪辣きわまる諸君の弾圧のごとき、なんらなすところを知らないのだ！　進歩も、世界の将来も、いやおうなしに諸君を敵として動いている！　国際社会主義は、つねに進んでやまないのだ！　なるほど、こんどということんどはつまずきもした。そして、諸君はそのつまずきを利用した。そうだ、諸君は動員をやってのけた！　だが、そうしたちゃちな成功に、気をよくしたりしてはいけないぞ！　諸君のつごうのいいように、社会秩序をひっくりかえせはしないんだから。けっきょくインターナショナリズムこそ諸君に勝つ！　全世界にわたって、勝つ！　そして、たといぼくを殺したところで、それでふせげるものではないのだ！》

彼の目は、フェーム氏の顔を穴のあくほどみつめていた。盲人の顔、蠟細工の顔。なんとも不可解なむとんじゃくさをしめしている茫漠とした仏陀の微笑……ジャックは、怒りにからだがふるえてきた。ぜがひでも、自分の敵であるこの男と取っ組まなくては！　一度だけでも、こっちを向かせてやらなくては！　彼は、あらあらしくこう叫んだ。《おい、園長さん、こっちを向かないか！》

「どうしたんだ？　何を言ってるんだ？　おれを呼んだのか？」と、プラトネルがたずねた。

将軍のまぶたがあがった。魂をもたない眼差し、施療病院での瀕死の病人が、職業的看護人の目のなかに見いだすような眼差し。臨終のせまった病人なんか、埋葬一歩手前の死骸にすぎないとでも思っているような眼差し……このときとつぜん、なんともおそろしい考えが心をかすめた。《やつめ、きっとおれの犬まで殺させるぞ、番人のアルテュールの手をかりて。アルテュールのやつ、副官に取り立てられているんだから！……》

「なんだって？」と、プラトネルがくり返した。

ジャックがなんの返事もしないのを見ると、彼はやみの中へ手をのばして、ジャックの足にさわってみた。ジャックは、目をあけた。だが、いちばんさきに目にはいったのは、車のほろの天井ではなく、金色模様のごう天井のある重罪裁判所の天井だった。やがて、次第に意識がもどってきた。プラトネル、アジビラの梱包、馬車……

「おれを呼んだのか？」と、プラトネルがくり返した。

「いや」

「そろそろラウフェン近くへ来たらしいぞ」と、ちょっと黙っていたあとでプラトネルが言った。

つづいて、ジャックに口をひらかせるのをあきらめた彼は、自分も口をつぐんでしまった。

カペルは、車のゆかの上に横になって、子供のように眠っていた。

プラトネルは、ときどき立ちあがって、ほろのすきまから外をうかがっていた。しばらくすると、彼は低い声でこう知らせた。

「ラウフェンだ！」

車は、並の歩調で、人っ子ひとり見えない町の中を抜けて行った。二時だった。

それからさらに二十分ばかりしたと思われるころ、馬はぴたりと足をとめた。

カペルは、はっとおどりあがった。

「なんだ？　どうしたんだ？」

「しっ！」

馬車は、レッシェンツを通ったところだった。これからは、谷を離れなければならなかった。村を出はずれると、道は、ずっとかわいた穴ぼこつづきの険しい細道になってのびている。アンドレーエフは、御者席からおりていた。彼は、灯火を消してから、馬の手綱を手に取った。一行はふたたび行進をつづけた。

道の凹凸で、車がはげしく揺れる。ばねや、弓なりをした木のほろわくがきしむ。ジャック、プラトネル、カペルの三人は、せまい車体の上で、積荷が右に左にすべるのをふせごうとして大わらわだった。積荷がぶつかりあい、またぶつかりあって立てるひびきに、ジャックの記憶の中には、一つのリズム、やさしい、なつかしい一つの楽節が思いだされる。だが、はじめのうちは、それがなんであるかわからなかった。そうだ、ショパンのエチュード！　おお、ジェンニー……メーゾン・ラフィットの家の庭……天文台通りの家の客間……彼のもとめにこたえてジェンニーがピアノをひいてくれた、ついこのあいだの、それでいて、いまは遠くなってしまったあの晩のこと……

やがて、たっぷり三十分も行ったと思うころ、ふたたび馬車がとまった。アンドレーエフが、ほろの皮ひもをはずしに来た。

「ついたぞ」

三人の男は、何も言わずに馬車を飛びおりた。

まだやっと三時。星こそ出ていたが、夜はまだまっ暗だった。それでいて、東のほうでは、空が白みかけていた。

アンドレーエフは、馬を小さな灌木の幹につないだ。プラトネルは、黙りこんでいた。どうも店にいるときほど落ちついていられないといったようす。そして、まわりのやみを見すかそうとしている。彼は、つぶやくようにこう言った。

「ところで、その高地っていうのは？」

「こっちだ」と、アンドレーエフが言った。

四人は、低い灌木のうえられた土手をよじのぼった。坂の頂上、高地のふちのところで、先に立って歩いていたアンドレーエフが立ちどまった。彼は、ちょっと息をついてから、いっぽうの手をプラトネルの肩の上におき、他のいっぽうでやみの中を指さしながら、説明した。

「あそこから――もうじきわかるが――木がなくなるんだ。それが高地だ。あそこをえらんだのは、たしかになかなか目が高いぜ」

「ところで」と、カペルが注意した。「大いそぎで車の荷をおろして、アンドレーエフが帰れるようにしてやらなければ」

「よかろう！」と、高い声でジャックが言った。その声のしっかりしていたのに、まず彼自身がびっくりした。

四人は、ふたたび土手をおりた。高地と道路とのあいだは険しかったが、嚢《ふくろ》や水筒などの運搬は、わずか数分で行なわれた。

「もう少し明るくなってから」と、ジャックは、白い布の包みを地面におきながら言った。「着陸のため、高地の上に布をひろげることにしよう。中心を離れた、三カ所か四カ所に」

「さ、おまえはすぐに馬車といっしょにずらかるんだ！」と、プラトネルが、アンドレーエフにうなるように言った。

アンドレーエフは、三人のほうを向いて、しばらくのあいだじっと身動きもせずにいた。やがて、彼は一歩ジャックのほうへ歩みよった。顔の表情は、それとはっきりわからなかった。ジャックは、きわめて自然に、両手を前へ差しだした。あんまり感動していたので、急には言葉が出なかった。彼はとつぜん、これから二度と会うことのないであろうこの男にたいして、相手には気がつかないような愛情を感じた。アンドレーエフは、差しだされたジャックの両手をしっかり握った。そして、身をかがめると、何もいわずに、ジャックの肩にキスをした。

しばらくのあいだ、坂道をおりて行く足音がひびいていた。やがて、馬車が、向きを変えているのか、ねこの鳴き声のような車軸のきしみ。やがて、物音がぴったりやむ……おそらくアンドレーエフが、ほろをおろしているのだろう。あるいは、御者台へあがるに先だち、手綱をしらべているのだろう……やがて、ごとりと馬車がゆらぐ。車輪のきしみ、バネのうめき、砂地にめりこむひづめの音、最初ははっきり聞こえていたが、次第次第にやみの中へ消えてゆく。プラトネル、カペル、ジャックの三人は、土手のふちに並んで立ち、何ひとこと言葉もかわさず、じっとやみの中を見すえながら、ひびきの遠ざかってゆくのを待っていた。さて、耳に入るものが沈黙だけとなったとき、カペルは、まず高地のほうへもどって行き、気楽にごろりと横になった。プラトネルが、そばへ行って腰をおろした。

ジャックは、立ったままでいた。いまとなっては、ほかになんの仕事もない。日の出を待つこと、飛行機を待つこと……いやおうなしに何もしないでいるということから、ふたたび不安が心をおそう。ああ、この最後のしばらくを、せめてひとりですごせたら……彼は、仲間たちをはずそうと思って、幾足か前のほうへ歩いていった。《これまでのところは万事上首尾……いまはメネストレルを待つばかりだ……遠くからでも聞こえるだろう……もう少し明るくなってきたら、布を敷くことにしなければ》やみの中には、まるで降るような虫の声。彼は、熱に浮かされ、疲労によろめき、じっとり汗ばんだ顔をさわやかな夜気になぶらせながら、やみの中でときおりささやきかわしているプラトネルとカペルから離れすぎないように、ふたりのまわりに円を描き、土地のでこぼこのためによろめきながら、高地の上を、どことあてもなく、行ったり来たり歩きはじめた。やがて、めくらめっぽう歩きまわって疲れてくると、その場にぱったり横になった。そしてそのまま目をつぶった。

厚い壁を通して、そっと石畳の上を忍んで来る足音が聞こえた。ジェンニーが、なんとかくふうして牢の中へ忍びこみ、も一度自分のところまで来るだろうということはわかっていた。彼はそれを待っていた。それをたのしみにしていた。それでいて、それを望む気持ちにはなれなかった……彼はいたずらに身もだえした……すっかりドアをしめてくれ！　ひとりでいさせてくれ！……だが、すでにおそかった！　彼女は来る。格子の向こうに姿が見える。彼女は、療養所の、白い、長い廊下の奥から、自分のほうへ向かって進んでくる。彼の前ではとってはいけないことになっている薄紗《うすしゃ》のヴェールに半分顔をかくされながら。それをとってはいけないと彼女に申しわたしたものは《やつら》なのだ……ジャックは、迎えるようなようすも見せずに、じっと彼女をながめている……彼女に近づこうとも思わない。いまでは、誰に近づこうという気にもならない。自分は、格子の向こうの人間なのだ……ところがいま、われ知らず、両手の中に、薄紗のヴェールを通してふるえている、かわいいまるい頭をかかえている。ヴェールの下、緊張している顔がわかる。彼女は、低い声でたずねる。《あなた、こわくって？》――《そうなんだ……》歯ががちがち鳴るので、言葉を口に出しにくい。《そうなんだ。だが、そう打ちあけるのはきみにだけだ》すると、おどろいたような、そして、なんの屈託もなさそうな声、ぜんぜん彼女らしくない、歌をうたうような声でつぶやくようにこう言った。《でも、これでおしまいよ……何から何まで忘れられるわ。最後の平和が得られるのよ……》――《まったくきみの言うとおりだ。だが、きみは、それがどういうものか知らないんだ……きみには、それがどういうものかわからないんだ……》うしろのほうから、誰か監房にはいって来る。彼はふり向いてみる気になれない。彼は、肩をはげしくゆする……すべては、さっと消えてしまった。彼は、目隠しされている。たくさんなこぶしが彼をこづく。彼は歩きだす。さわやかな風が、首すじの汗を冷やしてくれる。しばふを踏んで歩いて行く。目隠しされているのだが、自分が兵士にかこまれながら、プランパレの見晴らし台を通っているのがはっきり見える。兵士どもなどは、眼中にない。いまはもう、何事をも思わず、誰のことをも思わない。心はただ、わが身をとりまく微風のこと、夜の終わり、日のはじまりのなごやかさのことだけを思っている。頬を涙が流れる。彼は、目隠しされた顔を高くあげながら歩いて行く。しっかりした足どりで。だが、関節のはずれたあやつり人形とでもいったようにぎくしゃくしながら。ひかがみががくがくして、しかも地面にはいたるところ穴があり、それに、落ちこむ感じなので。だが、それにもかまわず、彼は歩む。身のまわりには、人声が、まるで風の歌とでもいったように、やさしく、引っきりなしにひびいている。彼は、一足ごとに目的へ近づく。そして、ささげ物とでもいったように、何やらもろいものを両手で高く差しあげている。つまずかずに、それを最後まで持って行かなければ……と、肩のうしろで、誰かがせせら笑っている……メネストレルか？……

彼は、ゆっくり目をあけた。頭上の空。そこにはすでに星が消えかけている。夜が終わりかけている。夜は、かなた東のほう、金粉をまきちらした若々しい空の上、そこにくっきり浮きあがった峰々の線のうしろに、はやくも明るみ、色どられかけている。

目がさめたといった気持ちではなかった。悪夢のことなど、すっかり忘れてしまっていた。力づよく血が高鳴る。精神は、まるで雨のあとの風景のように洗われ、さえわたった感じ。いよいよ行動の時がせまる。もうすぐメネストレルが飛んで来る。準備はすべて整っている……さまざまな考えを、つぎからつぎとはっきり組み立てている鋭敏な頭の中、またしても例のショパンの楽節が、たまらないやさしさで、弱音の伴奏とでもいったようにわきあがる。彼は、ポケットから手帳をとり出し、紙を一枚むしりとった。それをプラトネルに託そうと思ってだった。何を書いているかよく見もせずに、ただ走り書きに書きつづける。

ジェンニー。ぼくの生涯でのただひとりの恋人よ。ぼくの最後の思いをきみのうえにはせる。ぼくは、おん身に、ながい年月にわたる愛情をあたえることもできたはずだ。ところがぼくは、ただ苦しみだけしかあたえなかった。きみよ、いつまでもわが思い出を心にひめて……

何かしらにぶいひびきが、つづいてさらに一つのひびきが、彼が身を横たえていた大地をゆるがす。彼は、書くのをやめた。それは、はるかかなたに引きつづいている爆音だった。彼は、それを、耳と同時に、地に伏せていた全身で感じた。彼ははっと気がついた。砲声だ！……彼は、手帳をポケットにつっこむが早いか、さっとおどりあがった。高地のはし、土手の近くに、はやくもプラトネルとカペルが立っていた。ジャックはふたりのところへ走りよった。

「砲声だ！　アルザスの砲声だ！」

三人は、一つところに集まって、首を差しのべ、目をじっと見すえたまま、身動きひとつしないでいた。そうだ、戦争だ。しののめの朝の光を待ちかねて、ふたたび戦争がはじまったのだ……バーゼルでは、こうしたひびきも聞こえなかった……

　とたちまち、三人が息を殺していると、大地の反対のはしから別のひびきが聞こえてきた。三人は同時にふり返った。三人は、目までたがいにたずねあった。だが、誰ひとり、聞こえるか聞こえないようなそのひびき、それでいて、刻一刻高まって来るそのひびきがなんであるのか、はっきり口に出して言えなかった。砲声は、遠くのほうで、規則正しい間隔をおいてつづいていた。だが、それももはや三人の耳にははいらなかった。三人は南へ向かい、目に見えぬ昆虫のようなうなりの満ちてゆく青白い空を、食い入るようにみつめていた……

　とつぜん、三人は、いっせいに両手を高く差しあげた。ホッゲルワルトの頂上を越して、黒い一点があらわれたのだ。メネストレルだ！

　ジャックは叫んだ。

「標識だ！」

　三人は、おのおの一枚の布を手にすると、高地の別々の地点をさして駆けだした。

　ジャックは、いちばん遠くまで行かなければならなかった。彼は、たたんだ布をしっかりかかえ、土くれにつまずきながら走っていた。まにあうように高地のはしまで行き着くこと、そのほかのことは考えなかった。飛行機の飛ぶのを見上げて、一刻もむだにはできなかった。すでに爆音は耳を聾《ろう》するばかり。飛行機は、早くも猛禽のような輪を描いて、彼をひっつかみ、彼を運び去るため、おどりかかりかけているようだった。

八十四

ふるえあがるような風にはげしく顔をたたかれ、鼻孔や口をふさがれ、まるで水におぼれかけているような感じをしながらも、ジャックには、自分が前へ進んで行っているようにはどうしても思われなかった。ちょうど汽車の車両と車両のあいだ、ほろで囲われた連結器のところ、そこのおどる鉄板の上に立っているかのように、たえず揺りあげられ、揺りかえされ、いっぽう、飛行帽の耳あてにもかかわらず、はげしく鼓膜をうつ雷鳴のようなひびきに耳を聾《ろう》されながら、ジャックは、機が高地の上をはげしい動揺をつづけて進んで行ってから、やおら離陸したことにさえも気がつかなかった。身のまわりの空間は、ガソリンのにおいのする雲の海。彼は、目をあけていた。だが、視線も、思考も、すべてこの綿のような雲の中に吸いこまれていた。彼は、いちはやく呼吸をとりもどした。だが、神経を、こうしたひびきに——彼の頭脳を打ち砕き、しびれさせ、からだのはしばしにまでたえまない放電を感じさせるこうしたひびきになれさせるまでには、さらに多くの時を必要とした。だが、次第次第に、彼の意識は、さまざまな形象や観念をまとめはじめた。そうだ、これはもはや夢ではないのだ！……彼のからだは座席のもたれにくくりつけられ、両ひざは、まわりにいっぱい積みあげられたアジビラの包みのため、微動することさえゆるされなかった。彼は、からだを起こしてみた。前のほう、身のまわり一面の白い霧のようなものの中に、彼は一つの人かげ、肩、飛行帽などが、大きな黒い翼のかげに、まるで影絵のようにくっきり浮かびあがっているのを見た。パイロットだ！ たちまち、熱狂的な歓喜が彼をつかんだ。いよいよ飛びだしたんだ！ いま、一散に飛んでいるのだ！ 彼は、動物的な叫び、長く尾を引いた勝利のわめきを口に出した。だが、それも咆哮するあらしの中にのまれてしまい、メネストレルの背には、微動のかげさえ見られなかった。

ジャックは、外へ首を突きだした。風ははげしく彼をはたき、砥石《といし》にかけられる刃物のような鋭いひびきで、彼の耳もとで口笛を吹く。見わたすかぎり、ねず色がかった、ひろびろとした、なんとも形のつかめない壁画面。平らにねかし、それをずっと高いところ、ずっと遠いところからながめているとでもいったような壁画面。色もあせ、ひびができ、かさかさになり、鈍い色彩をしたいくつかの小島を浮かべている壁画面。そうだ、壁画面ではない。これは宇宙地図の一ページだ。人跡未踏の大きな空間を持っている、知られざる大地の物言わぬ地図だ。彼はこのとき、プラトネルやカペルは、下のほうで、まるで翼のない昆虫といったような、地をはいまわる生活をしているというおどろくべき事実に思いいたった……目まいがするようで、目先が急に暗くなった。彼は、はっとして元の席にからだをもどし、目をつぶった……と、とつぜん、子供のころの自分の姿が思いだされた。父の姿……アントワーヌとジゼール……ダニエル……つづいて、ぼやけたような一つの姿。それこそは、メーゾン・ラフィットのコートで、テニス服を着たジェンニーの姿……つづいて、すべては消えた。

彼は目をあけた。前には、あいかわらずメネストレルが、背をまるめ、飛行帽をかぶった頭を見せている。そうだ、錯覚ではない。とうとう夢が実現したのだ！　だが、それはどういうふうにして？　それは彼にもわからなかった。高地の上にいっしょうけんめいシーツをひろげていたあのときから――彼は、そのとき、まるで怪物が自分の上におどりかかってでもくるように、反射的に地上にがばと身を伏せた――いまのいま、こうしたすばらしいときのくるまで、彼には、自分で自分が何をしているのかわからなかった。彼の記憶は、機械的に、なんの連絡もないいくつかの映像を記録していただけだった。まるで、夜もひきあけのおぼつかない明るみのなかに動く亡霊とでもいったようないくつかの影……彼は、思いだしてみようとした。たちまち彼は、メネストレルが、まるで悪魔とでもいったように、とつぜん姿をあらわしたときのことを思いだした。メネストレルは、空から落ちて来た隕石に生命と声とをあたえて、操縦者席から、上半身と皮の飛行帽につつまれた顔をのぞけて、「アジビラを早く！」と叫んだ。そしてジャックは、暗い夜の高地の上を走りまわっている人たちのこと、手から手へとリレーされていたアジビラの袋のことなどを思い浮かべた。同時に彼は、自分がガソリンのかんを持って、メネストレルのそばによじのぼり、そしてパイロットが、電気の光に照らしだされた機体の中にうずくまって、懐中電灯の光をたよりに、長いスパナでどこかのボルトを締めながらくるりとこちらをふり向き「接触がわるい！　技師はいないか！」と、言ったときのことを思いだした。「馬車といっしょに帰りました」こうした返事を聞かされると、メネストレルは、物も言わずに、ふたたび座席にもぐりこんでしまった……それにしても、自分はどうしてここにいるのだろう？　それにこの飛行帽は？　誰がこのベルトを結んでくれたのだろう？

ところで、機は進んでいるのだろうか？　それは、執拗なうなりで空間を満たしながら、光の中にぽつんと浮かんでいる不動のものとでもいうようようだった。

ジャックはふり向いた。太陽は、うしろにあった。朝日だ。してみると、方向は北西かな？　たしかにアルトキルヒ・タンだ……彼は、ふたたびからだを起こして、外を見ようとした。なんと目のさめるようなながめ！　靄は、透きとおっていた。いま、機の下方にあたって、彼がこの四日間いやというほどながめあかした参謀本部の地図そのままが、目のとどくかぎり、日に照らされ、彩色をほどこされ、生き生きとして展開されていた！

心の底から好奇心をかき立てられたジャックは、金属性の窓わくにあごをのせながら、この見知らぬ世界にじっとながめ入っていた。推進機の通った跡を記すとでもいったような、大きな白ちゃけた一本の線が風景を二分していた。渓谷かしら？　イルの渓谷かしら？　こうして銀河の中央にあって、ところどころ白銀の靄に隠された波打つ蛇といったようなもの、それは川だ。そして、その川の右手を走っている青白い線は？　道かしら？　アルトキルヒ街道かな？　それにあの、無限に錯綜している静脈や小静脈のようなもの、それはほかのたくさんな道が、たがいに交差しあい、靄がかった緑の原のうえにくっきり浮かびあがっているのではないだろうか？　それに、最初気がつかなかったほとんど直線的な、インキでひいたような線は？　鉄道かな？……全身の生命力は、こうして一心に見おろしている眼差しに凝集されていた。彼にはいま、渓谷をはさんで立ちならぶ丘々の起伏がはっきり見わけられた。かなたこなたでは、眠ってでもいるような靄の帯が、風の中にのび、ちぎれ、いままで見えなかったひろびろした新しい場所を見せていた。それ、そこに、木のしげった山の頂が濃緑の色をみせている。それに、右手のほうにあたって、ついいましがた靄の切れめから顔を出したのはなんだろう？　町かしら？　丘の中腹に、まるで円形劇場といったような一つの町。日を浴びてばら色に輝き、目に見えない無数の生命にうごめいている小さな町の全景……

機は、軽くうしろのほうへかしいでいる。ジャックには、自分がいま、軽やかに、確実に、たえざる跳躍をもって上昇しつづけていることが感じられた。発動機のうなりもすっかり耳になれてしまい、いまはむしろそれを必要とし、それなしではすまされなくさえなった感じで、彼はそれに全身を打ちまかせ、それに酔っていた。それはいま、彼の興奮の音楽的表出とでもいったようなものになっていた。それはちょうど、交響楽とでもいったように、力づよい音波で、こうした目前の奇跡的事実、ジャックをその目的へ向かって運んでいるこのふしぎな飛行を、一つのひびきある言語に書きなおしてでもいるようだった。いまや彼には、あらがったり、選択したりする必要はなかった。何をしようと考える必要もなかった。解放！　風を切っての飛行、高空での空気、断然成功するにちがいないという確信、それらは、彼の血を、さらにすみやかに、さらに強く脈打たせた。彼は、胸の奥に、心臓のはげしい、きわめてひびきのいい鼓動を感じていた。それは、彼の身のまわりのあらゆる空間をふるえおののかせているこのすばらしい凱歌にとって、一種の人間的な伴奏、あるいは彼が身をあげての共感といったように思われた……

メネストレルが身を動かした。

ついさっきも、彼はからだを前へかがめた。地図を読もうとしたのだろうか？　あるいは、操縦桿をしっかり押そうとしただけだろうか？……ジャックは、うれしそうに、メネストレルの動作を目で追っていた。彼は「おうい！」と、叫んでみた。だが、距離のせいと、やかましいひびきのせいで、ふたりのあいだにはとても連絡がつかなかった。メネストレルは、身を起こした。つづいて、ふたたびかがみこみ、しばらくうつむいたままの姿勢でいた。ジャックは、妙に思いながらじっとながめていた。メネストレルが何をしているのかは見えなかった。だが、肩がせわしく動いているのから考えて、何かいっしょうけんめいやっていること、何か手でやっていることが察しられた。おそらく長いスパナを使っているにちがいない。彼は、高地で、メネストレルがそれを手にしていたことを思いだした。

だが、べつに心配することはないはずだった。メネストレルは、ちゃんと心得ているはずなのだ……

たちまち空中に、一種の震動、一種の衝撃といったようなものが起こった。なんだろう？　ジャックは、おどろいて、身のまわりの空間に、問いかけるような眼差しを投げた。理由をのみこむまでには、しばらくの時を必要とした。この衝撃、とつぜんできたこの穴、それは、思いもよらず生まれた静寂にほかならなかった。おごそかな、全面的な静寂、宇宙的な静寂、それがとつぜん、いままでの発動機のうなりに取ってかわった……どうして発動機をとめるのだろう？

メネストレルは、ふたたびからだを起こしていた。立ちあがってさえいるらしかった。彼の胴体にさえぎられて、機の前方の部分は見えなかった。

ジャックは、目をこらして、じっと動かぬ相手の背中をみつめていた。たがいに口をききあえないのが、なんともじれったいかぎりだった……

静かになったのに機自身おどろいているかのように、機は、五、六回、きわめてしずかに機体に波を打たせたと思うと、矢の飛ぶような叫びをひびかせながら一直線に走りだした。空中滑走？　それとも急降下？　なんでこんなことをするのだろう？　メネストレルは、音響で、機のねらわれるのをおそれてでもいるのだろうか？　それとも、下降しようとでもいうのだろうか？　すでに戦線近くまで来ているのだろうか？　もうすぐ最初のアジビラを撒くべきときがくるのだろうか？　そうだ、たしかにそれにちがいない。メネストレルは、ふり向きもせず、さっと左手を振った……ジャックは、身をふるわせながら、アジビラの包みを取ろうとして手を差しのべた。だが、思わず座席からほうり出されかけて、重心を失った。バンドが、両わきにしっかり食いこむ。どうしたのだろう？　機は、水平を失って機首を下につっこんでいく。なぜだろう？　わざとだろうか？……ジャックの頭に疑問がひらめく。ことによると何か危険が、と思う気持ちと、メネストレルによせる全幅の信頼の気持ちとがあらそう……彼は、片手で座席のふちをつかみ、外を見ようとして身を起こしかけた。なんたる驚愕！　風景がゆらぐ。畑地、草原、森、ついいましがたまでまるでもうせんのようにひろがっていたそれらのものが、たちまちゆらぎ、凹凸を見せ、燃えあがる水彩画のようにちぢまり、突風のようにわめき立てながら、そして、大異変に特有な速度を見せながら、目のくらむような勢いで、ぐんぐん自分めがけてせりあがってくる！

彼は、ぐいと腰に力をこめて、バンドを断ち切り、からだをぐっとうしろへもどした。

墜落！　万事休す……

いや、ちがった。機は、奇跡的に身をゆりあげたと思うと、ほとんどふつうの飛行態勢にもどっていた……メネストレルは、まだ操縦をつづけている……やれうれしや！

機は、操縦不能に陥って、一瞬ゆらめく。と見るまに、はげしい波が機をおそい、それを押しあげ、ゆりあげたと思うと、分解がはじまる。機胴がはじける。機は左にかしぐ、翼面旋回？　それとも不時着？　ジャックは、からだをまるめて、金属板にかじりつく。だが、つめがすべってつかめない。くっきりした幻想が網膜に浮かぶ。日に照らされた杉林、それに牧場……彼は、本能的に両眼をとじた。無限を思わせる一瞬。頭はからになり、心臓がぐっとしめつけられた……ねこの鳴き声のような音が鼓膜をひきさく、彼は、花火のようなばら窓《ロザース》に包まれ、ころがされ、旋回する無数の光のなかに運び去られる。乱打される鐘、鐘、鐘……彼は叫ぼうとする――「メネスト……」いまだかつておぼえのないほどなはげしい衝撃が、彼のあごを打ち砕いた……からだが空間に投げだされ、そして、ひとすくいのしっくいさながら、壁にたたきつけられたような感じ。

なんともはげしいあつさ……炎、爆音、火事場のようなにおい……数かぎりないとがったもの、鋭利なものが両足をつらぬく。息をもがく、身をもがく、超人的な努力で、うしろへ身をひき、烈火の中からはい出そうとする。だが、だめだ。火炎が両足をしっかりつかむ。

うしろのほうから、二本の鉄のつめが肩をつかむ。そして、ぐっとうしろにひかれる。ひきさかれ、八つざきにされ、その苦しさに思わずわめく……痛い背中を下にして引きずられ、からだがぼろぼろになる……

と、とつぜん、こうしたすべての恐怖が、急に静謐のなかに沈んで行く。暗黒。そして、虚無……

八十五

たくさんな人声……厚いフェルトのとばりにさえぎられたはるかな言葉。それでいて、それらの言葉が、執拗にからだの中にはいってくる……誰かが話しかける。メネストレルかしら？　メネストレルが呼んでいるのだ……彼はたたかう。このカタレプシー的睡眠の中からのがれ出ようと必死の努力をこころみる。

「誰だ？　フランス人か？　スイス人か？」

なんともたまらない痛みが、腰を、股《もも》を、ひざをかむ。鉄の針で、地面にくぎづけにされた感じ。口は、一面の傷だった。舌がはれあがっているので息もできない。目をつぶり、顔をあお向けにして、右に左に首をゆすってみる。できないと知りつつ身を起こそうと肩に力を入れてみるが、腰を突きさす痛みに、思わずしめつけられたようなうめきがもれる。なんともたまらない。ガソリンのにおい、こげくさいラシャのにおいが、鼻をふさぎ、咽喉《のど》をふさぐ、口からは、よだれがたれる。そして、ほとんどあけることさえできない口の端から、果肉といったようにこってりした血のかたまりが吐き出された。

「国籍は？　何か使命を持っていたのか？」

耳もとで、大ぜいの声がうなる。そして、人事不省の彼をいためつける。おろおろした眼差しが、半透明の深みの中からあげられたと思うと、まぶたのあいだをするりとすりぬけ、一瞬明るみの中に浮かびあがる。こずえが見える。空が見える。それに、ほこりでまっ白になったゲートルと……赤ズボン……軍隊だ……一群のフランス歩兵が、彼の上にのぞきこんでいる……自分たちが殺したのだ。そして、死にかけている……

ところで、アジビラは？　飛行機は？

彼は、頭をすこし持ちあげる。眼差しが、兵士たちの足のあいだをくぐり抜ける。機は……三十メートルばかり離れたところに、それと見わけもつかなくなった残骸の山が、火を消したあとのたき火のように、ひなたで煙をあげている。くず鉄の山。それに、炭になったぼろがひっかかっている。少しはなれたところには、地中にぐったり突きささったきれぎれの翼が一枚、まるでかかしのように草のあいだにつっ立っている……アジビラは！　そうだ、彼は、その一枚をも投げずに死のうとしている！　いまその束は、焼けこげて、永久に灰の中に埋まっている！　そして、もうこのうえは誰ひとり、ぜったいに……彼は、顔をふりあげる。眼差しが、澄みわたった空に消える。アジビラがかわいそうだといった気持ち……だが、あまりにも苦しい。ほかのことなど考えるひまがないほどなのだ……骨の髄まで両足に食い入るやけどの痛み……そうだ、死んでしまおう！　いっときも早く……

「おいおい！　なんとか言わないか！　フランス人かい！　飛行機には何を積んでた？」

すぐ耳もとで、あえぐような声。しっかりした声ではあるが、少しも荒っぽくない声。

彼は目をあけた。まだ若い、そして疲労にむくんだ顔。青い日覆いをつけた軍帽のひさしのかげ、眼鏡をかけた青い二つの目。まわりから、大ぜいの声が聞こえて、それがたがいに入りまじり、一度にどっと落ちかかる。「気がついたようだぞ！」――「隊長に報告したかな？」――「中尉殿、何か書類を持っておりましょう。さがしてみましょう……」――「なんにしても運よく助かったもんだな！」――「もうすぐ、隊長殿が見えるだろう。パスカンが呼びに行ったから……」

眼鏡の男が片ひざついた。ひげののびたあごと咽喉《のど》のあたりが、ホックのはずれた上着からのぞいている。胸の上には、皮やひもがいくつか交差している。

「フランス語がわからんか？……Bist du Deutsch? Verstehest du ?（ドイツ語。《ドイツ人かね……わかるかね……》）」

傷ついた肩のあたりを、荒々しくつかまれた、深いうめきが口からもれる。中尉はすぐに手をひっこめた。

「苦しいか？　水をやろうか？」

ジャックは、まゆを動かして、ほしいという返事をした。

「なにしろフランス語はわかるんだな」と、中尉は、身を起こしながらつぶやいた。

「中尉殿、こいつたしかにスパイですな……」

ジャックは、そのかん高い声の所有者のほうへ顔を向けようとした。おりもおり、兵士たちの群が動いたときに、およそ三メートルばかり離れた地上に、何か黒ずんだかたまりが見えた。なんとも名のつけられないようなもの、真っ黒に焦げたもの、人間らしいものといえば、草の上に投げだされたよじれた腕があるだけだった。そして、腕のはしには、黒い、鳥の水かきのようなもの。ジャックは、それから目を放さなかった。きゃしゃな、神経質な一本の手。指は、なかば虚空をつかむといったように、空へ向けてあげられていた……ジャックのまわりでは、大ぜいの声が、次第にぼやけていくようだった……

「中尉殿、パスカンが隊長をおつれしました……パスカンは、一部始終を見ていました。ちょうど前哨のところへ、コーヒーを届けに行くところでした……なんでも飛行機は……」

フェルトのとばりにさえぎられるといったように、声がだんだん遠のいてゆく。空では、例のこずえもぼやけてしまっている。そして、痛みもまた、次第次第に遠のいて、なんとも言えないけだるさの中に溶けこんでいく……アジビラ……メネストレル……自分もこうして死んでいくのか……いったいどういう神秘な、あらがいがたい理由から、自分はいま、打ち砕かれ、たえず揺りあげられ、無力になり、こうして舟に身を託していなければならないのか？　湖上のあらしが、あまりにもはげしくふたりの小舟をゆすったため、メネストレルは、すでにずっとまえに、自分で水に飛びこんでしまった……太陽は、まるで鉛を溶かしでもしたように燃えさかっている。ジャックは、その熱さからのがれようとむなしい努力をつづけている。肩を動かそうと努力しながら、なかばまぶたをあげる。だが、金色の矢に、ひとみの底までつらぬかれて、たちまちそれをおろしてしまう。苦しい。舟底にある無数のとがった小石が、彼の肉体をいためつける。メネストレルの名を呼びたいと思う。だが、口の中には、燃えさかる烈火のようなものがあって、それがはげしく舌をいためる……衝撃。はげしい痛み、とともに、それが神経のはしはしにまで感じられる。急に波に揺りあげられ、舟は波止場に打ちあたりでもしたものらしい。彼は目をあける……「おいおい、こわれもの、水をやろうか？」軍帽……そう言ってくれたのはひとりの憲兵だった……見たことのない顔。田舎司祭といったようなひげむしゃの顔。まわりでは、荒っぽいだみ声がはげしく飛びかう。痛む。けがをしたんだ。さてはやられたのかな。咽喉《のど》がかわく……火のような唇に、ブリキのコップのふちがあたる。——「なあに、やつらの小銃なんぞなんでもないさ。問題は機関銃だ！　しかも、どこへ行っても持ってやがる！」——「なあに、機関銃ならこっちにもあらあな。いまにそいつを持ちだしてみせるぞ！」

咽喉がかわく——ひなたにいて、しかもびっしょり汗をかきながら、からだはがたがたふるえている。コップにあてがった歯がふるえる。口全体が一つの傷口……がつがつしながら一口飲んだが、たちまち咽喉がつまってしまう。わずかの水が、あごを流れる。腕をあげてみようとする。手首に手錠がかけられていて、それが担架の皮ひもにしっかり結びつけられている。もっと飲みたい。だが、コップを持つ手は、くるりと向こうをむいてしまう……とつぜん、彼はすべてを思いだした。アジビラのこと……黒こげになったメネストレルの手、飛行機、それに火だるまになったときのこと……彼は、日光に、涙に、ほこりに、汗に刺されて、痛い目を閉じる……咽喉がかわく……苦しい。いまは苦痛以外いっさいのことが、まったく無関心といった気持ち。だが、まわりの騒がしさに、彼はふたたび目をあける。まわりでは、襟をはだけ、汗にぴったり髪をなでつけられ、だらしのない姿をした歩兵たちが、行ったり来たりしながら何か話しあい、たがいに呼びあい、どなっている。彼は、こうした兵士たちでいっぱいの道のはた、草の中にすえられた担架の上で、地上にその身を横たえている。騾《ら》馬《ば》に引かせた何台もの車が、きしみながら、彼の寝ているすぐわきを、ひどいほこりをたてながら、立ちどまりもせずにふつうの速度で通って行く。二メートルばかり離れた道のはたでは、憲兵たちが、立ったまま、水筒を高く日にかざして、代わるがわる水筒からじかに飲んでる。道の上には、見わたすかぎり、叉銃《さじゅう》の列と背嚢《はいのう》の山だ。兵士たちは、土手の斜面に鈴なりになってごろごろしながら、議論したり、身ぶり手まねをしたり、タバコの煙をはいたりしている。疲れきった連中は、顔の上にひじを曲げ、あお向けになって寝そべりながら、日に照らされて眠っている。すぐそばのみぞの中には、ほんの子供といったようなかわいい兵士が、両手をひろげ、つぶらな目をあけ、空を見ながら草の茎をかんでいる。咽喉《のど》がかわく、咽喉がかわく……痛い。どこもかしこも。口が、足が、背中が……悪感が腰を駆けめぐり、そのたびごとに低いうめきが口からもれる。それでいて、墜落したあとの、火だるまになったあとの、肉に食い入るようなはげしい痛みともちがっている。手当をされたためだろう。傷口を包帯してくれたためだろう。と、とつぜん、うとうととしている心の中を、一つの考えがちらりとかすめる。両足を切断されたのではあるまいか……だが、いまとなっては、そんなことなぞどうでもいい……それでいて、切断という考えが頭をなやます。両足……その両足が感じられない……なんとかはっきりたしかめたい……からだは、皮ひもでしっかり担架にしばられたままだ。やっと首だけもちあげられる。そして、ほんのしばらく、血だらけの両手と、ちぎれたズボンからはみ出している両足が見える。足だ！　そっくりそのまま……はたして生きる足だろうか？　包帯は、足をすっかりくるんでいてひざのところからくるぶしにかけて、板ぎれをあてたその上を、十重《とえ》二十重《はたえ》にしめあげている。板ぎれは、古い荷造用の木箱からでもむしりとったか、その板ぎれの一つの上に、はっきりそれとわかるように、黒く《こわれもの》の文字がのこっている……ぐったりして、彼はふたたび首を落とす。

身のまわりには、たくさんな人声。……数かぎりない人たち、数かぎりない兵士たち……戦争……がやがや話す兵士たち。——「竜騎兵から聞いたんだが、連隊はあそこに集結しているっていうことだったぜ……」——「なあに、隊列にくっついてったら、それでいいんだ。向こうへついたらいやでもわからあ」——「おまえら、いったいどこから来たんだ？」——「所の名なんぞ知るもんかい。あっちのほうからやって来たんだ……おまえたちは？」——「おれたちだっておんなじことさ。金曜このかた、いやというほど歩かせられた！」——「おれたちにしてもおんなじさ！」——「なあに、おれたちなんざあかんたんさ。攻撃のはじめから——なあ、七日の金曜からきょうまでちょうど三日だな？——全部で六時間と寝ていねえんだ。そうだったな、マイヤール？　しかも何も食っていねえ。土曜日には、申しわけほどの支給があった。夕飯に。だが、いざ退却となってからは、上を下への騒ぎのなかで、補給ときたらまったくゼロだ！　部落へ出かけて、なんとかできたからよかったものの……」ずっと向こうで、憤然とした声が聞こえた。——「だが、このまま幕にはなりっこないぜ！」——「はっきりこれでご破算だ！　ちがうか、シャボー？　根っきりこっきりご破算なんだ！　いざ攻撃にでも出たが最後、てっきりやられるにきまってらあな！……」

いちばんつらいもの、それはおそらく口の傷だ。そのために唾をのみおろすことも、口をきくことも、水を飲むことも、ほとんど息をすることさえできない。用心して、舌を動かしてみようとする。咽喉《のど》の奥には、ガソリンと、焦げたニスとのしつこい味がのこっている……

「しかも、来る夜も来る夜も、野天で哨戒ときてやがる……それに、部隊がカルスパッハの前面に出たときなんぞ……」

そうだ、舌にけがをしているんだ。はれあがっている。なまなましくちぎれている……顔に破片をうけたか、それとも落ちるとたんにあごを砕いたにちがいない。それでいて、痛んでいるのは口の中だ。彼は頭をはたらかす。そして《歯でかみ切ったんだな》と思いつく。だが、あまり気をつめていたので、ぐったり疲れた。気を失って、また目を閉じる。閉じた目の前では、無数の炎がおどりくるう。足はあいかわらずずきずき痛む。彼は、低いうめきをあげる。そしてふたたび、とつぜんわきあがった安らかな気持ちに身をまかす……忘却……

「どこもかしこもやけどだらけだ……足はひしおだ……スパイだな……」

彼はふたたび目をあける。見えるものは、あいかわらずの長靴とゲートル。

憲兵たちが、担架のそばへよって来た。そのまわりを大ぜいがとりまく。――「なにしろ飛行機は……」――「やつらの乗ったタウベ（ドイツ語。《鳩》。第一次欧州大戦当時のドイツ飛行機の通称）を、ブリカールのやつが見たっていうんだ……」――「ブリカー？」――「ちがう！　ブリカールだ。第五中隊のでか男の下士だ」――「そのタウベも、跡形なしになっちゃったな！」――「これで一機へったというわけなんだ！」――「それにしても《こわれもの》先生、なにしろ運がよかったな……足は足だが、助かるらしいぞ……」と、聞きおぼえのある声が言った。彼は、頭をふり向けた。話している男、彼のようすを見ている男は、例の田舎司祭といった老憲兵、薄い目の色、はげあがったひたい。水をくれた男だった。――「じょうだんじゃねえ！」と、ほかのひとりの憲兵が言った。見るからにがっしりした、黒々した髪の男。燃えるような目をした、コルシカ人らしいつらがまえの男。「ねえ隊長、マルジュラが言ってましたぜ。《こわれものは助かるまい！　もうしばらくのことだろう》って！」憲兵班長は、せせら笑った。――「もうしばらくのことだろうな……パオリの言ってるとおりだろうさ。もうしばらくのところだろう！」そでに、新しい金モールを何本もつけた、とても大柄な男だった。黒いひげが顔をすっかりうずめていて、見えているのは生肉の色をした頬骨ばかり。「なら、なんでその場でかたづけちまわなかったんです！」と、ひとりの兵士が班長にたずねた。班長は、それにはなんとも答えなかった。――「では、このままずっと運んで行ってやるんですかい？」――「本部へ引きわたさなければならないんだ」コルシカ生まれの男が説明した。班長は、ふきげんらしくそっぽを向いた。そして、ものものしいちょうしでつぶやいた。——「命令を待ってるんだ」よた者らしい歩兵軍曹が、いきなりげらげら笑いだした。——「まるでおれたち同様だな！　二日このかた、その命令とやらを待たされているんだ！」——「それにえさもよ！」——「なんてえざまだ！」「連絡兵もいないらしいな……連隊長だ」……呼子の音に、みんなぴったり話をやめた——「銃を取れ！　大隊出発！」——「背嚢《はいのう》を負え！　おい、おい、立たんか！　背嚢を負え！」

ジャックのまわりに、なんとも騒がしい混乱がおこった。大隊は、ふたたび行進をはじめる。彼は、まっ暗な穴のなかに落ちこむ。舟のまわりに、ぴたぴたよせる水の音。たちまちはげしい波が起こって、舟をおしあげ、舟をゆすり、流れのままにおしながす……

「右へよれ！」——「どうしたんだ？」——「右へよれ！……」彼は急に揺りあげられて目をあける。目の前には、担架の前棒をにぎった憲兵の背。

隊列が揺れる。その波は、足をはねあげ、腹がふくれ、路上に捨てられている騾馬《らば》の死骸をよけて通る。みんなは、たまらないにおいをかがされたので唾をはき、顔に飛びかかる蠅を追おうと、しばらくはげしくからだをもがく。そのあとで、ふたたびびっこひきひきの隊列ができると、くぎを打った靴底が、小石の多い地面の上を、またもやざくざく行進をはじめる。

何時だろう！　日は、真上から照りつけていて、顔が熱い。痛む。おそらくは十時、それとも十一時？　どこへつれて行くつもりだろう？……ほこりが立って、五、六メートル先は見えない。左のほうには、連隊付きの馬車が、あいかわらず並足で、えがらっぽい、息づまるようなほこりの雲の中を進んで行く。道は、もうもうと砂塵をあげ、そこには、馬糞、しめった毛織物、皮革、汗みどろな人間のにおいがただよっている。痛む。とりわけ、力が抜けている。考える力もない。麻痺状態から抜けだそうという気力もない。咽喉《のど》は、ほこりに刺激され、歯茎は、熱と渇きでかさかさにかわき、舌はすっかり血みどろになって、まるで、このおびただしい足音の中、行進する軍隊のひびきの中に、ただひとりとりのこされ、あらゆるもの、生からも、死からも切りはなされた感じ……人事不省、それとも、悪夢になやまされての長い時間の後、それと入れかわりに、たまたまはっきりした意識がもどってくると、彼は、絶えず心の中にくり返す。《元気をだすんだ……元気をだすんだ……》ときどき、兵士たちの列は、担架のぐっとそば近くを歩いていく。そうしたとき、彼の目には、揺れ動く胴体、銃身、それに、自分と空とのあいだにふるえている空気だけしか見えない。まるで、うねりながら進んで行く森の中にでも身をおいている感じ。ぼんやりあけた彼の目は、揺れうごく雑嚢《ざつのう》の上、青ラシャの水筒のそばできらきら光っているコップの上に、執念ぶかくそそがれる。多くの兵たちは、背嚢《はいのう》の皮ひものびじょうをはずし、背嚢をぐっと腰の下までずらしている。ぐったり肩を落とし、顔はほこりと汗まみれ。ふと自分にそそがれている眼差しに気がつくと、そこには注意ぶかさと同時に放心がうかがわれ、まるで中心を失ってしまったような表情が見られる。何かしら不安な、漠としていて、見ているほうで目まいをおこしそうな表情……彼らは、肩をならべ、何も見ず、何も語らず、よろめきながら、それでいて、自分の救ってもらえる退路をひたむきに歩きつづける。そして、力は、臼《うす》でひかれでもするかのように、こうして路上ですりへらされる。右手には、横顔のりっぱな、腕に看護兵の腕章をつけた大柄なやせた兵士が、祈ってでもいるような真剣なようすで、ぐっと顔をあげ、ずっしり歩調をとりながら歩いている。担架の左には、用心ぶかい足どりの、しかもびっこをひいた小柄な兵士が歩いている。ジャックの眼差しは、まるでばかになりでもしたように、そのびっこひきひき歩いている足、いつもおくれがちな、そして、骨を折りながら一足歩くごとに、ひざ頭《がしら》のがくがくしている足の上にそそがれる。おりおり隊列がくずれると、ジャックには、樹木、いけがき、草原など、日に照らされた一帯の田園風景が目にはいる……夢ではないしら？　さっき、道のほとりに農家の庭が見えた。まわりには、壁を土でかためた穀物倉や、よろい戸をとざした灰色の家や、めんどりがえさをひろっている堆肥の山など。そして、むっとする水肥のにおいが、彼のところへまでおそってくる……彼は、ばかのようになり、ほとんど目をつぶったまま、揺られるままになっている。足が……口が……せめて誰か、また水でもやろうといってくれるものはないかしら……行進は、ひっきりなしに急停止する。そして、そのあとでは、兵士たちは、間隔をつめるため、そして、すきまのできたのをねらって荷馬車に隊列の中に割りこまれないため、息せき切って走らなければならない。

——「なさけねえな！　なんでまたどいつもこいつもおんなじ道にはいってくるんだ！」——「なあに、ここだけのことじゃねえ！　どこの道でも車両だらけだ！　なにしろ師団全部の退却だからな！」——「師団だって？　第七軍団全部らしいぜ！」

「おいおい、きさまどこへ行くんだ？」——「気でもちがったのか？」——「おいおい、国民兵！」

ひとりの歩兵が、人の流れにさからって、斜めに道を横ぎりながら、東のほう、敵のほうへと向かって歩いて行く……呼びとめる声を耳にもかけず、車両や兵士たちのあいだに、姿は見えなくなろうとする。すでに若いとは言えない男。ごま塩ひげの男。それは必ずしもほこりのためだけとは言えなかった。鉄砲も持たず、背嚢《はいのう》も持たず、百姓ふうの茶のズボンに、色のさめた軍服すがた。腰のあたりに、弾丸いれやら、水筒やら雑嚢《ざつのう》やら、ばたばた打ちあたる物をしこたまつるして。――「おいおい、いったいどこへ行くんだ?」出される腕をふりはらい、人をおしのけて歩いて行く。血相を変え、そして、執拗な荒々しい目つき。何やら唇を動かしているのが、まるで亡霊と低く語りあってでもいるような感じ。――「おいおい、国へ帰ろうとでもいうのかい?」――「うまくやれよ!」――「帰ったらたよりを忘れるなよ」――男は、ふりかえろうともせず、何ひとこと返事もせず、ずんずん歩きつづけて行きながら、石くれの山をよじ、みぞを越え、牧場をふちどる灌木の列をわけて、やがて姿を消してしまった。

「や! 舟があるぞ」――「道路の上にか?」――「なんだって?」――「架橋兵大隊の退却だぞ!」――「隊列を遮断しやがった」――「どこだ、どこだ?」――「ほんとだ! 見ろ! 水陸両用舟艇だ! あろうことか!」――「なあおい、ジョゼフ、いよいよライン渡河はあきらめたらしいな!」――「前へ!」――「前進!」隊列は、ゆらりと動いて、ふたたび行進をつづけて行く。

百メートルばかり行くと、またまたとまった――「また何かおこったかな?」こんどの分はなかなか長い。道は、鉄道線路と交差している。そして線路の上には、破裂するほど加熱された機関車が、あえぎあえぎ、どこまでつづいているかわからないほど長いからの車両をのろのろ引っぱっている。憲兵たちは、ほこりの中に担架をおろした。——「班長殿、どうも形勢よろしくないようですな。軍用材料をどんどん後送していますから！」と、そっと笑いを浮かべながらマルジュラが言った。班長は、じっと列車をながめていた。そして、顔の汗をふきながら、それにはなんとも答えなかった——「へん」と、コルシカ生まれの小男が、あざ笑うように言ってのけた。「班長殿、マルジュラのやつ、退却がはじまってから、すっかりうちょうてんになっていますぜ！」——「マルジュラのやつ」と、さらに別の憲兵のひとりが言った。石くれの山に腰をおろして、パンのかけらをかじっている、くび筋のたくましい、がっしりとした男だった。「こいつ、おととい敵の騎兵があらわれたとき、どうやら気のり薄のようでしたぜ……」マルジュラは、まっかになった。鼻の大きな灰色のつぶらな目——さびしそうな目つき、ともすればそらしがちな、それでいて意志の強そうな目をした男、我が強そうで、頭の中ではいつも打算を忘れない百姓じみた顔だちの男。彼は、黙って自分をみつめている班長のほうを向きなおった。——「班長殿、はっきり申しあげます。どうも戦争は自分の性にあいません。自分はコルシカ人ではありません。自分は、本来戦争好きにはできていないのであります」

班長は、耳をかしていなかった。彼は、右手のほうをながめていた。にぶい馬の音が、列車のひびきにまじって聞こえていた。道路にそって、騎馬の一隊が、馬を走らせて近づいて来た。——「斥候かな？」——「いや、参謀部だ」——「では、何か命令があるんだな？」——「道をゆずってやれ！」その騎馬の一隊は、胸甲騎兵の大尉を先頭に、ふたりの下士、それに何人かの騎兵を従えていた。彼らをのせた馬は、車両や兵士たちのあいだを通り抜け、担架のところをよけて通ると、道路を横ぎり、向こうがわへ行くと一つに集まり、畑の中を西へ向かって走り去った。――「うまくやってやがら！」――「じょうだんじゃねえ！　騎兵師団には、おれたちのうしろから敵が飛びかかってこないように、あとに残って戦死するように命令されているらしいんだぜ！」

　担架のまわりでは、兵士たちが、何か言い争っていた。ボタンをはずしている上っぱりの裏には、汗のながれる胸の上に、死んでからでも名がわかるように、黒いひものはしに認識票がぶらさがっている。みんな、いくつくらいだろう？　誰も彼もが、しわのよった、薄よごれた、いちように年寄りめいた顔をしている。――「水がすこし残っていないか？」――「ただの一滴も残っちゃいねえ！」――「ちょうど七日の晩だった。おれたちツェッペリン（ドイツの飛行船）を見たんだ。森の上を飛んでいたんだ……」――「退却じゃねえって？　え？　これが退却でなくってなんだというんだ！」――「ちがう。参謀将校が《おやじ》に話してるのを、師団の連絡兵が聞いたそうだ。これはぜったい、退却じゃねえんだ！」――「おいおい、みんな聞いたか？　退却じゃねえそうだ！」――「そうなんだ。つまり戦略的後退っていうやつなんだ。反撃準備のためなんだ……そうしておいて、がんと一発くらわせるんだ……いやおうなしに袋のねずみだ！　伍長殿に聞いてみな。袋のねずみって知ってるかい？　飴をしゃぶらせて進ませとくんだ。そうしたうえで、たちまちばたりだ！　袋がしまる。そして、やつらはこっちのものになるんだ！」――「タウベだぞ！」――「どこだ？　どこだ？」――「ちょうど稲塚の真上のとこだ」――「タウベだ！」――「進め！」――「伍長殿、タウベであります！」

――「進め！　ほうら緩急車だ……あれが列車のどんじりだ」――「どうしてタウベだってわかるんだ？」――「論より証拠、ほうぼうでどんどん撃ってらあな。ほら！」空の中、きらきら光るけし粒ほどの一点を中心に、小さな綿のようなものがもくもく生まれ、ちょっとのあいだかたまっていてから、風の中に溶けていく。――「隊列を作れ！　進め！」何両かの最後の車が、ゆっくり線路の上を通りすぎる。踏切りがあがる。

おしあいへしあいの大混雑……そして、そのあおり……《元気をだすんだ……元気をだすんだ……》一瞬正気づいた彼の耳には、頭の上に、担架の前棒を持っている憲兵のあえぎが聞こえる。つづいて、すべてがゆらぎはじめる。目まい。たまらない吐き気。元気をだすんだ……色とりどりの兵士たちの列が、まるで赤や青の木馬さながら、ぐるぐるまわりながら通りすぎる。彼の口からは、うめきがもれる。きゃしゃな、神経質なメネストレルの手が、黒ずみはじめたと思うまもなく、見ているうちにちぢまりはじめ、やがて黒焦げの鶏の足にかわる……アジビラ！　すべてが焼け、すべてがむだになってしまった。……死ぬんだ……死ぬんだ……

自動車のクラクション。彼は、まぶたをあける。縦隊はとある村の入口のところでとまっていた。自動車が警笛を鳴らす。うしろから来るのだ。兵士たちは、自動車を通してやろうと、道のはたによる。班長は、気を付けの姿勢で敬礼している。旗を立てたオープンの自動車、将校たちがいっぱい乗っている。車の奥には、金モールの将官帽。ジャックは、ふたたび目をとじる。軍法会議の幻想が頭をかすめる。彼は、法廷の中央、この金モールの帽子の将軍の前に立っている……フェーム氏だ……ひっきりなしのクラクションの音。すべてがぼやけてくる……ふたたび目をあけると、よく刈りこまれたいけがき、しばふ、ジェラニウム、しまの日覆いのある別荘が見えた……メーゾン・ラフィット……鉄格子の門の上に、赤十字の旗がたれている。正面の段の前には、からの病院車が一台。いっぱい弾があたって、窓ガラスはすべて割れている。隊は、そこを通り、さらに何分か歩きつづけてから停止する。担架が、乱暴におろされる。大部分の兵士たちは、ちょっと立ちどまると、立ったままでいようとせず、背嚢《はいのう》も銃もおろさず、そのまま死んでしまいたいとでもいったように、とまったところに倒れてしまう。

村から二百メートルばかりのところ。——「村まで行って停止するらしいな」と、班長が言った。ふたたび騒がしい引っ越しさわぎ。——「出発！」隊列は、ふたたび行進をはじめたと思うと、五十メートルばかりでまたとまった。

衝撃。何があったのだろう？　日はまだ高く、燃えるように赤い。いったい何時間まえから、何日まえから歩きつづけているのだろう？　苦しい。口の中には、出血のおかげで、唾に気持ちの悪い味がまじる。騾馬《らば》にたかっていたあぶやはえが、あごや手の上に襲いかかる。

村のわんぱくがひとり、目をかがやかしながら、そのまわりをとりまいている兵士たちに、笑いながら話してきかせる——「役場の地下室……ちょうど風抜き窓のまん前のところだ……三人いやがる！　捕虜になったドイツ騎兵が三人いるんだ……みんな小さくなってやがる！　まるでくさねこそっくりなんだ！……子供たちを見ると、自分たちの腕を切りに来たとでも思うらしいや！　番兵ふたりにはさまれて、小便をしに出たやつがいる……ほんとに殺してやりたかったな！」班長が、子供を呼んだ。——「この辺に、まだぶどう酒があるだろうか？」——「なくってさ！」——「そら二十スーだ。行って一リットル買ってこい」——「帰ってなんぞきませんぜ……」マルジュラは、不賛成で、見とおすようにそう言った。——「前進！　中隊進め！」ふたたび五十メートルの行進。そして、騎兵たちの一隊が馬からおりている道の交差点のところへ来た。右手のところ、白い柵にかこまれ、一段低くなったひろい地面には——定期市の広場にちがいない——下士の一団が、歩兵中隊生き残りの連中を集めていた。中央のところで、大尉が長広舌をふるっている。それがすむと、列がくずれる。一つの稲塚のそばでは、移動人事班がスープの支給をやっている。飯盒《はんごう》のぶつかりあう音、わめき声、声高く言い争う声、まるで蜂の巣さながらの騒ぎだ……子供が息を切らし、びんをふりかざしながら姿を見せた。彼は、笑っていた。——「ほうら、ぶどう酒だぜ。これで十四スーだって、まるでぬすっとだ」

　ジャックは、ふたたび目をあける。びんは、粉をふいていて、凍ってでもいるようだ。ジャックは、それを見ながら、目をしばだたいた。ただそのびんを見ただけで……飲みたい……飲みたい……憲兵たちは、班長のまわりをかこんでいる。班長は、まず手のひらでその冷たさをたのしむとでもいったように、びんを両手にかかえていた。彼は、落ちついている。両足を踏みひろげ、じっくり腰をすえ、びんをもちあげて日にすかす。そして、びんの口を唇に持っていくまえに、口をさっぱりさせるため、咽喉《のど》をがらがら鳴らしながら痰をはいた。飲みおわった彼は、微笑しながら、いちばん古参のマルジュラのほうへびんを差しだす。マルジュラは、はたして自分のことを思いだしてくれるかしら？いな。彼は、飲みおわると、隣で、小鼻をぴくつかせているパオリにわたした。ジャックは、そっとまぶたをおろした——二度と見たくないと思ってだった……

まわりで、大ぜいの人声。彼は、目をあけ、目をとじる。横の道にとまっている部隊の竜騎兵の下士たちが、行進の停止をいいことに、歩兵たちとおしゃべりをしに来たのだった。——「おれたち、軽騎兵旅団なんだ。ちょうど七日に、第七軍団といっしょに戦闘にはいった……タンまで行って、あれからこうやって迂回し、ライン川にそってさかのぼり、敵のうしろを遮断しようという腹だった。ところが、あんまりいそぎすぎた。つまり、はいって行き方がまずかったんだ。いそいで行こうとしすぎたんだな。馬はあえぐし、兵はつかれる……いやでも後退というわけだった」——「上を下への大騒ぎさ！」——「この辺なんざあ問題にならねえ！　おれたちみんな北から来たんだ……あっちときたら、どえらい騒ぎだ！　道路の上には、軍隊ばかりか、ほうぼうの村のやつらが、すっかりおびえて、こぞって逃げだして行くんだからな！」——「おれたちは」と、ひとりの歩兵軍曹が重々しい、よくひびく声で言った。「おれたちは、前衛のほうへやられていた。夜になって、アルトキルヒに着いたんだ」——「八日にか？」——「八日の土曜。おとといさ……」——「おれたちもやっぱりそこにいたんだ……歩兵はじつにりっぱにやった。申し分なしだった。アルトキルヒは、プロシャ兵でいっぱいだった。そいつを、あっというまに突貫で追っぱらったっていうわけなんだ……そして、おれたちは、その晩やつらをワールハイムまで追撃した」——「おれたちは、タゴールスハイムまでも行ったんだぜ」——「そのあくる日は、見わたすかぎり敵兵を見ずさ……そうだ、ミュールハウゼンまで一兵も見ずさ……まるでそのまま、ベルリンへだって行けそうだった！　ところが、敵もさるもの、進撃させておきながら、しなければならないことだけは忘れなかった。そして、きのうから、反撃と出てきた。あっちはなかなかの激戦らしいや」——「後退命令の出たことが、時にとってのしあわせだった！　おそらくいまごろは玉砕だぜ」ひとりの歩兵曹長と、隊の幾人かの軍曹たちが、話を聞こうとしてやって来ていた。曹長の目は血走り、頬骨は赤く、いかにもせわしそうな声だった。「おれたちは、十三時間、立てつづけに十三時間も戦ったんだ！　なあ、ロシェ？　十三時間だ……敵の騎兵は、おれたちの前、杉林の中にかくれていた。一生忘れられまいな。どうやっても、やつらはぜったい逃げようとしない。そこで、中隊を左へ向かわせ、林を迂回させる手を打った。ところでおれは、ピュトーで、ツィンメル（ビール会社）のところの会計係をやってた男だ……それが、一キロ以上も、腹んばいになって進んでいこうっていうわけなんだ。二時間、三時間、これではとうてい目ざす農家まで行けそうもない。だが、やっとのことでたどりつけた。農家のやつらは、みんな地下室にはいっていた。女やがきどもは泣いているしまつだ。ちょっとほろりとさせられたな……けっきょく、閉じこめて、かぎをかけた。アルザス人だ。だが、気ごころの点は安心できねえ……それからみんなで、壁に銃眼をこしらえた……そして、みんな二階へあがって行って、窓という窓にベッドのふとんを立てかけた。機関銃は一台だったが、弾薬のほうはしこたまあった。こうして、まる一日というものがんばった！

連隊長は、てっきりやられたものと思ったらしい……ところが、ちゃんと帰って来た！　どんなことでも、いざとなったらできるもんだな！……でも、原隊へもどれという命令がきたら、やれうれしやと、二つ返事で帰って来たな！　林を離れるときには、まだ二百人もいた。ところが、農家をひきあげたときは、たった六十人。しかも、その六十人のうち、二十人は負傷していた……だが、じつのところ——こんなことを言ってもほんとうにしまいが——たいしてこわいとも思わなかったな……こわくなかったっていうわけは、無我夢中でやってたからだ。兵士も士官も、みんな無我夢中、何一つ、見えもしないし、わかりもしない。ただ平ぐものようになったんだ。戦友の倒れるのにさえ気がつかなかった。戦友のひとりが、すぐそばで、血しぶき立てながらぶっ倒れた。そして、ひとこと《やられた！》と、言った。いまでも声が聞こえるようだな。たしかにおれにはその声が聞こえた。それでいて、誰の声だか、思いだせない。ふり向くひまもなかったらしい。ただむちゃくちゃに突進する、わめく、撃つ。みんな夢中でやってたんだ。なあ、ロシェ？」——「まず第一に」と、ロシェは、腹だたしいといったようすで、ひとりひとり話し相手の顔を見まわしながら言った。「おれははっきりと言っときてえな。プロシャのやつら、おれたちの前では、てんで問題になりゃしねえぞ！」——「班長殿！」と、ひとりの憲兵が叫んだ。「出発です！」——「何！　あ、そうか。では、前進！」下士たちは、自分たちの位置に駆けもどって行った。——「そこのところ、もっと詰めろ！　詰めるんだ！」——「前へ！」——「あばよ。元気でな！」と、竜騎兵たちの前を通りながら、班長がどなった。

縦列は、ふたたび行進をはじめていた。そして、もはや立ちどまることもなしに、往来を、密集した隊列と、家畜の群れを思わせるような足音で満たしながら、一つの村の中へはいっていった。行進の歩度がゆるんだ。担架の揺れかたも、まえほど苦しくなくなっていた。ジャックは、じっとながめていた。たくさんな家……いよいよ苦しみもこれで終わりか？……

家々の戸口には、村の人々が、かたまりあって立っていた。年寄りとか、子供をかかえた女とか、母親のすそにとりすがった子供とか。彼らは、何時間もまえから、おそらくは夜のひき明けから、壁によりかかり、首を突きだし、心配そうな顔つきをして、しかも、ほこりと太陽に目のくらむような思いをしながら、いつ果てるとも見えない連隊付きの車両、小行李、衛生班、砲車の縦列、疲れきったいくつもの連隊が、往来いっぱいになって通って行くのをながめていた。これら堂々たる《後援部隊》、彼らは、このあいだ、それらが国境目ざして進んで行くのをたのもしげに見送った。それがいま、算を乱して退却し、彼らを敵の侵入にゆだねてしまおうとしているのだ……ほこりを浴びて息もできないような村は、まるで家こわしでも行なわれているというように、日を浴びてけむっていた。蜂の巣を襲ったときのようなうなり声が、いたるところの往来や、小路や、広場を満たしていた。店という店に、パン、肉類、ぶどう酒などの残っているのをかっぱらおうと兵士たちがはいりこんでいた。会堂前の広場には、兵士たちや、とめられた車両などがごった返していた。竜騎兵たちは、馬の手綱を引きながら、少し陰になった右側のほうに集まっていた。顔の赤い、いきり立ったひとりの少佐が、馬の首にかがみこんで、オペレッタにでも出てきそうな制服を着た田園看守のじいさんをどなりつけていた。会堂の戸口は、ひろびろとあけ放されていた。そして、薄暗い内陣では、わらを敷いた上に負傷兵たちが寝かされ、そのまわりには、女たちとか、看護婦とか、白い上っぱりを着けた軍医たちがいそがしそうに動いていた。外では、かんかん日に照りつけられた荷車の上で、給与係の軍曹が、がやがや言っているほうへ向かって叫んでいた。「第五中隊！　支給！……」縦列は、だんだん歩度をゆるめて歩きつづけた。会堂の裏まで来ると、往来はせまくなり、まるで裏町とでもいったよう。いやおうなしに隊列は詰められ、兵士たちは、どなり立てながら、おなじところで足踏みした。ひとりの老人は、家の戸口のところで、耳もたせのついている安楽椅子に腰をかけ、両手をひざにおきながら、まるで芝居でも見ているよう。老人はおりから通りかかった班長に呼びかけた。――「もっと向こうまで退却するのかね？」――「そんなこたぁわからねえ。命令次第だ」老人は、担架や憲兵たちの上を、水のように澄んだ眼差しでながめていた。そして、感心できないといったようすで首を振ってみせていた。――《おれだって七〇年戦争(普仏戦争)のときの経験があるんだ……だがおれたちは、もっとしっかりがんばったな……》

　ジャックの目が、あわれむような老人の目に行きあたった。心がなごむといった感じ……

　縦列は、なおも行進をつづけている。いまは、村の中心も通りすぎた。――「どうやら、一番とっぱずれの民家のところでとまるらしいぞ」と、ついいましがた、中尉からきいてきた班長が言った。――「そのほうがいいですな」と、マルジュラが言った。「出発のときには、いちばんさきになれますからな」石畳がなくなった。村は、ふたたび、ひろい、人道のない、両側に低い民家や、小さな庭のつづいた道になる。――「とまれ！　車を通してやれ！」連隊付きの車両が、ずっと行進をつづけている。――「おまえたち」と、班長が言った。「ひょっとして給与車両がおくれてはいないか調べてこい……腹がへってる……おれは、《こわれもの》のこともあるんで、バオリとここに残っている……」

担架は、道ばたの、水飼い場のそばにおろされた。そこにはほうぼうの隊の兵士たちが水筒を満たしにあつまって来ていた。水は、かき立てられてふち石からあふれ、小流れになって流れていた。ジャックは、そうした小流れから目を放すことができなかった。口の中には、鉄のようなたまらない味がしていた。唾は、まるで水にしめった綿とでもいった感じ……「飲みものをあげようかね？」まるで夢のような話！　白い茶碗が、ひとりの百姓の老婆の手の中で光っている。まわりには、いっぱいの人だかり。兵士たち、地方民たち、渋紙いろをした老人たち、子供たち、女たち。茶碗が、ジャックの唇に近づく。からだがふるえる……彼の目が、まるで犬の目とでもいったように感謝している。乳だ！……彼は、苦しさをこらえて、一口一口それを飲む。老婆は、前掛けのはしで、あとからあとからあごをふいてくれている。

金筋の三本はいったひとりの軍医が、そこを通りかかって、彼のそばへ近よって来た。――「負傷者か？」――「はい軍医殿、なんでもありません……スパイです……ドイツのやつで」百姓の老婆は、バネにはじかれたように身を起こした。そして、茶碗に残っていた乳を、ほこりの中にぶちまけた。――「スパイ……ドイツのやつ……」言葉は、口から口へと伝えられた。ジャックのまわりには、人々の輪が、敵意に燃え、おびやかすような態度で小さくちぢまる。彼は、からだをしばられ、抵抗もできず、ひとりぼっち。彼は、目をそむける。青い上着を着たひとりの小僧が、上からのぞきこんでいるのが目にはいる。小僧は、いじわるそうな笑いを浮かべる。指からは、火のついた吸殻を捨てずにいる――「さわっちゃいかん！」と、班長がどなった。――「だって、スパイじゃないか！」と、小僧が言い返す。――「スパイだ！　見にこい！　スパイだぞ！……」人々は近所の家々からぞろぞろ出て来て、憎悪に満ちた一団をなし、憲兵たちは、彼らを近よせないのに大わらわだ。――「何をやったんだ？」――「どこでつかまえたんだ？」――「なぜやっつけちまわないんだ？」ひとりの子供が、ひと握りの小石をつかんだと思うと、彼をめがけて投げつけた。ほかの子供たちもこれにならう。――「いいかげんにしないか？　世話をやかせやがる！」と、腹にすえかねて班長が言った。そして、パオリに向かって「こいつを中庭へうつしてくれ。そして入口の柵をたてておけ」

ジャックは、持ちあげられ、運ばれて行くのを感じる。彼は、目をつぶる。ののしる声や、あざ笑う声が遠くなる。

あたりはしんとした……いったいここはどこだろう？　彼は、おそるおそる目をあけてみた。彼は、人目をさけるため、農家の中庭、むんむんわらのにおう納屋のかげに寝かされていた。そばには、古い四輪馬車が、梶棒の折れたはしを高くあげ、その梶棒の上には、鶏が幾羽か眠っていた。なんというしっとりとした物陰！……誰もいない……こうしたところで死んでいけたら……

急に憲兵たちがどやどやはいって来たので、彼は荒々しく目をさまさせられた。鶏どもは、おびえたような鳴き声を立て、はげしい羽ばたきをひびかせながら逃げだしている。

何ごとがおこったというのだろう？　いたるところ、呼び声と走りまわる足音。どこもかしこも、上を下への大騒ぎだ。班長は、あわただしく、上着と装具をつけている。——「おうい、《こわれもの》をたのむぞ……大いそぎだ！……」庭の向こう側には、せまい往来があって、そこを病院車の列が一散に駆けぬけて行く。——「班長殿、野戦病院まで移すんですな」——「そうらしい。マルジュラはどこへ行った？　パオリ、大いそぎだ！……何？　工兵までもか？」二台の小型トラックが、一隊の兵士を従えて庭の中にはいって来た。兵は、大いそぎで、杭や、針金の束をおろしはじめる——「あそこの一角に拒馬《きょば》をつくる……ほかの分はここだ……いそいでやれ！」班長は、不安な面持ちで、作業監督の軍曹にたずねてみた。——「戦況はそれほど悪いのかな？」——「どうもそうらしい！……おれたちは、陣地固めに来させられた……やつら、もうヴォージュ山地を占領しているらしいんだ……そして、ベルフォール（アルザス州の要塞）へもせまったらしい……占領されないようにと思って、休戦の話し合いをやってるらしい……」——「じょうだんじゃねえぞ。それではおれたちおしまいだぞ」——「それまでに、しりに帆かけたほうが安全なんだ……地方民のかり出しをやってる……一時間で、村をがらあきにさせるんだ……」班長は、部下の兵たちのほうをふり返った——「ところで《こわれもの》の番は誰だ？　マルジュラ、ぐずぐずしているひまはないぞ！　さ、早くだ！」中庭いっぱいに、モーターのひびきがとどろきわたった。荷をおろしてしまったトラックは、くるりともと来たほ

う へ向きなおった。ざわめきの中で、大尉の声が高くひびく。——「鋤《すき》でも、まぐわでも……草刈り機械でも、なんでもかまわんから集めてこい……地方民にじゃり車を持って行かせてはならんと中尉に言え。道路にバリケードをつくるときに必要なんだ……」——「おいマルジュラ！」と、班長がどなった。——「おっと承知……」

四本の腕が担架をつかんだ。ジャックはうめき声を立てた。憲兵たちは、大いそぎで道へ出た。そこでは、ふたたび縦隊がつくられていて、すでに行進をはじめていた。列のあいだがとてもせまく、そうした雑踏の中へ担架を持ってはいるというのはたいへんだった。「押せ！　なにしろ、入れてもらわなければならないんだ！」——「ちぇっ！」と、パオリがうなった。「まさかこれから毎日毎日、こいつを引きずっては行けやしねえぞ！」

はげしく揺られ、また揺られ……からだじゅうの痛みが目をさましたといった感じ……

村は、上を下への混乱だった。家々の中庭には人を呼ぶ声、何か叫ぶ声、絶望の声だけしか聞かれなかった。百姓たちは、大いそぎで車に馬をつないでいた。そして女たちは、行李とか、トランクとか、揺りかごとか、食料品のかごとかを、手あたり次第につみこんでいた。多くの家族たちは、兵士たちにまじって、いろいろなものをいっぱい積んだ手押し車、乳母車などをおしながら、歩いて逃げて行っていた。道路の左側を、軍需品車両の縦列、たくましいペルシャ馬に引かせた輸送車が、耳を聾《ろう》するひびきを立てて、全速力で駆けぬける。いたるところの横町からは、驢馬や馬に引かせた無数の車があふれている。その上には老婆や子供たちが、家具や木箱や、ふとんなどが山と積まれた上にすわっている。地方民の車は、道路の中央を並足で列をつくって進んでいる連隊付きの車両のあいだにすべりこむ。歩兵たちは、右のほうへおしやられ、どことかまわず、道ばたや、みぞの中を歩いている。日が、かんかん照りつける。背をかがめ、軍帽をあみだにかぶり、首筋にはハンケチをたらし、荷役の動物をさながらの荷を背負って（あるものは、その背の上に、横にした薪の束さえ背負っていた）、せわしげな、重い足どりで、物も言わずに歩いている。もう連隊とも離れている。どこから来たか、どこへ行くのかもわかっていない。そんなことなぞどうでもいいのだ。一週間の戦闘。彼らは、ずっとまえから、理解しようといった気持ちさえも忘れている！　わかっているのは《退却》しているということだけだ……疲労、恐怖、恥辱、逃げられることのうれしさ、それがいちように、彼らに狂暴な表情をあたえる。たがいに誰ともわかっていない。たがいに口もききあわない。たまたまぶつかりあったりすると、罵声やけわしい言葉の応酬……

ジャックは、はげしく揺られるごとに、目をあけたり、とじたりしていた。足の痛みは、納屋のかげでしばらく休んでいたあいだに、どうやら少しは薄らいだように思われた。だが、燃えるような口の中は、ひっきりなしに痛んでいる……まわりではからだや銃が揺れている。ほこりとか、人の姿をしたこれら動物たちのむっとするようなにおいが、息のつまりそうな思いをさせる。だらしなく揺れ動いているたくさんなからだのうねりが、からっぽになった彼の胃の腑に、船酔いとでもいったような吐き気をさそう。彼は、考えようとも思わない。すでに彼自身、すべての人々から、そして彼自身からも見捨てられた、たった一つの物にすぎない……

行進はつづく。道は、土手にはさまれてせまくなる。ひっきりなしに、列が詰まったためにとめられる。そのたびごとに、担架は下におろされて、はげしく地面に打ちあたる。そのたびごとに、ジャックは、目をあけて、うめきを立てる。——「ちぇっ！」と、パオリがぼやく。「班長殿、こんなちょうしじゃ、たちまちやつらにやられますな……」——「何を言ってやがる」と、むしゃくしゃしながら班長がどなる。「それ見ろ、動きだしたじゃねえか！」縦列は、ふたたび動きだし、どうやらこうやら五十メートルも行ったとおもうと、またもやとまる。憲兵たちが、いま鉄道線路の交差点のところでとめられたのだ。そこには、一中隊ばかりの歩兵たちも、銃を肩からぶらさげ、一団になって待っている。将校たちは、中隊長を中心に、土手の上に立って、何か相談しながら地図をしらべている。班長は、物めずらしそうに担架のそばにやって来た曹長をつかまえてこうたずねる。——「あんたがた、どこへ行きなさるんだね？」——「わからねえ……中隊長殿は命令を待っておられるんだ」——「どうもおもしろくない形勢らしいな？」——「どうやらな……なんでも北のほうに敵の騎兵があらわれたらしいや……」ひとりの将校が、土手のふちまで歩みでて叫んだ。——「銃を取れ！　四列縦隊、おれのあとについてくるんだ！」そして、ごった返す道路を左にして、兵をつれて、道路と並行に、草原の中を進んで行った。——「頭がいいや。班長殿、あいつ、われわれより先に宿営地へ着きますぜ！」班長は、ひげをかみながら、それにはなんとも答えなかった。

今度という今度、いつまでたっても動かない。縦列は、まったく封鎖されでもしたようだった。左手の砲車隊さえ、まったく不動の状態だった。自転車班の一隊が、自転車を押しながら、車両のあいだを通りぬけようとする。だが、これもたちまち、この奇怪な混雑の中にとじこめられ、身動きできなくなってしまった。

二十分たった。だが、縦列は、十メートルも進まない。右のほう、原の中では、歩兵の隊列が、めくらめっぽう西へ向かって退却している。じりじりしてきた班長は、部下に向かって合図をした。みんなは、担架の上にひたいをあつめて何かひそひそ相談をはじめる。――「こんなふうに、日がな一日待ってばかりもいられねえんだ……隊のやつらがその気なら、やつらはやつらで行かせてやろうや……ところで、おれには特別の任務がある。こいつを、今夜、司令部の憲兵隊にひき渡さなければならないんだ……すべてはおれが引きうける。おれのあとについてこい！　行くぞ」一刻の猶予もなく、憲兵たちはその言葉にしたがう。まわりにいる兵士たちを突きとばして、みんなは担架をひっつかみ、みぞを越え、土手にのぼり、道路と、それに膠着状態の隊列を見捨てて、原の中へおどり出す。

みぞを飛び越えるとき、土手をのぼるとき、ジャックは思わず、長いかすれたようなうめきを立てた。彼は、首を振り向ける。はれ上がった唇をすこしあけてみようとする……そのとき、またもやはげしい揺れかた……さらにもう一度……空も、樹木も、すべてがよろめく……飛行機が燃える。両足が燃える。死が、おそろしい死が、足をつかみ、腿《もも》をつかみ、ついに心臓までのぼってくる……彼は、そのまま気を失った。

とつぜん、何かに打ちあたって、彼は意識を回復した。どこだろう？　担架は、草の上におかれている。どれほどまえから？　こうした逃避行が、すでに何日かまえからつづいてでもいるような感じ……あたりの明るさがちがっている。太陽は低くなり、日はまさに終わりかけている……死ぬんだ……はげしい痛みが、薬のように彼の全身をしびれさせる。彼は、衝撃とか、物音とか、人声とかが、かすかに遠くからしか聞こえてこない深い地下にでもうずめられているような気だった。眠っていたのかな？ 夢をみていたのかな？ 白い山羊が草をはんでいたアカシアの茂みとか、じめじめした草原に憲兵たちの長靴が踏みこみ、自分に泥をはねかけたときの記憶が浮かぶ……彼は、大きく目をあけて、あたりを見ようとする。マルジュラ、パオリ、班長の三人が、地面に片ひざをついている。前面、何メートルかのところには、動いてやまぬ大きな堆積。伏せをしている歩兵の中隊。背嚢《はいのう》がかわらのように重なり、まるで草むらに動いている巨大な甲羅。

兵士たちのうしろには、ひとりの大尉がつっ立って、双眼鏡で地平のほうをながめている。左にあたっては一つの丘陵。なだらかにくだっている一面の草原。その上に、赤、青の一隊が、緑いろの賭博台の上のトランプさながら、扇のように展開している……

「班長殿、何を待っておいでです？」――「命令だ」――「でも、もし駆けろとでもいうことでしたら」と、マルジュラが言った。「こんな《こわれもの》をかかえて、どうしていっしょについて行けます？」

大尉は、班長のそばに歩みよって、双眼鏡をかしてやった。たちまち、右手のほうに、ひた走りに走ってくる馬の足音。騎兵の小隊。先頭に立った竜騎兵の下士は、あぶみの上につっ立ちあがっていて、そのヘルメットの飾毛が風になびく。下士は、大尉のそばまで来て馬をとめた。子供らしい顔だち、元気で、そして快活な顔。下士は、手袋をはめた手で右手を指した。――「あそこに敵がいます……丘陵のうしろに……ここから三キロ……救援部隊は、おそらく戦闘にはいっていましょう！」

下士は、高い声で話していた。ジャックには、彼の姿がちらりと見えた。ヘルメットをかぶったダニエルの姿が、ジャックの昏睡の中をちらりとかすめる……

金属音が空間にふるえる。それを聞いた後列の兵士は、命令も待たず、たちまち銃に剣をつけた。おなじ動作が、次から次へうつっていって、地上はたちまちきらきら輝く剣の原だ。みんなの顔はいちように あげられ、その目はいっせいに、その上の空が、おだやかに、清らかに、金無垢の色に染まっている無気味な《丘陵》のほうへふり向けられる……下士は、ちょっと合図をして、馬が草を踏みしだいている部下の兵士たちをよびあつめる。小隊は、馬に速歩を出させながら、ふたたびそこを出かけていった。大尉がどなった。――「おうい、命令をよこせと言ってくれ！」それから大尉は、班長のほうをくるりと向いた。――「わかったな？　左のほうも連絡途絶！　右のほうも連絡途絶！こんな混乱状態で、いったいおれたちにどうしろっていうんだ！」大尉は、部下たちのほうへ歩いて行った。

「班長殿、ここにいてはだめですな……」と、つぶやくようにマルジュラが言った。――「やれやれ」と、パオリが言った。「あっちで動きはじめたぞ！」そのとおり。牧場に散開していた大隊は、一列また一列、次から次へとおどり出して、丘陵の頂上に取りついた。そして、一列また一列、兵士たちの列が、さらに斜面の向こう側へ姿を消す。――「進め！」と、大尉がどなった。同時に「おれたちも、進めだ！」と、班長が言った。

ぐらりとひと揺れして、担架が持ちあげられる。ジャックはうめいた。だが、誰ひとり聞いてくれない。誰の耳にもはいらない。ああ、このままにしておいてくれたら……このまま死なせてもらえたら……彼は、目をつぶる。おお、またしてもはげしい衝撃……五十メートルほど行ったところで、担架は荒々しく草の上におかれる。憲兵たちは、うずくまり、ひと息入れて、また歩きだす。右に、左に、兵士たちは、おどりあがって、めいめい丘をのぼりはじめる。憲兵たちは、やっとのことで、頂上まで数メートルといったところまでたどりつく。そこに大尉がいて、説明してくれた。――「向こう側の、凹路の奥に、林があり、道があるらしい……林は、北西のほうへ抜けられるらしい。敏速にやるんだ……頂上を出たら、まる見えだからな」最後の歩兵部隊が飛びだす番だ。――「進め！」――「おれたちもつづくんだ」と、班長が言った。担架は、またもや手荒く持ちあげられ、いよいよ頂上の線に達した。ところどころ灌木に区切られた草の斜面が、こんもり樹木のつつんでいる隘路めざしてはせおりている。隘路の向こうはずっと林がつづいていて、それが地平をとざしている。――「最短距離を、まっすぐ駆けおりる！　進め！」するとたちまち、長く尾を引きながら、口笛のような音が空気をつんざく。もみこむような、すえひろがりにきしんだひびき……担架は、またもや草の上にどかりとおかれる。憲兵たちは、兵士たちにまじりながら、地面にぴったり身を伏せる。みんな、たった一つのことしか考えていない。できるだけ身を伏せること。引き潮時の舌びらめをそのまま、できるだけ地面にもぐりこむこと。ずっしりした、きびしい爆発音が、前方、凹路の向こうの林の中にとどろきわたる。みんなの顔に、はげしい恐怖の表情が浮かぶ。――「ねらってるぞ！」――「前進！」――「やつらの林でやられるぞ！」――「凹路へ行け！ 凹路へ行け！」兵士たちは、腰にぐっと力を入れ、ちょっとした灌木、地面のちょっと高くなったところを小楯にして斜面の上に身をおどらせ、そこにはっと身を伏せてから、またもや飛びだす。憲兵たちは、担架をゆりあげ、まるでばらばらにさせんばかりにしてあとにつづく。とうとう、林のふちまで来た。ジャックはいま、いためつけられ、じっと動かぬ一つの肉塊にすぎない。くだりのあいだ、全身の重みが砕けた両足の上にかかっていたので、皮ひもが、腕や腿《もも》に食い入る。いまは何ひとつ意識がない。担架が、弾丸のように森のはずれの杉の木立の中に飛びこむ。枝にはたかれ、ところきらわず突き刺され、顔や両手をすりむかれ、彼は一瞬目をあける。つづいて、急に鎮静状態。まるで、生あたたかい、むかつくような流れをなして血が出ていくというように、命が流れ出ていく感じ……目まい……虚空への墜落……小飛行機、アジビラ……笛を吹くような信管の音、それが近づき、通りすぎる……ジャックは、目をあけ、そしてふたたびそれをとじる……さわがしい人声……影。不動のけはい……

担架は、木の下陰の、針のような杉の落葉の上におろされている。まわりには、何かしらはっきりしない動揺……歩兵たちは、たがいにからだをくっつけあい、まるでひとかたまりに鋳出されでもしたようにたがいによりそい、装備の重さに首をちぢめ、枝にひっかかる銃や背嚢《はいのう》に自由をうばわれてつっ立ちながら、進みもできず、向きを変えもできず、その場で足踏みをつづけている。――「おすな！」――「何を待ってるんだ？」――「斥候を出したんだ」――「森が安全かどうか、それをしらべてみなければ！」士官や下士が、兵士たちを集めようとむなしい狂奔をつづけている。――「しゃべってはいかん！」――「第六中隊、集まれ！」――「第二中隊！……」担架のすぐそばで、ひとりの兵士が、一本の杉の木にもたれている。と、たちまち、死のような睡魔におそわれる。若い男。こげねずいろの顔色。こわばった腕で、機械的に銃を腰にあてがっているのが、まるでささげ銃でもしているよう。――「第三大隊が、援護するため側衛に出かけて行ったらしいぞ……」――「おうい、みんなこっちだ！　こっちだ！」ずんぐりした、田舎者らしいひとりの伍長が、ひなを率いるめんどりさながら、彼の分隊を引きつれながら、茂みの中へはいって行く。

ひとりの中尉が、担架の上をまたいで通った。威厳をみせるためだったらどんなことでもやりかねない、慎みを知らない上官らしい、傲岸な、それでいて神経質な態度。――「下士、みんなを黙らせるんだ！　いいか？　わかったか？　第一小隊、集合！」兵士たちは、顔をしかめながら、身を動かそうとする。自分にも任務があり、所属するところがあるんだと思いたさから、ただ、指揮者をもとめ、仲間をもとめているだけなのだ。あるものは、地平が森のところでかぎられているのにおろかしくも安心しながら、笑っている。まるで戦争は、いつまでも森の向こう、平地でだけ行なわれるものだとでもいったように。おりおり、ひとりの連絡兵が汗をかきかき、息を切らし、さがす相手の見つからないのがいかにも腹だたしいといったようすで、どなりながらみんなをかきわけ、連隊名や隊長の名をきちがいじみて、わめき立てながら、樹木や兵士たちのあいだに姿を消した……またもや、さらに低い、さらにかわいた、笛を吹くような音が森のこずえを通りすぎる。たちまち、あたりはしんとする。みんなはいっせいに背をかがめ、かついでいる背嚢《はいのう》に首をちぢめる。こんどの炸裂は右手だった……——「七十五ミリ（フランス軍の大砲）だぞ！」——「ちがう！　七十七ミリ（ドイツ軍の大砲）だ！……」憲兵たちは、ただそれのみがたよりといったように担架を取りまき、まるで、よせ来る人波とたたかっている、動かぬ小島とでも言ったようだ。

森のはずれで、たちまち誰かが高く叫ぶ。——「照尺一八〇〇メートル！……丘の稜線……黒い小さな森……命令を待って発射！　撃て！……」はげしい一斉射撃が空気をゆるがす。森の中がしんとする。やがて、またもや、とどろきわたる一斉射撃。そのあとは、ばらばらな射撃の音。その音がだんだん多くなる。森の縁辺にいた連中が、野原のほうへ向きなおり、命令もうけずに、ただ撃つことの楽しさから、いいかげんにねらいをきめては、木の間を通して撃っているのだ。ついさっきまで、木にもたれて眠っていた若い兵士は、いま担架のすそにひざをつき、銃を木のまたにはさみながら、熱心に、ひっきりなしに撃ちつづけている。発射のたびに、ジャックはまるで鞭で打たれてでもいる感じだ。だが、目をあけてみる気力もない。

とつぜん、右手から、何頭かの馬がえらい勢いで走って来る……馬上の一隊は、少佐ふたりとひとりの大佐。はげしい音を立てて森の木をへし折りながら、茂みの中へ飛びこんできた。銃声を圧して、金切り声がひびく。——「誰の命令だ？　気でもちがったか？　何に向かって撃っとるんだ？　旅団全部をねらわせたいのか？」いたるところで、下士たちがどなる。——「撃ち方やめ！　集合！」いままでの騒がしさがぴたりとやんだ。いったん集団としての気持ちが動きだすと、いままで一つになっておしあいながら、こうした混乱からいつ出られるとも見えなかった兵士たちは、たちまち混乱から解き放され、おなじ方向へ向かいはじめる。そして、まもなく、まるで渡り鳥の群れといったように、高級将校たちの後についてゆっくりと、南をさして動きはじめる。なべ、水のみ、飯盒《はんごう》などの打ちあう音が、やわらかな土をふむずっしりした軍靴の音にまじって、羊の群れが通ってでも行くようなざわめきで森をみたす。樹脂のにおいのまじったほこりが、褐色をした雲さながらに、杉木立のあいだをのぼっていく。

「班長殿、自分たちはどうします？」班長には、すでに決心ができていた。——「おれたちもついて行くんだ！」——「でも、こんな《こわれもの》をつれてですか？」——「当然じゃねえか！……さあ、おれのあとについて前進！」そして、なんの躊躇もなく、まるで攻撃に出かけるといったように、手のあいていた憲兵ふたりをうしろにしたがえ、人波のなかへはいって行く。残ったふたりは、手早くジャックをかつぎあげる。——「よしか、マルジュラ？」と、パオリがそっとささやいた。そして、自分もうまく人波の中にはいって行こうとしたのだが、なにしろぎっしりつまっているので、はいって行こうとするたびに、担架はつれなくもおしもどされた。「少しまばらになるまで待つんだ」と、マルジュラが注意した。——「ちぇっ！」パオリは、そう言いながら、担架を持っていた手を乱暴に放した。「そんなら、おれは、班長殿に追いついて、待ってくれるように言ってくらあ……」——「やいやい、パオリ、おれを残して行っちまう気か！」そう言いながら、マルジュラもおなじく手を放した。だが、パオリには、すでにその言葉もとどかなかった。彼は、まるでうなぎのように敏捷に人ごみのなかにすべりこみ、その青い軍帽も、日やけしている短い首も、たちまち見えなくなってしまった。――「なんてこった！」と、マルジュラが言った。彼は、水を飲ませるときのように、ジャックのうえをのぞきこんだ。そしてその目の中には、とつぜん怒りが燃え立った――「畜生！　とんだ苦労をさせやがる！」だが、ジャックの耳にははいらなかった。彼は、意識を失ってしまっていた。

マルジュラは、木の枝をかきわけ、おりから通りかかったひとりの歩兵の肩章をつかもうとした。――「おい、手をかしてくれ！」――「おれは担架卒じゃねえ」相手はそう言うと、すげなくからだを振りもぎった。マルジュラは、人のよさそうな、大柄なブロンドの髪の兵を見つけた。――「おい、ちょっと手をかしてくれ」――「じょうだんじゃねえ！……」――《いったいこいつをどうしたものか》と、マルジュラはつぶやいた。そしてハンケチを出し、機械的に顔をふいた。

やがて、人波には大分すきができてきた。せめてパオリさえ帰ったら、わけなく前進できるのだが！――「大尉殿！」マルジュラは、おずおずしながら呼びかけた。ちょうどひとりの将校が、馬の手綱を引きながら通りかかっていたのだった。だが大尉は、まっすぐ向こうをみつめたまま、ふり向いてさえもくれなかった……いま、歩いているものは、すべて落伍者たちばかり。首をたれ、疲れきり、足を引きずり、とりのこされることだけを案じながら、算を乱していそいでいた。たのんでみたがむだだった。荷やっかいな担架なぞ、誰にしたところでごめんこうむりたいにちがいなかった……

急に、森の向こう側、原のほうで、大ぜいの人声と、けたたましく走る足音が聞こえた……マルジュラは、まっさおになってふり返った。本能的に、手はピストルのサックを開き、しっかり銃尾を握っていた。だが、それは彼の思いちがいだった！　それはフランス人の声だった。——「あっちだ！あっちだ！……」ひとりの負傷した男が、杉木立の中からあらわれた。ひたいに包帯をまき、血の気のうせた顔をして、夢遊病者のようにかけている。つづいて、十人ばかりの歩兵が、木だたみの中にわけ入った。背嚢《はいのう》も銃も持っていない。彼らもやはり負傷していて、包帯した腕を首からつるし、手なり、ひざなりを布片でぐるぐる巻いている。——「あっちだな？　あっちから行けるんだな？……敵は近いんだぜ！」——「ち……近い？」と、どもるようにマルジュラが言った。

またもや茂みがかきわけられた。あとずさりしながら、ひとりの軍医があらわれた。そして、ふたりの看護兵が、両手を組みあわせて椅子をつくり、ひとりのふとった男をのせてはこんでくるのに道をつくってやっていた。男は、頭に帽子もかぶらず、死人のような顔色をして、目をとじて、将校服の胸をはだけていた。そこには金筋が四本。腹は、血のにじんだシャツの下でふくれていた。——「そっと……そっと……」軍医は、憲兵と、その足もとのジャックを見つけた。「担架！　これは何者だ？　地方民か？　負傷兵か？」マルジュラは、気を付けの姿勢で、早口に答えた。

「軍医殿、スパイであります……」——「スパイだ？　なにをこんなぎょうさんな！……少佐殿に担架がいるんだ……さ、どけんか！」

マルジュラは、おとなしく皮ひもをはずし、結んであったひもをほどきにかかった。ジャックは、はっとおののくと、片方の手をあげながら目をあけた……軍医帽？　アントワーヌではあるまいか？……彼は、事情を見てとろう、思いだしてみようとして超人的な努力をする。きっと自由にしてくれるのだ。何か飲ませてくれるのだ……おや、どうした? 担架が持ちあげられる! 痛い!……むちゃだ! 足が!……はげしい痛み。板を当ててあるのに、くだけたすねが肉に食いこみ、灼熱した針が髄の奥まで刺しとおす……苦痛によじれた唇、恐怖にひらききった眼差し、だが、それは誰の目にもはいらなかった……彼は、手押し車からぶちまけられるようにどたりと担架からほうり出され、しゃがれたうめきを立てながら、半身を下にして倒れた。とつぜん寒けが、足からのぼってくる寒けが、死を思わせるようなゆるやかさで、心臓のほうまであがってくる……

憲兵は、何も文句を言おうとしない。そして、おそるおそるあたりを見まわす。軍医は、地図をしらべている。ふたりの看護兵は、目をとじた、そしてすでにシャツがまっかになっている少佐をいそいで担架に移している。マルジュラは、どもるようにこう言った。「軍医殿、敵は近いんでありますか?」とつぜん、鋭い、尾を引くうなりが、そのあとに、つい近く、頭蓋の中を引っくりかえす炸裂音のひびきとともに、あたり一面の空気をつんざく。と、時をおかず、原のほうから、はげしい一斉射撃のひびきが聞こえる。

「前進!」と、軍医が叫んだ。「両面砲火にやられるぞ……ここにいたらやられるぞ!」

マルジュラは、みんなとおなじく、炸裂の瞬間、ぴったり地上に身を伏せた。だが、起きようとしても、なかなか起きあがることができなかった。運ばれて行く担架、森にはいって行きかけている負傷兵たちの列が見えた。彼は、恐怖にしめつけられる声でわめいた。――「どうしたらいいんだ? おれはいったいどうしたらいいんだ? それに、この《こわれもの》は?……」腕に包帯をした、列の最後にいた、ひとりの老下士が、歩きながらふり返った。——「おれはいったいどうしたらいいんだ！」と、マルジュラがうったえるようにくり返した。「待っててくれ……おれはいったい、この荷物をどうしたらいいんだ？」その予備役の老下士は、日やけした顔の旧植民地兵は、負傷していないほうの手でラッパをつくった——「えれえお荷物だな、スパイなんて！　ばかやろう、かたづけちまえ！　つかまえられたくなかったら、きさまも早く逃げだすんだ！」

「とんでもねえ！」と、マルジュラが叫んだ。

彼はいま、たったひとりになっていた。目をとじ、そこに横たわっているなかば死んだような男のそばに、彼はたったひとりだった。あたりには、ものものしい、何かしら異常な沈黙……《近いぞ……》《かたづけちまえ……》彼は、おびえたような目つきで、さっと手をピストルのサックへ入れた。彼は、まばたきした。とらえられることの恐怖と殺すことの恐怖が、心の中で争いつづける。彼は、これまで、ぜったい人を殺したことがなかった。動物でさえ……もしもこのとき、ジャックの目がもう一度細めにあけられたとしたら、そして、マルジュラがいやおうなしに、生きている眼差しを見たとしたら……だが、そこにはすでに生命が去ってしまったかのような青白い横顔。目の前に、平らに横たえられているこめかみ……マルジュラは、それを見ないようにした。そして、まぶたをけいれんさせ、あごをくいしばりながら手を伸ばした。銃口が何かに触れた。髪かしら？　耳かしら？……彼は、勇気をふるいおこすため——同時に、自分のすることを弁明しようと——歯をくいしばって、

「畜生！」と、叫んだ。

叫びと同時に銃声がひびいた。

身軽になれた！　マルジュラは、身を起こし、あとをも見ずに木だたみの中へおどりこんだ。顔ははげしく小枝にはたかれ、枯枝が靴底にぽきぽき鳴った。木だたみの中には、退却する人々でひとすじの道ができていた。戦友たちへもすぐ追いつける……助かったんだ！　彼は走る。危険、孤独、殺人の思い出を振りきりながら走りつづける……さらに早く駆けようとして息をつめる。そして、ひと飛びごとに、憤懣と恐怖を吹き散らすため、歯をくいしばって叫びつづける。

「畜生！……畜生！……畜生！……」

一九一四年夏　了

解説

あまねき崩壊に抗して、飛びたて大空に！

一九一四年八月一日の午後四時半すぎ、焼けつくような太陽にむせかえるパリ中央部の空気を、突如として聖堂の耳を聾《ろう》するような鐘の豪音がゆるがせた。ドイツからくるミュラーを迎えに行こうとして、マドレーヌ広場にさしかかったジャックは、「なんなの？　何があったの？」とおびえるジェンニーの腕をしっかりとつかんでやる。「やったな」と市民が叫ぶ。ほかの教会も一斉に鐘をならしている。パリの空は、一瞬、響きかわすその執拗な弔鐘で鳴りわたる。マドレーヌ郵便局に張り紙がだされた。「総動員令発令。八月二日日曜日をもって動員発令第一日とす」。

人々はとり乱した顔つきで、思いおもいの方向へと散ってゆく。ジャックはまず呆然となり、それから「侮蔑に満ちた怒りによって咽喉《のど》をしめつけられたよう」になる。「何週間というもの、彼は正義、人道、真理、愛の勝利について、なんら疑うことなく」、希望をつないで生きてきた。それがいま、足もとからくずれ去ろうとしている。彼が即座に感じとったもの、それは、「大衆の意思の無気力さ、人間の手のつけられぬ愚昧さ、理性なるものの無力さ」であった。「どうなさるおつもり？」と低くたずねるジェンニーに、彼はひとこと、「なにしろ駅へ行ってみよう」とだけ答える。もはや、ミュラーとフランス社会党代表の談合以外、なんの希望もない。しかし、その談合をするジョーレスはもういない……

駅の張り紙には、外国人は動員第一日、つまり明日のうちになら、駅の憲兵詰所に身分証明書を提示して、パリを立ち退くことができる、と書かれていた。ジャックはあのシュトルバッハ書類受けとりにベルリンに行かされた際、スイスの学生としての偽の身分証明書をもらっていた。たぶんパリ脱出はできるだろう。戒厳令下のフランスにとどまって、なおも戦争に反対してゆくか？ それとも、ジュネーヴへと脱出して、メネストレルのもとで、あのたのもしい同志たちとともに活動をつづけるか？ ジュネーヴの《本部》こそは、微動だもしない革命の最後の中心地なのだ。フランスで反戦運動をしたとて、投獄が待っているだけだろう。しかしスイスに逃げるとしたら、ジェンニーはどうなる？……「いらっしゃい！ あした！」思いがけないジェンニーの言葉に、ジャックはびっくりする。「そうだ、あした、もしも……きみがいっしょに来てくれるなら」。ジェンニーは、ふたりが別れないですむことを思って、うれしさに身をふるわせる……

ふたりはアントワーヌに会いにゆく。アントワーヌは八月二日の朝、コンピエーニュの連隊へと出発するための準備をととのえていた。ジャックにジェンニーといっしょにスイスへ行くという計画を打ちあけられて、アントワーヌはあきれて言う。「きみは、ほかの人間を幸福にするには根本的に不適任だ……きみ自身危険をおかすこと、それはきみの心のままだ。だが、おりもおり、こうしたときに、ほかの人間までもきみの運命に結びつけようなんて？……」。ジャックはからからと笑って叫ぶ。「あなたは一個の冷血漢だ！ あなたは、一度も愛したことがない！ これからだって、ぜったい愛したりはしないだろう！……」。私たちは、ジャックの愛を、肉体的には不毛の愛、と評することもできた。しかし、そう評するだけでは、間違いになってしまうのかもしれない。ジャックにとって、アントワーヌの愛などは愛の名に価しないのである。ジャックが愛と呼ぶものは、もっと厳しく、もっと気高く、もっとつきつめたものだったのだ。弟が傲然と出て行ったあと、アントワーヌはつぶやく。「ばかめ、そんなものが恋愛だというなら、そうだ、おれは一度も愛したりしたようなことはなかった！　そうして、おれは、それをもって誇りとする！」。そして「恋愛！　田舎だったら、さかりがついたと言ってのける……」とひとりごとで言うアントワーヌは、二度と逢うまいと決意したアンヌからの手紙を紙くずかごから拾いあげて、最後の一夜を彼女によりそってすごしてみるか……という気になる。あしたになれば戦争、ことによったら死ぬかもしれない。愛することのできる時期も、おそらくは永久に去ろうとしている……彼は、絶体絶命の波にのみこまれて、子供のようにすすり泣いてしまう……総動員令の鐘は、好むと好まざるとにかかわらず、恋人たちを悲壮な土壇場に追いこんでゆく。そしてここに、チボー兄弟の似ても似つかぬ二つの愛のありかたが鮮明に浮かびあがる……

　パリには、沈痛ではあるが、ふしぎな冷静さが支配していた。かつての闘士たちも労働者たちも、みごとに頭をきりかえていた。彼らの言うところはみなおなじだった。「おれたちの国は、戦争を望んではいなかったんだ。したがって、やましいことは何ひとつないんだ！」「フランスにとっては売られたけんかだ！　こうなったうえは、守らなければ！」「おれは戦争がきらいだ。だが、おれはフランス人だ。そしていま、フランスが攻撃されている。国家はおれを必要としている。おれは行く！」「国家主義者、資本家、金持ちども、そうしたやつらとはいずれあとから話をつけよう！　だが目下の場合、議論をしているときではない！」こうした考えにたいしてジャックは、「平時には人を殺すものを罰しておきながら、戦時にはそれを命ずるといったようなふたつのちがった道徳のあり得ないことを考えたら、よろしく動員を拒絶するんだ！　きみたち自身に忠実なれ！　インターナショナルに忠実なれ！」と叫ばずにはいられない。すると労働者は憤然として「銃殺されるためにか、まっぴらだ！」と言う。最も信頼できた同志でさえもが、「今日のミリタリズムは、きのうのそれとはちがっている。

今日のミリタリズムは、危機に瀕したデモクラシーを救うところのもの」とうそぶくのである。ジャックがジェンニーに「ついきのうまでは戦争にたいして必死の闘争をつづけていたのに、そして、いまやいやいやその中にまきこまれているのに、きょうになると、あくまで自発的に行動しているかのように見せかけたがっている！」という状態が、ほとんどすべての人々におきているのだった。

ポワンカレの「フランス国民に告ぐ」という宣言が、人びとを集団的な陶酔感で興奮させていた。耳ざわりのよい標語や扇動的な美文調の檄というものは、その感覚に訴える力で知性を麻痺させるため、ときとして非常に危険な効果を集団に及ぼすことがある。ジャックは、そうした「ふしぎな文章」のことについて考える。向こうでも、カイゼルやツァーの、ちょうどおなじ時刻に署名したであろうおなじような布告が、発表されているのにちがいない。

社会主義者たちの反戦闘争、インターナショナルの運動は崩壊してしまったのか。ジャックは、「もうおしまいだ。もう社会主義者なんていないのだ。いるものは、社会主義的愛国者の手合いばかりだ」ときめつけざるを得ない。そして、「そうだ！　自分が心の底から否定していることを受け入れるよりは、むしろ自分は死をえらぼう！」と思ういっぽうで、「こんどの戦争は、これから先久しく、インターナショナルの理想を圧しつぶすことになるにちがいない！　そこでだ、もしその理想を、この一時期の破滅から救うため、ひとつの行為が必要だというのだったら、ぼくは喜んでそれをやりたい！　たといその行為にして、見こみのないことがわかっていても！……ところで、その行為とははたして何か？」と考えるのである。

その行為が何であるのか、それはジャックにはまだわかっていない。しかしこの時点で、彼のとるべき方向がすでに輪郭づけられていた、と考えることができるのである。なぜならば、「むしろ自分は死をえらぼう！」という、不正な世界への拒否と、「たといその行為にして、見こみのないことがわかっていても」、「理想を一時的の破滅から救うためのひとつの行為」があるなら、それをやりたい、という欲求とが一つになって、死を賭して、の意義ある行動への投入のみが彼に残されたものとなりそうだからである。そして、その行為が何であるべきかということについての暗示が、そのすぐあとに、同志ムールランによって、やや具体性をもってジャックに与えられる。それは、ムールランの「もしもとつぜん両軍のあいだに、ひとつの良心がひらめいて、この厚くたたんだ嘘を引きさいたとしたらだ！……火を吐く戦線をあいだにはさんで、みんなひとしく、自分たちのかり出されたことに気がつくことになったとしたら……」という仮定的な想像なのだが、これを聞いたとき、ジャックは、「とつぜんはげしい光に打たれでもしたように」眼をしばたくのである……

ミュラーはやってきた。しかし、ジョーレス亡きいま、談合はなんの実りもないものにおわった。

八月二日。フォンタナン夫人は三日もかかって、やっとウィーンからイタリア経由でパリに帰りついた。わが家の敷居をまたぐやいなや、その場の異様な雰囲気に彼女は気がつく。そして、ダニエルの部屋の前まできて、だきあって寝ているジェンニーとジャックのあられもない姿を見いだす。動転した夫人は、すべてを見なかったことにしようと考えて、そっと家を抜け出し、公園のベンチにくずおれるように腰をおろす。彼女の心のなかには、他人の運命や責任を尊敬する感情が深く根をおろしていた。無限にやさしい彼女は、しどけないふたりの姿を、「なんと美しかったことだろう」と思うのである！

ここにも、例によって、この女性の大きな長所ともなり欠点ともなる、不徹底だがどこまでもなだらかな感情と思考の働きがある。もしかりに、これがあのオスカール・チボーだったとしたら、かならず「出て行け！」と一喝したのに違いない。「少年園へ行け！」と言ったように。だが、それはチボー氏だけに限ったことではない。父親というものは子供にたいして、「出て行け！」と言うのである。精神分析学者グスターフ・ユングの言葉をかりるなら、「父」は、断ち切るもの、だからである。それにたいして「母」には、包みこみ、捲きこむ、という属性がある。であるからジェンニーが、「わたしもいっしょに出かけるの！」とジャックとのスイス行きを宣言すると、フォンタナン夫人は「いけません！　わたし、おまえに出発することを許しません！」と言う。「父」は、出て行け、と言い、母は自分の支配力を示すときにも、かならず、出て行くことを許さない、と言う。しかしいまのジェンニーは、その包みこみ捲きこむ母への嫌悪を示して、「つまりママは、これまで自分のために、自分のためばかりにわたしをかわいがっていてくだすったの！　ママは、やきもちをやいていらっしゃるのよ！……わたしというものを、自分のためだけにそばにおいておきたいということ！　でも、そんなことはあてにしないで！」と脱出の決意をあらわにする。そして、「お母さんにはわからないのよ！」と、ジャックがアントワーヌに幾度も言ったのと同じ言葉を連発するが、この言葉には、ジャックの場合と同じ意味、というか、ジャックによって啓発されたものが言わしめる意味もこめられているが、本質的に違うところもある。というのは、子供が親に恋愛問題で反抗するときには、かならず「お母さんにはわからない」というこの言葉を発するものだからである。フォンタナン夫人にとって、「何よりつらかったのは、自分が欺かれた」という一事だった。夫人のうけた手ひどい打撃は、「彼女の信頼にたいする打撃だった」。これも世の母親が、子供に背かれたときに抱く感情そのものである。それでも彼女は、娘の自分への愛情について、なんの疑いも持ってはいなかった。そして、自分のほうも、「母としての愛情が、そのためつゆ薄らいだとも思わなかった」。「祈らなければ」とフォンタナン夫人は思う……

　ジェンニーは、ドアをばたりとしめて、出て行った。ジャックと二時ごろにおちあう約束の、リヨン駅（リヨン方面にむけて出発するパリの駅）にむかわなければならない。しかし、「父」の「出て行け！」は子供を本当に断ち切ってしまうことがあるが、包みこむ「母」のやさしさ、そして去られた「母」のあわれさは、いつか子供の心を家へと引き戻さずにはいないものである。ジェンニーは帰ってくるかもしれない。なにしろ『チボー家の人々』という小説には、人間の真実、洋の東西を問わぬ、私たちの真実ばかりが語られているのだから。

ジャックは兄の出発を見送るために、駅にいた。アントワーヌはアンヌとの最後の一夜を過ごしたあと、今朝はいさぎよく身仕度をし、必要なだけの身のまわり品と、軍医として携行したほうがよいと思われるものだけを軍用行李につめて、なんの未練も残さずに豪奢な彼の研究所をあとにしたのであった。「ふたりは二度と会えるのだろうか?」、アントワーヌはジャックの手をしっかりと握って、ちょっとよろめきながら、応召者で混雑する駅の人波のなかにのまれていった……

ジャックは、少しまえから、無意識にひとつの計画にとりつかれていた。それは、スイスへ行ってからとるべき、唯一最後の決死的な行為の計画だった。それを思うと、数日来の革命にたいする自分の微温的な態度が、なにか「ひとつの消耗」に過ぎなかったような気がしてくる。それは恋愛などに自分がとらわれていたからだろうか? 「彼にはいま、彼女が存在し、自分を待ち、自分を楽しい孤独からひき離そうとしていること」が腹だたしくさえ思われてくるのだった。「急に死んでくれでもしたら……」というとんでもない思いが、彼の自由を求める心のうちを通りすぎる。アントワーヌが、「きみは、ほかの人間を幸福にするには根本的に不適任だ」と言ったのは、あるいは名言だったのかもしれない。

そのジャックがリヨン駅の入口に現われたとき、ジェンニーは顔色をかえ、元気なく彼を迎えた。そしてついに、「わたし、今夜、ごいっしょに行けないわ……」と言う。ジャックにとっては思いがけない言葉ではあったが、彼の心にはわれしらず、「これでまったく自由になれるんだ!」という考えがひらめく。「わかって下さる? わたし、とても出発する気になれないの……ママのそばにいなければ……せめて、ここ幾日でも……向こうであなたといっしょになるわ……すぐ……できるだけ早く」と言うジェンニーの俄かの変心は、ジャックを待っていた時間のうちに、やさしい母の断ち切り得ない心の痛みが子供の心におこさせた変化であり、女としては同類のものである娘が母にたいして持つ、容易な理解と、いたわりが、おこさせた変化でもある。ジャックにとっては、最後の束縛がとけたのである。たったひとりで出発するのだ！　すべてはこれでかんたんになったのだ……

八月三日。単身ジュネーヴに戻ったジャックを待っていたのは、変わりはてた《本部》であり、同志たちだった。イタリアの社会主義にのぞみをつなぐリチャードレーなどを除くと、誰も彼もが声をひそめてひっこんでしまった。《本部》には誰もいない。あのミトエルクはどうしたのか？　彼はオーストリアへ、みずから手本をしめすため、脱走者が卑怯者でないことを示すため、みんなの前で銃殺されに帰って行ったという。「誰もかもが死に場所を求めている」とジャックは思う。彼はメネストレルに会いに行く。彼の計画には、パイロットの助けが必要なのだ。

そのメネストレルには以前の面影はなかった。「おれには彼女が必要なんだ……」と深いためいきをつくかつての闘士を、ジャックは「こうも変わるものだろうか？」と見やる。だがかまわずに、ジャックは、自分の計画をぶちまける。それは次のようなものであった。

《後方にあっては、闘争はぜったいに不可能である。各国政府にたいし、戒厳令にたいし、愛国的狂乱にたいし、打つ手はまったくない。だが前線となると、問題は別だ。戦線に送られた兵士たちにたいしては、はたらきかける余地がたしかにある。戦争という現実のなかにほうり出された哀れな男たちに、「きみたちはまた搾取された！　銃を捨てろ！　いますぐ、その塹壕を飛び出て、正面にいる君とおなじ労働者たちと手を握れ！」とうったえるのである。そのためには、飛行機に独仏両国語で印刷したアジビラをつんで、独仏戦線の上を飛び、対峙した二つの塹壕にむかってビラを投下する。戦線のただ一点で、両軍のあいだに生まれた交歓は、たちまち燎原の火のように燃えひろがって行くだろう。そして、独仏両軍の指揮系統は麻痺させられてしまうだろう。インターナショナルのおさめることのできなかった勝利を、こうして、いまでも、みごとにかちとることができるに

違いない！……》

この計画実行のためには、飛行機が必要となる。ジャックは元パイロットのメネストレルに、どこかで飛行機を一機手に入れてくれるよう、そして、幾日かで自分に操縦を教えてくれるようにと頼む。「せいぜい何時間か、目的の方向にむかって飛べさえしたらいいんですから……」。これを見てもわかるとおり、ジャックはすべてをひとりでやろうと思っており、生きて還ることは露ほども願っていない。メネストレルは、飛行機の操縦がそれほどたやすいものではない、と言うだけで、賛成も反対もせずに、あしたまた来るように、と言って、ジャックを帰らせる。メネストレルはひとりになると、「機会……あるいはあたえられたたった一つの機会かもしれない……たった一つの解決かもしれない！」とつぶやく。

メネストレルにとっての「解決」とは何なのだろうか？　彼はその翌日、飛行機を手にいれるよう努力することと、自分もその決死行にジャックとともに飛びたつこと、つまり自分が飛行機を操縦してジャックを戦線に運ぶことを約束するのである。ここに読み違えてはならない、一つの重要な問題がある。それは、メネストレルがどのような理由から、決死の飛行を引き受ける気になったのか、というその動機についての問題である。

ジャックは、戦争にしんから反対の絶対平和主義者である。無辜《むこ》の人民が、政治家や資本家たちの野心の犠牲となって殺し合う戦争、を阻止しようとして、彼はこれまで闘ってきたのであった。であるから、ジャックが最後の手段として、死を賭してのアジビラ撒きに飛びたつことには、なんの矛盾もない。しかし、メネストレルは違う。彼は内心同志を裏切って、ひそかに戦争を歓迎する、無残な暴力的破壊主義者であった。それは、戦争を阻止したかもしれないあのシュトルバッハ文書の握りつぶしという一事でもあきらかなところであろう。メネストレルには、殺し合い阻止のためのアジビラ撒き決死飛行、への動機は見あたらない。見あたらないのではなくて、私たちがそれをはっきりと見きわめなければならないのである。ここでまたしても、私たちはそれを、思想やイデオロギーのなかにではなくて、人間の肉体と精神の関係という、隠秘で奥深いカオスのなかに求めるほかはない。彼はアルフレダを失った。それには、肉体的な欠陥という、彼の精神を暗いものとしていたものが関係していた。彼にはもはや何もない。同志たちも散りぢりとなっている。彼が「たった一つの解決」と考えたのは、インターナショナルの闘争としての「解決」ではない。それは、無にひとしいものとなった自分の存在を抹殺するための「解決」、ということである。パイロットはジャックの計画のなかに、自分の一生にけりをつける好機を見いだしたのだ、と見なければならない。これが「重要な問題」だと言ったのは、メネストレルの決死行参加の動機が、飛びたったあとの飛行機の運命に、そしてジャックの運命に関係してくるおそれがある、と思えるからである。

メネストレルはジャックにたいして、昔どおりのしっかりした指導者に立ちかえっていた。そのてきぱきとした指示にしたがって、ジャックはバーゼルへの列車に乗りこむ。アジビラの準備をして、メネストレルの飛行機を待つためである。バーゼルの本屋のプラトネルが、アジビラその他について手つだってくれるはずである。車窓の人ジャックの頭のなかを、さまざまな想念がかすめては消える。彼はとりわけ、興奮して、アジビラの文章を練ろうとする。しかし列車は、彼のまえに次つぎと新たな光景を繰りひろげてゆく。彼はそれにも気をとられる。汽車がローザンヌに着けば、迎えにきた兄とのことが思い出される。老夫婦が乗りこんでくれば、ふたりのようすや蠅のことに気をとられる。メネストレルのこと、ジェンニーのこと、アントワーヌのこと、ジョーレスのことが思いだされる……

この秀逸な場面については、一つのエピソードが残っている。ある夕方マルタン・デュ・ガールは、パリのカフェーで作家のヴァレリー・ラルボーと語っていた。ラルボーがイギリスからきた「意識の流れ」の手法について語ると、マルタン・デュ・ガールは友に、そのような新しい手法などに気をとられないように、と忠告した。

文学は手法などの問題ではなくて、内容の真実性こそがその生命なのだ、という彼本来の意見である。ラルボーはあえて抗弁せずに、ふたりは別れた。ところがその夜、家にかえったマルタン・デュ・ガールは、彼の『一九一四年夏』のなかに、さっそくその新手法そのものを用いた、というのである。それがこの車窓のジャックの場面と、このあとに出てくる荷馬車のなかの夢に関係があるらしい。出来あがったものは、純然たる「意識の流れ」とはやはり違っている。しかし、それに刺激をうけた書法となっていることは、確かに感じとられる。

四十八時間の仕事のあと、ジャックはようやくアジビラの原稿を書きあげた。カペルがそれをドイツ語に訳し、プラトネルが百二十万枚刷ってくれるだろう。ジャックはひっそりと、ただひとり散歩に出る。とつぜん心に次のような思いが浮かぶ。「おれはただ、絶望感からこんなことをしようと思っている……自分から逃げだしたいばかりに……おれには戦争をせきとめることなどできやしまい……助かるのはおれだけなんだ……なすべきことをやってのけ、自分自身を助けるのだ……あらゆるものを向こうにまわして、負けないこと！ そして、死の中へ逃げこむこと……」。また、次のようにも思う。「みずから求めて死ぬということ、それは棄権とはちがっている。それこそ、一つの運命に、花をじゅうぶん咲ききらせることにほかならないのだ！」また別のところで、ジャックは次のようにも考える。「たとい成功しないまでも、りっぱな手本をしめしてやれる！……おれの死は、りっぱな行為と言えるんだ……名誉を保つこと……しかも役立つこと……自分の一生をとりもどすこと、くだらなかった自分の一生を回復すること……そして、大きな安息を見いだすこと……」

これがいま、ジャックが自分の企てに与える意義である。右の三つの引用文の第一のものに言われている「絶望感」は、もちろん戦争突入、インターナショナルの崩壊、そしてただひとり闘うべく残された自分の孤独、というものからきているが、それはまた、人生そのものへの絶望的な拒絶の思いでもある。元来彼は「たえず絶望と隣あわせで暮らしていた」のであり、「ともすればいっさいがっさい棄権してしまいたくなる気持ちと戦いながら暮らさなければならなかった」のである（第二の引用文の前にある言葉）。その根底には、死にせきとめられた人間の生のはかなさという不条理観があり、そのようなもろくはかない人間どもが作っている社会制度や文明機構といったものにたいする根元的な不信感がつねにあって、それがいつも彼を反抗と脱出へとかりたてていたのであった。インターナショナルのあえなき瓦解という大きな具体的事実は、そうした彼の人間不信感を決定的に、再確認させることになった。そのような絶望のなかで、「自分から逃げだしたいばかりに」というのは、自分の頭脳の働きから逃げだしたいばかりに、ということである。かつて彼が、頭脳の活動に悩まされていて、死がその活動を停止してくれるのがいい、と自殺の思いに耽っていたことが思いだされる。そしていまの彼の頭脳の活動の苦しさは、もはや死によってしか、どこにも解消するすべがないところまできてしまった。彼の前方には、死しかないことになる。であるから、いまから為そうとする前線でのアジビラ撒きが、はたして戦争をせきとめ得るかどうか、それは彼にも確信のもてるはずはないのだが、それは「やるべきことをやってのけ、自分自身を助ける」ことにはなるのである。その「やるべきこと」とは、「死の中へ逃げこむ」まえに、「あらゆるものを向こうにまわして、負けないこと」をみずからの行動によって自分に示し、それによって、無意味な自分の生に、みずからの力で主観的な意味を与える、ということである。これが「一つの運命に、花をじゅうぶん咲きらせること」になる。

第二の引用文にある「みずからもとめて死ぬということ」という言葉は、アンドレ・マルローの『人間の条件』という小説のなかの、死刑執行人が近づくまえに青酸カリを嚥下《えんか》する共産党員、のことを思いださせる。マルローにとって、「死」によって殺されることと、みずからもとめて死ぬこととは、根本的に異なるものであった。（「死」によって殺される、とは、あのオスカール・チボーの死にかたのことである。）私たちは死を免れることはできない。しかし私たちは、死を恐れないことはできるのであり、さらに進んで、「死」を辱めてやることもできるのである。「死」を辱めてやる、とは、「死」に「生」の力をつきつけて、思いしらせてやることである。それは、死をものともせぬ、極限的状況での、危険な行動への挺身によって果たされる。そしてその行動は、意義ある、役に立つ行動でなければならない。マルローの言葉をかりるならば、「人間の尊厳」をまもるための行動である。それがジャックの言葉では、「あらゆるものを向こうにまわして、負けないこと」を示して、正義をまもる「りっぱなお手本」となり、しかも、「役立つ」「りっぱな行為」ということになるのである。

　マルローは日本のさむらいの切腹という伝統に、ひじょうな関心をもっていた。それははらきりが、みずから死ぬという行為であり、その死にかたによって、死後に大義名分を打ちたて、さむらいの「名誉を保つこと」になったからである。マルローたちのこのような思想を、私たちは「行動の美学」あるいは「行動の神話」とよんで、二十世紀前半の文学の一つの側面と考える。その行動は、マルローの場合には革命的行動となり、サン＝テクジュペリの場合には、死をものともせぬ職業的使命の遂行となる。

　ここで長ながとマルローについて語ったのには、理由がある。人々がしばしばマルタン・デュ・ガールを、マルローやサルトルやカミュなどという、二十世紀前半の新しい文学の担い手たちと区別して、ただ写実主義《レアリスト》的な大壁画小説家としてだけとらえようとする風潮にたいして、忠告を発したいからである。二十世紀主観主義の作家たちと総称し得る、そうした他の人々の専売特許のようになった、死という不条理、不断の反抗、絶対的孤独、絶対的不安、行動の形而上学などという抽象概念が、ジャック・チボーその人のなかに肉化されていることを、ここまで読み進んできた読者は絶対に否定なさらないであろう。この意味での典型として、ジャック・チボー以上に鮮烈な主人公が他に見いだせるであろうか？　しかも、いまジャックが「おれのりっぱな行為」と考えるものは、行動の美学でも神話でもない。それは、ここまで集積されてきた具体でずっしりと重い、彼の「一生をとりもどすこと、くだらなかった自分の一生を回復すること」という、現実生活の帰結としての事実なのである。

カミュがマルタン・デュ・ガールを「われわれの先駆者」と呼ぶのは、このことなのである。

ついに、メネストレルから秘密指令が届いた。飛行は十日月曜日・午前四時と決定。アジビラをディッチンゲン北部の高地へ運び、機の飛来を待て、である。

八月九日。プラトネル、カペルとともに、ジャックはアジビラやガンリンを積んだ馬車にのって、高地へとむかう。その車のなかで、ジャックは夢をみる。この夢の解釈は、この際、読者諸氏におまかせするとしよう。

はやくも白みそめた空の一角から、かすかな爆音が聞こえ、黒い一点があらわれた。メネストレルの操縦機である……

飛行機はジャックをのせて飛びたつ。彼の前には、背をまるめ、飛行帽をかぶったメネストレルの頭がある。これはもはや夢ではないのだ！　一散に飛んでいるのだ！　ジャックは、動物的な叫び、勝利のわめきを口にする。大河小説『チボー家の人々』の一つの大きなクライマックスである！

発動機のうなりは、ジャックの興奮と一体になって、その音楽的表出とでもいったようになっている。そして彼の心臓のはげしい、きわめてひびきのいい鼓動は、逆に、「彼の身のまわりのあらゆる空間をふるえおののかせているこのすばらしい凱歌」ともいうべき爆音への、一種の人間的な伴奏かと思われる……しかし、どうしたのか。メネストレルが前方に身をかがめ、何かをやりはじめた。そしてたちまち空中に、一種の震動、一種の衝撃がおこる。エンジンがとまり、機体は矢のように降下をはじめる。墜落である。ジャックははげしい衝撃であごを打ちくだかれ、空間に投げだされて、叩きつけられる。超人的な努力で火災のなかからはい出そうとするが、両足は火のなかにつかまれている。なにかに背をつかまれて痛い背中を下にして、うしろへと引きずられる。とつぜん、すべてが静かになり、ジャックは暗黒と虚無のなかに落ちてゆく……

読者諸氏にこの飛行と墜落の場面を、いくども注意ぶかく読みかえしていただきたいと思う。この墜落には、大きな謎が残されるからである。この場面については、飛行機の偶然の事故、と見る説と、メネストレルがジャック道づれの自殺をするために故意にやった墜落、と見る説とがある。メネストレルが、高地に飛来して着陸したあと、機体の中にうずくまって、長いスパナでどこかのボルトを締めながら、「接触がわるい！　技師はいないか！」と言っていたのが思いだされる。そのことと、急降下した飛行機が、いちどは「ふつうの飛行態勢にもどっていた」ことを考えあわせると、なにかの故障による事故、という推測が充分なりたつ。しかし、メネストレルはジャックにアジビラを投下させるために飛びたったのではない。反戦ビラによって戦争を阻止することに、彼はむしろ反対なのである。何が行なわれていようと、世界がどうなろうと、絶望した暗い心の破壊主義者には、もはやどうでもいいものとなっていた。彼の動機について、私たちはすでにはっきりと知っている。彼は死ぬために飛行機にのったのであった。「接触がわるい」と言ったのは、実際に故障個所があったのに違いない。しかし、どちらにせよ、飛びあがるためには、それを直しておく必要もあったであろう、という考えがなりたつ。それにメネストレルは、いちど機上で、奇妙な所作を見せている。彼のさっと左手を振った動作は、アジビラ投下の用意をうながすためのものだったのか、それともジャックへの最後の別れのあいさつだったのか？　作者はこの場面を、謎として読者に提供していると考えられる。この作家は、しばしばこれをやる。ジェンニーの病気の突然の回癒だの、少年園でのジャックの変わりようだの……

飛行機は、アルザス戦線を退却中の、フランス部隊のまっただなかに墜落したのであった。メネストレルはまっくろこげに焼けただれて死んでいた。ジャックは身動きもできず、口もきけない大けがをうけながらも、命はつないでいた。フランス兵たちは、彼をドイツのスパイと断定したため、捕虜として、担架にのせて部隊本部に運んでゆかねばならなくなる。ジャックは彼らに、「おれはスパイではない。君たちの仲間なのだ。君たちを救いにやってきたのだ」と言いたかったであろう。しかし、衝撃をうけたときに舌をかみきっていて、ひとこともしゃべれない。このもどかしさ……解放を願ったジャック、人生からの脱出をはかったジャックは、ここで、何ひとつ自分を表現し得ない苦しい状態に閉じこめられる。(「脱出」のテーマで始まったジャックの物語は、こうして「幽閉」のテーマでおわるのである。)

担架の上に寝かされて運ばれてゆくジャックの目に、敗走中らしい人馬の右往左往する混乱ぶりが展開されてゆく。そのあおむけのジャックの視点からとらえられる、統制を失った雑然たる兵馬の動き、これが、戦争を主題とする『一九一四年夏』のなかでの唯一の戦場場面である。兵たちも、上官たちさえもが、戦況がどうなっているのか、自分たちがどこへ押し流されてゆくのか、よくわかっていない。自分たちは負けているらしいのであり、丘陵にはドイツ部隊が潜んでいるらしいのだが、指揮系統が乱れていて、自分たちのおかれている状況がつかめない。このような華ばなしさのない戦場の一角をとおしての戦争の描出、これはスタンダール(『パルムの僧院』)以来の手法である。そして、戦う兵士たちにとっての実際の戦場とは、まさにこのようなものなのだ。作者が現実に見た戦争も、この通りだったのに違いない。だが、マルタン・デュ・ガールがこのような戦場描出の方法を選んだのには、彼の生来の反英雄主義《アンチ・ヒロイズム》が関係している。

ついにジャックの体を運ぶ手立てを失って、「この荷物をどうしたらいいんだ?」と途方にくれるあわれな兵士マルジュラに、ひとりの老下士が、「かたづけちまえ!……きさまも早く逃げだすんだ!」と吐きかける。まだいちども人を殺したことのないマルジュラ、動物さえ殺したことのないこの男は、恐怖にとらえられる。しかし彼は、顔をそむけたまま、ピストルの銃口をジャックの頭にあてて、歯をくいしばって、「畜生!」と叫びながら引きがねをひく……

あまりにも非情無残な、ジャックの死。悲しいほどに純粋だった反抗児の短い命は、アルザスの野の片隅で、誰にもしられずにその活動をやめさせられた。その生涯は、いったい何であったのだろう? 彼の死は無駄な死におわった。せめてメネストレルとともに悲壮な墜落死でもとげていたのだったら、まだしもその行動には、運命にたいして闘いやぶれた英雄の悲劇性が与えられたであろうのに。臆病な一兵士が顔をそむけてこめかみにあてがった銃口を、口もきけぬジャックはなんとみたのであろうか。その一瞬の思いは、「おれはおまえの友だちなのだ。間違ってはいけない！」だったか、それとも「ぼろぼろのおれの人生にふさわしい死にかただ。やってくれ！」だったであろうか？　もしくは生から死へと移行する瞬間の臨終苦をあのように恐れていた彼は、「これでいい。ひと思いにやってくれ！」と心のなかで叫んだだろうか？　ともかくも、このむごたらしい死には、顔をそむけるほかはない。ここでは、人間が侮辱されている、という感をいなめない。

　この侮蔑は、人間にたいする宇宙の侮蔑だと言えるだろう。人間は卑小なるものである。科学主義、物質主義の支配する現代は、その卑小なる人間をさらに倭小化した。この人間の倭小化が、現代における古典的な意味における「悲劇＝荘厳劇」の成立を不可能にしており、すくなくとも演劇としての「悲劇」はむずかしくなった、といわれている。それに加えて、マルタン・デュ・ガールの反英雄主義は、悲劇的荘厳美を主人公に拒絶したのであった。しかし、二十世紀には二十世紀の「悲劇」があり得るのではなかろうか？　そして、それは小説の分野に可能性を見いだす。『二十世紀文学における悲劇的世界像』の著者グリックスバーグ氏の言葉を利用して評するならば、宇宙における正義の欠如に抗議し、みずからをだますことを拒み、不条理なるものを変更不可能と認めつつ、それにたいして反抗をつづけ、妥協することなくそのために死ぬ者は、現代の新しい英雄となり、新しい「悲劇」の主人公となり得るのである。そのような主人公は、自分の苦しみを贖《あがな》うどんな意味もかいま見ることはできないが、人間連帯と人間の運命への憐憫の情の必要なことを強調しつつ、災厄に立ち向かって必然的な挫折に倒れるとき、偉大さの尺度なしとはしないのである。これまさに、われらが主人公にこそあてはめられる定義であろう。チボー家のジャックの物語は、「悲劇性」を拒否するペシミスティックな現実主義者の作家が打ちたてた、反英雄主義的な現代の「悲劇」であるといっても過言ではない。

店村新次

本書は2008年刊行の『チボー家の人々 11』第10刷をもとにオンデマンド印刷・製本で製作されています。

訳者：
山内義雄
（1894 ～ 1973）
1950年「チボー家の人々」により芸術院賞受賞
訳書マルタン・デュ・ガール「ジャン・バロワ」
　「チボー家のジャック」他多数

解説者：
店村新次（たなむら　しんじ）
（1919 ～ 1991）
同志社大学名誉教授，文学博士
主著「ロジェ・マルタン・デュ・ガール研究」

白水uブックス　48

チボー家の人々　11　一九一四年夏（Ⅳ）

訳　者© 山内《やまのうち》義《よし》雄《お》
発行者　岩堀雅己
発行所　株式会社 白水社
東京都千代田区神田小川町 3-24
振替　00190-5-33228　〒 101-0052
電話（03）3291-7811（営業部）
　　（03）3291-7821（編集部）
www.hakusuisha.co.jp

1984 年 3 月 20 日第 1 刷発行
2024 年 3 月 10 日第 19 刷発行
印刷・製本　大日本印刷株式会社
表紙印刷　クリエイティブ弥那
Printed in Japan

ISBN978-4-560-07048-2

乱丁・落丁本は送料小社負担にてお取り替えいたします。

Roger Martin Du Gard: *Les THIBAULT*